R     O     M     A     N     C     E

# JULIA QUINN

# OS BRIDGERTON: FELIZES PARA SEMPRE

TRADUZIDO DO INGLÊS POR

HELENA RUÃO

ASA

Título: **OS BRIDGERTON: FELIZES PARA SEMPRE**
Título original: **THE BRIDGERTONS: HAPPILY EVER AFTER**
© 2013, Julie Cotler Pottinger
© 2016, Edições ASA II, S.A.

Capa: Neusa Dias
Imagem de capa: Shutterstock
Fotografia da autora: Rex Rystedtseattlephoto.com
Paginação: LeYa
Impressão e acabamentos: Multitipo

1.ª edição: outubro de 2016
5.ª edição: outubro de 2024 (reimpressão)
Depósito legal n.º 414 066/16
ISBN 978-989-23-3673-2

**Edições ASA II, S.A.**
Uma editora do Grupo Leya
Rua Cidade de Córdova, n.º 2
2610-038 Alfragide – Portugal
Telef.: (+351) 214 272 200
Fax: (+351) 214 272 201
www.leya.com

Reservados todos os direitos de acordo com a legislação em vigor.
Este livro segue o Novo Acordo Ortográfico de 1990.

# Índice

*Para os meus leitores,*
*que nunca deixaram de perguntar,*
*«E depois, o que aconteceu?»*

*E também para o Paul,*
*que nunca deixou de dizer,*
*«Que grande ideia!»*

Caro leitor,

Alguma vez se perguntou o que terá acontecido aos seus personagens favoritos depois de virada a última página? Alguma vez quis só mais um bocadinho do seu romance preferido? Eu já, e a julgar pelas minhas conversas com os leitores, não sou a única. Por esse motivo, e depois de inúmeros pedidos, revisitei os romances da família Bridgerton e concedi a cada um deles um «segundo epílogo» – a estória depois da história.

Para aqueles que não leram os romances da família Bridgerton, devo advertir-vos de que alguns destes segundos epílogos podem não fazer muito sentido sem terem lido o romance que os precede. Para aqueles que leram os romances da família Bridgerton, espero que gostem tanto de ler estes contos, quanto eu gostei de os escrever.

Calorosamente,
Julia Quinn

## Crónica de Paixões e Caprichos

A meio da história de *Crónicas de Paixões e Caprichos*, Simon recusa-se a aceitar um pacote de cartas dirigidas a ele e escritas pelo finado pai com quem estava de relações cortadas. Daphne, prevendo que Simon poderia algum dia mudar de ideia, guarda as cartas e esconde-as, mas quando lhas entrega no final do livro, ele decide não as abrir. A princípio, eu não tinha intenção de que ele o fizesse; sempre imaginei que haveria algo de grandioso e importante naquelas cartas. Mas quando Daphne as entrega a Simon, tornou-se claro para mim que ele não precisava de ler as palavras do pai. Finalmente deixara de ter significado para Simon o que o falecido duque poderia ter pensado dele.

Os leitores queriam saber o que estava nas cartas, mas devo confessar que... eu não. O que me interessava era saber o que seria necessário acontecer para que Simon *quisesse* lê-las...

Crónica de Paixões e Caprichos:
Segundo Epílogo

A matemática nunca fora o forte de Daphne Basset, contudo era perfeitamente capaz de contar até trinta, e, como trinta era o número máximo de dias que normalmente decorria entre os seus fluxos menstruais, o facto de estar de momento a consultar o calendário pousado na secretária e a contar até quarenta e três era motivo de alguma preocupação.

– Não pode ser! – disse ela ao calendário, como se esperasse resposta.

Sentou-se devagar, tentando recordar os acontecimentos das últimas seis semanas. Talvez tivesse contado mal. Tinha menstruado quando estivera de visita à mãe, e isso fora nos dias 25 e 26 de março, o que significava... voltou a contar, desta vez fisicamente, apontando com o dedo indicador cada quadrado do calendário.

Quarenta e três dias.

Estava grávida.

– Santo Deus!

Mais uma vez, o calendário tinha pouco a dizer sobre o assunto.

Não. Não podia ser. Ela tinha quarenta e um anos de idade. Não que com isso quisesse dizer que nunca uma mulher na história do mundo tivesse dado à luz aos quarenta e dois anos, mas a verdade é que já se tinham passado dezassete anos desde a última vez que concebera. Dezassete anos de deliciosas relações com o marido durante as quais não tinham feito nada... absolutamente nada... para impedir a conceção.

Daphne assumira que simplesmente deixara de ser fértil. Tivera quatro filhos em rápida sucessão, um por ano durante os primeiros quatro anos de casamento. E depois... nada.

Na altura ficara surpreendida ao perceber que o seu filho mais novo chegara ao primeiro aniversário e ela não estava grávida novamente. Ele fez dois anos, três, e vendo que a sua barriga se mantinha lisa, Daphne olhou para a sua ninhada – Amelia, Belinda, Caroline e David – e decidiu que tinha sido desmesuradamente abençoada. Quatro crianças, saudáveis e fortes, com um rapazinho sadio que um dia tomaria o lugar do pai como duque de Hastings.

Além disso, Daphne não apreciava particularmente estar grávida. Os tornozelos e o rosto ficavam inchados, e o aparelho digestivo fazia coisas que ela não desejava de todo voltar a experimentar. Pensou na cunhada, Lucy, que parecia literalmente irradiar luz e felicidade durante toda a gravidez, o que era bom, pois Lucy estava atualmente grávida de catorze meses do seu quinto filho.

Ou nove meses, mais precisamente. Mas Daphne tinha-a visto há apenas alguns dias e ela *parecia* estar de catorze meses, pelo menos.

Enorme. Incrivelmente enorme. Mas ainda assim irradiava felicidade e exibia uns tornozelos surpreendentemente delicados.

– Não posso estar grávida – disse Daphne, pousando a mão na barriga plana.

Talvez estivesse a entrar na menopausa. Aos quarenta e um anos parecia-lhe um pouco cedo de mais, mas a verdade é que era um daqueles assuntos de que ninguém falava. Talvez muitas mulheres deixassem de menstruar aos quarenta e um.

Devia ficar feliz. Grata, até, pois o sangramento mensal era um verdadeiro incómodo.

Ouviu passos que se aproximavam, vindos do corredor, e rapidamente puxou um livro para tapar o calendário, embora não fizesse ideia do que poderia estar a esconder. Afinal de contas, era apenas um calendário, e nele não havia nenhum «X» a vermelho a marcar um dia, seguido pela anotação «Sangrei neste dia».

O marido entrou na sala.

– Ah, ainda bem que estás aqui. A Amelia andava à tua procura.

– À minha procura?

– Se existe um Deus misericordioso, então não é a *mim* que ela procura – devolveu Simon.

– Oh, Céus! – murmurou Daphne.

Normalmente, ela teria uma resposta mais perspicaz, mas a sua mente ainda estava perdida na neblina do «talvez eu esteja grávida ou talvez esteja a ficar velha».

– Algo sobre um vestido.

– O cor-de-rosa ou o verde?

Simon fitou-a, incrédulo.

– Achas-me capaz de saber do que estás a falar?

– Não, pois claro que não sabes – respondeu ela distraidamente.

Ele pressionou as têmporas com as pontas dos dedos e deixou-se afundar num cadeirão próximo.

– Quando é que ela casa?

– Nunca antes de ficar noiva.

– E quando será isso?

Daphne sorriu.

– Ela teve cinco propostas no ano passado. Tu foste quem insistiu para que ela esperasse até encontrar alguém com quem casasse por amor.

– Não te ouvi a discordar.

– Não discordei.

Ele suspirou.

– Como é que conseguimos ter três debutantes na sociedade em simultâneo?

– Zelo procriador no início do nosso casamento – respondeu Daphne com desfaçatez, lembrando-se logo do calendário na mesa; aquele com o «X» a vermelho que ninguém via além dela.

– Zelo, hum? – Ele lançou uma olhadela rápida à porta aberta. – Uma escolha interessante de palavras.

Bastou-lhe ver a expressão do marido para se sentir enrubescer.

– Simon, estamos em pleno dia!

Os lábios dele entreabriram-se num sorriso.

– Não me recordo de isso alguma vez nos ter impedido, quando estávamos no auge do nosso zelo.

– Se as meninas sobem...

Ele levantou-se subitamente.

– Eu tranco a porta.

– Oh, Céus, assim é que vão *mesmo* saber.

Ele rodou o trinco com um clique resoluto e voltou-se para ela com uma sobrancelha arqueada.

– De quem é a culpa?

Daphne recuou. Um pequenino passo.

– Recuso-me terminantemente a deixar que qualquer uma das minhas filhas case tão irremediavelmente ignorante como eu era.

– Encantadoramente ignorante – murmurou ele, cruzando o aposento para pegar na mão dela.

Ela permitiu que ele a ajudasse a levantar.

– Não achaste assim tão encantador quando pensei que eras impotente.

Ele fez uma careta.

– Há muitas coisas na vida que têm mais encanto com o passar do tempo.

– Simon...

Ele sussurrou-lhe ao ouvido:

– Daphne...

A sua boca desceu pelo pescoço dela, fazendo-a sentir-se a derreter. Vinte e um anos de casamento e ainda...

– Pelo menos fecha as cortinas – murmurou ela.

Não que alguém pudesse ver alguma coisa, com o sol a brilhar tanto, mas isso fá-la-ia sentir-se mais à vontade. Afinal de contas, viviam em plena Mayfair, com todo o seu círculo de conhecidos a passear-se, possivelmente, do lado de lá da janela.

Ele praticamente correu para a janela, mas fechou apenas as cortinas mais diáfanas.

– Eu gosto de te ver – disse ele com um sorriso malandro e pueril.

Então, com notável rapidez e agilidade, agiu de acordo a poder vê-la *toda* e, num ápice, ela estava na cama, a gemer baixinho de prazer quando ele lhe beijou a parte de trás do joelho.

– Oh, Simon – suspirou ela.

Daphne sabia exatamente o que ele ia fazer a seguir. Subiria lentamente, beijando-a e deslizando a língua pela coxa.

Fazia-o *tão* bem.

– Em que estás a pensar? – murmurou ele, curioso.

– Neste momento? – perguntou ela, tentando afastar o enlevo, pois a língua dele encontrava-se agora no declive entre a perna e o abdómen e ele achava-a capaz de *pensar*?

– Sabes no que estou a pensar? – perguntou ele.

– Se não é em mim, vou ficar terrivelmente dececionada.

Ele soltou um riso abafado, moveu a cabeça para lhe depositar um beijo leve no umbigo e depois deslizou para cima, roçando os lábios suavemente nos dela.

– Eu estava a pensar em como é maravilhoso conhecer alguém tão completamente.

Ela abraçou-o. Não conseguia evitar. Enterrou o rosto na curva calorosa do seu pescoço e inalou-lhe o cheiro tão familiar, dizendo:

– Amo-te.

– E eu adoro-te.

Ah, ele ia transformar aquilo numa competição? Ela afastou-se apenas o suficiente para dizer:

– Eu gosto de ti.

Ele ergueu uma sobrancelha.

– Tu *gostas* de mim?

– Foi o melhor que consegui arranjar em tão pouco tempo – respondeu ela com um encolher de ombros. – Além de ser a mais pura das verdades.

– Muito bem. – O tom dos olhos dele escureceu. – Eu *venero-te*.

Os lábios de Daphne separaram-se. O coração bateu mais forte para, em seguida, parar momentaneamente, fazendo-a perder qualquer capacidade de encontrar mais um sinónimo para lhe contrapor.

– Acho que ganhaste – disse ela, a voz tão rouca que mal se reconheceu.

Ele beijou-a novamente, um beijo longo, ardente e dolorosamente doce.

– Oh, eu sei que sim.

Daphne deixou a cabeça cair para trás quando Simon voltou a percorrer com os lábios o caminho até à barriga.

– Ainda tens de me venerar – lembrou ela.

Ele continuou a descida.

– Nesse aspeto, Vossa Graça, serei eternamente vosso servo.

E esta foi a última coisa que qualquer um deles disse durante algum tempo.


Vários dias depois, Daphne apanhou-se novamente a olhar para o calendário. Quarenta e seis dias se tinham passado desde o último sangramento e ainda não dissera nada a Simon. Sabia que devia, mas parecia-lhe um pouco prematuro. Podia haver outra explicação para a ausência de menstruação... bastava lembrar-se da última visita à mãe. Violet Bridgerton passara o tempo todo a abanar-se, insistindo que o ar era sufocante, embora Daphne o achasse perfeitamente agradável.

A única vez que Daphne pedira a alguém para acender a lareira, Violet impedira-a com tal ferocidade que Daphne quase a visualizara a proteger a grelha da lareira com um atiçador.

– Não deixo que acendam nem um fósforo – rosnara Violet.

Ao que Daphne sabiamente respondera:

– Talvez seja melhor eu ir buscar um xaile. – Olhou de esguelha para a criada da mãe, que tremelicava junto à lareira. – Há... acho que deve ir buscar um para si também.

Contudo *agora* não se sentia acalorada. Sentia-se...

Não sabia como se sentia. Perfeitamente normal, na verdade. O que era suspeito, pois nunca se sentira normal quando estava grávida.

– Mamã!

Daphne escondeu o calendário e ergueu os olhos da secretária mesmo a tempo de ver a sua segunda filha, Belinda, parar à entrada da sala.

– Entra – convidou Daphne, dando graças pela distração.

Belinda sentou-se num cadeirão próximo, os olhos azuis brilhantes encarando os da mãe com a franqueza habitual.

– Tem de fazer algo acerca da Caroline.

– *Tenho?* – inquiriu Daphne, a voz arrastando-se e marcando ligeiramente cada sílaba.

Belinda ignorou o sarcasmo.

– Se ela não parar de falar no Frederick Snowe-Mann-Formsby, eu vou enlouquecer.

– Não podes simplesmente ignorá-la?

– O *nome* dele é Frederick Snowe... Mann... *Formsby*!

Daphne pestanejou, como quem não compreende.

– Quer dizer boneco de neve, mamã! Boneco de neve!

– *É* lamentável – concedeu Daphne. – Contudo, Lady Belinda Basset, nunca te esqueças de que podes muito bem ser comparada com um cão de orelhas caídas.

O olhar de Belinda ficou muito carregado, tornando-se imediatamente óbvio que alguém já a comparara com um *basset hound*.

– Oh! – exclamou Daphne, um pouco surpreendida por Belinda nunca ter partilhado essa história com ela. – Lamento sinceramente que isso tenha acontecido.

– Foi há muito tempo – disse Belinda com uma fungadela. – E asseguro-lhe que só o disseram uma vez.

Daphne cerrou os lábios, tentando não sorrir. Não era decerto razoável incentivar lutas, mas tendo ela sido obrigada a abrir caminho à força até à vida adulta no meio de sete irmãos, quatro deles rapazes, não pôde deixar de proferir um quase silencioso «Bem feito!».

Belinda dirigiu-lhe um aceno de cabeça régio e insistiu:

– E então? Vai ter uma conversa com a Caroline?

– O que queres que eu lhe diga?

– Não sei. O que costuma dizer. Parece funcionar sempre.

Havia certamente um elogio algures ali escondido, Daphne tinha a certeza, mas antes que pudesse dissecar a frase, sentiu o estômago dar uma reviravolta desagradável, seguida de um estranhíssimo aperto, e então...

– Com licença! – esganiçou ela, correndo para a casa de banho mesmo a tempo de alcançar o bacio.

Oh, santo Deus! Aquilo não era a menopausa. Ela estava grávida.

– Mamã?

Daphne sacudiu a mão para trás, para Belinda, tentando mandá-la embora.

– Mamã? Está bem?

Daphne teve outro arranco de vómito.

– Vou chamar o papá – anunciou Belinda.

– Não! – quase berrou Daphne.

– Foi o peixe? Porque eu achei o sabor do peixe algo duvidoso.

Daphne assentiu, esperando pôr um ponto final no assunto.

– Não, espere, a mamã não comeu o peixe. Lembro-me muito perfeitamente.

Oh, raios partissem Belinda e a sua mania de prestar atenção aos detalhes.

Não era um sentimento nada maternal, pensou Daphne no instante em que mais um arranco lhe revolveu as entranhas, mas a verdade é que não se sentia especialmente caridosa no momento.

– A mamã comeu pombo. Eu comi peixe, assim como o David, mas a mamã e a Caroline comeram apenas pombo, e acho que o papá e a Amelia comeram as duas coisas, e todos comemos sopa, se bem que...

– Para! – implorou Daphne. Não queria falar de comida. Só a simples menção...

– Acho melhor chamar o papá – insistiu Belinda.

– Não, eu estou bem – tresfolegou Daphne, continuando a sacudir a mão para trás, numa tentativa de calar a filha.

Não queria que Simon a visse assim. Ele saberia imediatamente o que se estava a passar. Ou, mais precisamente, o que iria aconte-cer. Daí a sete meses e meio, mais coisa menos coisa.

– Muito bem – aceitou Belinda –, mas pelo menos deixe-me ir buscar a sua criada. A mamã devia estar na cama.

Daphne vomitou novamente.

– Quando terminar – corrigiu Belinda. – Devia ir para a cama quando terminar... há... *isso.*

– A minha criada – acedeu Daphne por fim.

Maria iria deduzir a verdade instantaneamente, mas não diria uma palavra a ninguém, tanto aos criados como à família. E talvez o mais premente é que Maria saberia exatamente o que lhe trazer como remédio. Teria certamente um gosto vil e um cheiro ainda pior, mas iria acalmar-lhe o estômago.

Belinda saiu a correr, e Daphne... assim que ficou convencida de que não poderia ter mais nada no estômago... cambaleou até à cama. Deixou-se ficar muito quieta, pois o mais pequeno movi-mento fazia-a sentir como se estivesse em alto-mar.

– Estou velha de mais para isto – queixou-se ela, pois era assim que pensava.

Certamente que sim. Se fosse como das outras vezes, e não tinha razões para pensar que esta gravidez se mostrasse diferente das quatro anteriores, seria acometida por náuseas durante pelo menos mais dois meses. A falta de comida iria mantê-la magra, mas isso duraria apenas até meados do verão, altura em que duplicaria de tamanho, praticamente de um dia para o outro. Os dedos iriam inchar a ponto de não conseguir usar anéis, os pés não caberiam em nenhum dos seus sapatos e um simples lanço de escadas deixá-la-ia ofegante.

Ficaria um elefante. Um elefante de duas pernas e cabelo cor de avelã.

– Vossa Graça!

Daphne não podia levantar a cabeça, por isso levantou a mão, numa saudação silenciosa e patética a Maria, que agora se encontrava ao lado da cama, olhando-a com uma expressão horrorizada...

...que rapidamente se transformou em suspeita.

– Vossa Graça – repetiu Maria, desta vez com uma entoação inequívoca, sorrindo logo depois.

– Eu sei – disse Daphne. – Eu sei.

– O duque sabe?

– Ainda não.

– Bem, não será capaz de o esconder por muito mais tempo.

– Ele parte esta tarde para passar alguns dias em Clyvedon – disse Daphne. – Conto-lhe quando ele voltar.

– Devia contar-lhe já – aconselhou Maria.

Vinte anos de serviço davam a uma criada alguma permissão para partilhar livremente a sua opinião.

Daphne arrastou-se cuidadosamente na cama até uma posição reclinada, parando uma vez para acalmar uma onda de náusea.

– A criança pode não vingar – argumentou ela. – Na minha idade, acontece muito.

– Oh, eu acho que já vingou – contrapôs Maria. – Já se viu ao espelho?

Daphne sacudiu a cabeça.

– Está verde.

– Pode não...

– Decerto não vai vomitar esse bebé.

– Maria!

Maria cruzou os braços e fulminou Daphne com o olhar.

– Vossa Graça sabe perfeitamente a verdade. Só não a quer admitir.

Daphne abriu a boca para falar, mas não tinha nada a dizer. Maria estava certa.

– Se o bebé não tivesse vingado – continuou Maria, com um pouco mais de suavidade –, não estaria tão enjoada. A minha mãe teve oito bebés depois de mim, e quatro abortos espontâneos no início. Não enjoou nem uma vez com os que não vingaram.

Daphne suspirou e assentiu, reconhecendo que ela tinha razão.

– Mesmo assim, vou esperar – decidiu. – Só mais um pouco.

Não sabia porque queria guardar o segredo por mais alguns dias, mas o facto é que queria. E como ela era a pessoa cujo corpo tentava atualmente virar-se do avesso, a decisão era sua.

– Oh, quase me esquecia! – disse Maria. – Recebemos um bilhete do seu irmão a avisar que vem para a cidade na próxima semana.

– O Colin? – perguntou Daphne.

Maria assentiu.

– Com a família.

– Têm de ficar hospedados cá em casa – disse Daphne. Colin e Penelope não possuíam casa própria na cidade e, para economizar, tinham o hábito de ficar ou em casa de Daphne ou na do irmão mais velho, Anthony, que herdara o título e tudo o mais a ele associado. – Por favor, peça à Belinda para escrever uma carta em meu nome, insistindo que eles venham para Hastings House.

Maria fez um aceno de cabeça e saiu.

Daphne gemeu e logo depois adormeceu.


Quando Colin e Penelope chegaram, com os quatro queridos filhos a reboque, Daphne estava numa fase em que vomitava várias vezes ao dia. Simon ainda não sabia do estado dela, pois ficara retido por causa de um campo inundado, ou algo semelhante, por isso não era esperado antes do final da semana.

Mas Daphne não ia deixar que um simples enjoo a impedisse de cumprimentar o seu irmão favorito.

– Colin! – exclamou, o sorriso tornando-se decididamente contagiante perante a visão familiar dos cintilantes olhos verdes do irmão. – Há tanto tempo!

– Concordo plenamente – respondeu ele, dando-lhe um abraço, enquanto Penelope tentava que os filhos entrassem em casa.

– Não, não podes perseguir aquele pombo! – disse ela com firmeza. – Desculpa, Daphne, mas...

Ela apressou-se de volta para os degraus da entrada, com Thomas, o filho de sete anos, preso pelo colarinho.

– Dá graças pelos teus diabretes já estarem crescidos – comentou Colin com uma risada, dando um passo atrás. – Não podemos mantê-los... Credo, Daff, o que se passa contigo?

Só um irmão para prescindir completamente de tato.

– Estás com um ar horrível – insistiu ele, como se não tivesse deixado isso bem claro na frase anterior.

– Só um pouco indisposta – resmoneou ela. – Acho que foi o peixe.

– Tio Colin!

A atenção de Colin foi felizmente distraída por Belinda e Caroline, que desciam as escadas a correr com evidente falta de graciosidade feminina.

– Olha tu! – brincou ele com um sorriso, puxando uma delas para um abraço. – E tu! – Olhou para cima e perguntou: – Onde está o outro tu?

– A Amelia foi às compras – informou Belinda, antes de voltar a atenção para os primos mais novos.

Agatha acabava de fazer nove anos, Thomas tinha sete e Jane, seis. O pequeno Georgie faria três no mês seguinte.

– Estás tão crescida! – disse Belinda a Jane, com um sorriso rasgado.

– Cresci cinco centímetros no último mês! – anunciou ela.

– No último ano – corrigiu Penelope, carinhosamente. Não conseguia chegar a Daphne para um abraço, então inclinou-se e apertou-lhe a mão. – Sei que as tuas meninas já estavam bastante crescidas da última vez que as vi, mas juro que continuo a espantar-me sempre que as vejo.

– Eu também – admitiu Daphne.

Ela ainda acordava algumas manhãs à espera de ver as filhas vestidas de bibe. O facto de já serem jovens completamente crescidas...

Era desconcertante.

– Bom, sabes o que eles dizem acerca da maternidade – comentou Penelope.

– «Eles»? – murmurou Daphne.

Penelope fez uma pausa, demorada o suficiente para atirar à cunhada um sorriso irónico.

– Os anos voam e os dias são intermináveis.

– Isso é impossível – anunciou Thomas.

Agatha deixou escapar um suspiro de enfado.

– Ele é tão literal.

Daphne estendeu a mão para despentear o cabelo castanho-claro de Agatha.

– Tens a certeza de que só tens nove anos?

Ela adorava Agatha, sempre adorara. Algo naquela menina, tão séria e determinada, sempre lhe tocara o coração.

Agatha, sendo Agatha, imediatamente identificou a pergunta como retórica e pôs-se em pontas de pés para dar um beijo à tia.

Daphne devolveu o gesto com um beijo na bochecha, virando-se em seguida para a jovem ama da família, que se encontrava de pé junto à porta a segurar o pequeno Georgie.

– Como estás tu, minha coisa fofa? – arrulhou ela, baixando-se para pegar no menino ao colo.

Ele era roliço e louro com bochechas rosadas e um cheiro celestial a bebé, apesar de já não ser propriamente um bebé. – Tens um aspeto delicioso – disse ela, fingindo dar-lhe uma mordidela no pescoço.

Embalou-o ligeiramente, testando-lhe o peso, naquela forma instintiva de mãe.

— Já não precisas de ser embalado, pois não? — murmurou-lhe, beijando-o novamente.

A pele dele era tão macia, que a levou de volta aos seus dias de jovem mãe. Tivera amas para as crianças, é claro, mas foram incontáveis as vezes que se esgueirara até ao quarto das crianças para lhes roubar um beijo na bochecha e vê-las dormir.

Ah, bem. Ela era uma sentimental. Isso não era novidade nenhuma.

— Quantos anos tens, Georgie? — perguntou ela, pensando-se talvez *capaz* de fazer tudo aquilo novamente. Não que tivesse escolha, mas ainda assim, sentiu-se tranquilizada, com aquele lindo menino nos braços.

Agatha puxou-lhe a manga e sussurrou:

— Ele não fala.

Daphne pestanejou, incrédula.

— O que disseste?

Agatha olhou para os pais, como se não tivesse a certeza se deveria falar, mas eles estavam ocupados a conversar com Belinda e Caroline e não repararam.

— Ele não fala — repetiu ela. — Nem uma palavra.

Daphne afastou-se ligeiramente para poder observar o rostinho de Georgie. Ele sorriu para ela, os olhos enrugando-se nos cantos, exatamente como os de Colin.

Daphne olhou para Agatha.

— Mas ele compreende o que as pessoas dizem?

Agatha assentiu.

— Tudo. Estou certa disso. — A voz dela caiu para um sussurro. — Acho que os meus pais estão preocupados.

Uma criança perto do seu terceiro aniversário sem dizer uma palavra? Daphne tinha a certeza *absoluta* de que estavam preocupados. De repente, a razão da viagem inesperada de Colin e Penelope até à cidade tornou-se clara. Eles vinham à procura de orientação.

Simon também tinha sido exatamente assim em criança. Não dissera uma palavra até aos quatro anos. E depois sofrera de uma gaguez debilitante durante anos. Ainda agora, quando ficava particularmente aborrecido com alguma coisa, ela apoderava-se dele, ficando bem percetível na sua voz. Uma pausa estranha, um som repetido, uma hesitação na fala. Ele ainda sentia um certo constrangimento acerca disso, embora nada que se comparasse com a altura em que se tinham conhecido.

Mas ela via-lho na expressão do olhar. Um lampejo de dor. Ou talvez de revolta. Contra si mesmo, contra a própria fraqueza. Daphne supunha que havia coisas que as pessoas nunca ultrapassavam, não completamente.

Com relutância, Daphne entregou Georgie à ama e apressou Agatha em direção às escadas.

– Vamos, querida – disse ela. – A ala infantil está prontinha para vos receber. Tirámos dos baús todos os antigos brinquedos das meninas.

Ficou a observar com orgulho Belinda a levar Agatha pela mão, dizendo com toda a seriedade:

– Podes brincar com a minha boneca preferida.

Agatha olhou para a prima com uma expressão que só poderia ser descrita como reverência e depois seguiu-a, subindo as escadas.

Daphne esperou até todas as crianças terem desaparecido e, em seguida, virou-se para o irmão e respetiva mulher.

– Chá? – perguntou. – Ou preferem primeiro mudar as roupas de viagem?

– Chá – respondeu Penelope com o suspiro de uma mãe exausta. – Por favor.

Colin fez um gesto de concordância e, juntos, foram para a sala de estar. Assim que todos se encontravam sentados, Daphne decidiu que não havia razão para não ser direta. Afinal de contas, aquele era o seu irmão, e ele sabia que podia falar com ela sobre qualquer coisa.

– Estás preocupado com o Georgie – começou ela.

Foi uma afirmação, não uma pergunta.

– Ele ainda não disse uma palavra – respondeu Penelope baixinho.

A voz saiu sem expressão, mas a garganta contraiu-se de emoção.

– Ele compreende-nos – disse Colin. – Tenho a certeza disso. Ainda no outro dia pedi-lhe para apanhar os brinquedos, e ele assim fez. Imediatamente.

– O Simon era igual – respondeu Daphne, olhando para Penelope e depois novamente para o irmão. – Imagino que seja por isso que vieste? Para falar com o Simon?

– Esperávamos que nos pudesse dar a perspetiva dele – declarou Penelope.

Daphne anuiu lentamente.

– Tenho a certeza que dará. Ele ficou retido no campo, infelizmente, mas esperamo-lo antes do final da semana.

– Não há pressa – interveio Colin.

Pelo canto do olho, Daphne viu os ombros de Penelope descerem. Foi um movimento ligeiro, mas que qualquer mãe reconheceria. Penelope sabia que não havia pressa. Tinham esperado quase três anos para que Georgie falasse; mais alguns dias não fariam diferença. Contudo ela queria desesperadamente fazer *alguma* coisa. Tomar uma atitude, tornar o seu filho completo, de alguma maneira.

Vir de tão longe para descobrir que Simon não estava... devia ser muito desanimador.

– Acho que é muito bom sinal, ele entender-vos – disse Daphne. – Ficaria muito mais preocupada se não fosse assim.

– Tudo o mais nele é completamente normal – disse Penelope de forma apaixonada. – Corre, salta, come. Até lê, parece-me.

Colin virou-se para ela com espanto.

– Ele lê?

– Acho que sim – respondeu Penelope. – Vi-o com a cartilha do William na semana passada.

– Provavelmente só estava a olhar para as ilustrações – sugeriu Colin com delicadeza.

– Foi o que pensei até lhe ver os olhos! Moviam-se de um lado para o outro, seguindo as palavras.

Os dois viraram-se para Daphne, como se ela pudesse ter todas as respostas.

– Suponho que seja possível ele ler – aventou Daphne, sentindo-se bastante insatisfeita. Queria ter todas as respostas. Queria poder dizer-lhes algo que não fosse um «suponho» ou um «talvez». – Ele é muito novinho, mas não há nenhuma razão para ele não ter começado a ler.

– Ele é muito inteligente – disse Penelope.

Colin lançou à mulher um olhar assumidamente indulgente.

– Querida...

– É, pois! O William começou a ler aos quatro anos. A Agatha também.

– Na verdade – admitiu Colin, com ar pensativo –, a Agatha começou a ler aos três. Nada de muito complexo, mas eu sei que ela já lia palavras curtas. Lembro-me muito bem.

– O Georgie já lê – afirmou Penelope, resoluta. – Estou certa disso.

– Bem, então, isso significa que temos ainda menos com que nos preocupar – asseverou Daphne, determinada em manter o bom ânimo. – Qualquer criança que consegue ler antes de fazer três anos não terá problemas em falar quando estiver pronta a fazê-lo.

Não fazia ideia se era esse realmente o caso. Mas preferia pensar que sim. E *parecia-lhe* razoável. Mesmo que Georgie acabasse por desenvolver gaguez, tal como Simon, a família continuaria a amá-lo e a oferecer-lhe todo o apoio de que precisasse para crescer e se tornar a pessoa maravilhosa que ela sabia que ele seria.

Teria tudo aquilo que Simon não tivera em criança.

– Vai correr tudo bem – garantiu Daphne, inclinando-se para pegar na mão de Penelope. – Vais ver.

Os lábios de Penelope apertaram-se e Daphne viu que a garganta se contraiu. Desviou o rosto, querendo dar à cunhada um momento para se recompor. Colin mastigava o seu terceiro biscoito e pegava na chávena de chá. Daphne decidiu dirigir a sua próxima pergunta a ele.

– Está tudo bem com o resto dos teus filhos? – perguntou ela.

Ele engoliu o chá.

– Muito bem. E com os teus?

– O David andou a fazer algumas travessuras na escola, mas parece estar a acalmar.

Ele pegou noutro biscoito.

– E as meninas não andam a pôr-te numa pilha de nervos?

Daphne piscou os olhos de espanto.

– Não, claro que não. Porque perguntas?

– Estás com um aspeto horrível – respondeu ele.

– Colin! – repreendeu Penelope.

Ele encolheu os ombros.

– É verdade. Já lho disse assim que chegámos.

– Seja como for – advertiu a mulher –, não é maneira de...

– Se eu não puder dizer-lho, quem pode? – retorquiu ele muito claramente. – Ou, melhor, quem o *fará*?

Penelope baixou a voz para um sussurro urgente.

– Não é coisa que se diga.

Ele fitou-a um momento. Depois olhou para Daphne. Em seguida, voltou a olhar para a mulher.

– Não faço ideia do que falas – declarou ele.

Os lábios de Penelope abriram-se e as faces tornaram-se rosadas. Ela olhou para Daphne, como se dissesse: «E então?»

Daphne limitou-se a suspirar. Seria o seu estado assim *tão* óbvio?

Penelope lançou um olhar impaciente a Colin.

– Ela está... – Virou-se para Daphne. – Estás, não estás?

Daphne fez um pequeno aceno de confirmação.

Penelope olhou para o marido com um certo grau de presunção.

– Ela está grávida.

Colin ficou estupefacto cerca de meio segundo antes de voltar a exibir o seu habitual ar imperturbável.

– Não está nada.

– Está, sim – insistiu Penelope.

Daphne decidiu não falar. Estava a sentir-se enjoada, de qualquer maneira.

– O filho mais novo dela tem dezassete anos – lembrou Colin. Olhou para Daphne. – Tem, não tem?

– Dezasseis – murmurou Daphne.

– Dezasseis – repetiu ele, dirigindo a afirmação a Penelope. – Só.

– Só?

– Só.

Daphne bocejou. Não conseguia evitar. Passava os dias *exausta*.

– Colin – disse Penelope naquele tom paciente e vagamente condescendente que Daphne *adorava* ouvir dirigido ao irmão –, a idade do David não tem a nada a ver com...

– Eu sei disso – interrompeu ele, atirando-lhe um olhar vagamente irritado. – Mas não achas que se ela fosse...

Ele acenou com a mão na direção de Daphne, deixando-a a perguntar-se se ele não era capaz de pronunciar a palavra *grávida* em relação à própria irmã.

Ele pigarreou e terminou a frase:

– Bem, nesse caso não haveria uma lacuna de dezasseis anos.

Daphne fechou os olhos um momento e deixou a cabeça descansar no encosto do sofá. Ela realmente *devia* sentir-se envergonhada. Aquele era o seu irmão. Mesmo a usar termos bastante vagos, ele estava a falar dos aspetos mais íntimos do seu casamento.

Deixou escapar uma respiração cansada, algo entre um suspiro e um sussurro. Estava demasiado sonolenta para se sentir envergonhada. E talvez demasiado velha, também. As mulheres deviam ser capazes de dispensar ataques de modéstia virginal depois de passarem a barreira dos quarenta.

Além disso, Colin e Penelope estavam a peguilhar, e isso era uma coisa boa. Não pensavam no problema de Georgie.

Daphne estava a achar bastante divertido, na verdade. Era adorável ver qualquer um dos irmãos enfiado num beco sem saída com a respetiva mulher.

Concluiu que ter quarenta e um anos não era ser velha de mais para sentir um certo prazer com o desconforto dos próprios irmãos. Embora, pensou ela entre mais um bocejo, fosse mais divertido se estivesse um pouco mais acordada para o apreciar. Contudo...

– Ela adormeceu?

Colin fitava a irmã com ar incrédulo.

– Acho que sim – respondeu Penelope.

Ele debruçou-se para a irmã, esticando o pescoço para ver melhor.

– Há tantas coisas que eu poderia fazer-lhe agora – congeminou ele. – Sapos, gafanhotos, rios a transformar-se em sangue.

– Colin!

– É tão tentador.

– É também mais uma prova – disse Penelope com um leve sorriso presunçoso.

– Prova?

– De que ela está grávida! Tal como eu disse. – Vendo que ele não concordou de imediato, ela acrescentou: – Já a viste adormecer a meio de uma conversa?

– Não desde que...

Ele interrompeu-se.

O sorriso presunçoso de Penelope tornou-se significativamente mais evidente.

– Exatamente.

– Odeio quando tens razão – resmungou ele.

– Eu sei. Só é pena, para ti, que aconteça com tanta frequência.

Ele olhou para trás para Daphne, que começava a ressonar.

– Calculo que devamos ficar a fazer-lhe companhia – disse ele, com uma certa relutância.

– Eu chamo a criada pessoal dela – sugeriu Penelope.

– Achas que o Simon sabe?

Já junto ao cordão da campainha, Penelope lançou uma olhadela por cima do ombro.

– Não faço ideia.

Colin limitou-se a abanar a cabeça.

– Pobre coitado, vai ter a maior surpresa da vida dele.


Quando Simon finalmente regressou a Londres, com uma semana de atraso, estava exausto. Sempre fora um proprietário rural mais interveniente do que a maioria dos seus pares, mesmo agora, quando já se aproximava dos cinquenta anos. Por essa razão, quando vários dos seus campos ficaram inundados, incluindo um que era a única fonte de renda para os respetivos caseiros, arregaçou as mangas e pôs-se a trabalhar ao lado dos seus homens.

Figurativamente, é claro, porque todas as mangas tinham ficado bem descidas, dado o frio de rachar que se fazia sentir no Sussex e que se tornava ainda pior quando se estava molhado. O que, naturalmente, fora inevitável, com tal inundação.

Por isso, sim, estava cansado, ainda sentia o frio entranhado, – desconfiava que os seus dedos não seriam capazes de recuperar a temperatura anterior – e tinha muitas saudades da família. Podia ter-lhes pedido para se juntarem a ele no campo, mas as meninas estavam a preparar-se para a temporada social e Daphne parecera-lhe um pouco pálida quando partira.

Esperava que ela não tivesse apanhado uma constipação. Quando ficava doente, toda a família era afetada.

Ela julgava-se estoica. Uma vez ele fizera o comentário de que um verdadeiro estoico não andaria pela casa a dizer repetidamente: «Não, não, eu estou bem», enquanto se deixava afundar numa poltrona.

Na verdade, fizera este comentário duas vezes. Na primeira vez ela não respondera. Na altura, pensara que ela não o tinha ouvido.

Mas agora, no entanto, achava que era muito mais provável que ela tivesse *decidido* não o ouvir, porque na segunda vez que dissera algo sobre a verdadeira natureza de um estoico, a resposta dela havia sido tal que...

Bem, diga-se apenas, que, quando se tratava da sua mulher e de uma simples constipação, os seus lábios nunca mais proferiram outras palavras exceto «Pobre de ti» e «Queres um chá?»

Havia algumas coisas que um homem aprendia após duas décadas de casamento.

Quando entrou no átrio de casa, o mordomo já estava à espera, exibindo o seu rosto habitual, ou seja, completamente desprovido de expressão.

– Obrigado, Jeffries – murmurou Simon, entregando-lhe o chapéu.

– O seu cunhado está cá – informou-o Jeffries.

Simon parou.

– Qual? – Ele tinha sete.

– Mr. Colin Bridgerton, Vossa Graça. Veio com a família.

Simon inclinou a cabeça.

– Deveras? – perguntou, espantado, pois não ouvia caos e tumulto.

– Eles saíram, Vossa Graça.

– E a duquesa?

– Está a descansar.

Simon não conseguiu reprimir um gemido.

– Ela não está doente, pois não?

Jeffries, num jeito muito pouco típico dele, corou.

– Não lhe sei dizer, Vossa Graça.

Simon observou Jeffries com curiosidade.

– Ela está doente ou não?

Jeffries engoliu em seco, pigarreou e então respondeu:

– Acredito que está cansada, Vossa Graça.

– Cansada – repetiu Simon, mais para si mesmo, pois era evidente que Jeffries estava capaz de expirar de um inexplicável constrangimento se insistisse mais na conversa. Abanando a cabeça, subiu as escadas, e acrescentou: – É claro que ela está cansada. O Colin tem quatro filhos com menos de dez anos, e ela provavelmente pensa que tem de fazer de mãe de todos eles enquanto cá estão.

Talvez até se deitasse a descansar com ela. Também estava exausto e dormia sempre melhor quando tinha a mulher ao seu lado.

A porta do quarto estava fechada quando chegou e quase bateu… era o hábito de o fazer perante uma porta fechada, mesmo que essa porta fosse a do seu próprio quarto, mas no último instante, agarrou a maçaneta e abriu-a com suavidade. Ela podia estar a dormir. Se estava cansada, devia deixá-la descansar.

Em passos silenciosos, entrou no quarto. As cortinas tinham sido parcialmente corridas e via Daphne deitada na cama, completamente imóvel. Aproximou-se em bicos de pés. Ela parecia *realmente* pálida, embora lhe fosse difícil ter a certeza com aquela luz fraca.

Bocejou e sentou-se no lado oposto da cama, inclinando-se para tirar as botas. Afrouxou o plastrão e depois retirou-o, arrastando-se de mansinho para junto da mulher. Não queria acordá-la, apenas aconchegar-se a ela.

Tinha sentido muitas saudades.

Com um suspiro de satisfação, abraçou-a, descansando o braço logo abaixo das costelas dela e…

– Gruargh!

Daphne sentou-se como uma bala e praticamente se atirou da cama.

– Daphne?

Simon sentou-se, também, mesmo a tempo de a ver correr para o bacio.

O bacio???

– Oh, meu Deus! – exclamou ele, fazendo uma careta ao vê-la vomitar. – Foi o peixe?

– Não digas essa palavra – respondeu ela, engasgada.

Devia ter sido o peixe. Realmente precisavam de encontrar um novo peixeiro na cidade.

Ele arrastou-se para fora da cama para ir buscar uma toalha.

– Queres alguma coisa?

Ela não respondeu. Nem ele esperava que ela o fizesse. Ainda assim, estendeu-lhe a toalha, tentando não se encolher quando ela vomitou mais uma vez, a quarta, parecia-lhe.

– Pobre querida – murmurou ele. – Lamento muito que estejas assim. Não te acontece uma coisa destas desde que...

Desde que...

Oh, meu Deus!

– *Daphne?*

A voz saiu tremida. A voz? Todo o seu corpo tremia como varas verdes.

Ela assentiu com a cabeça.

– Mas como...?

– Da maneira habitual, imagino – disse ela, pegando, agradecida, na toalha.

– Mas já passaram... já passaram...

Tentou pensar. Não conseguiu. O cérebro tinha parado completamente de funcionar.

– Acho que terminei – disse ela, com ar exausto. – Podes ir buscar-me um pouco de água?

– Tens a certeza?

Se ele se lembrava corretamente, a água entraria e voltaria a sair diretamente para o bacio.

– Está ali – disse ela, apontando com um gesto fraco para um jarro numa mesa. – Não é para engolir.

Ele serviu-lhe um copo e esperou enquanto ela lavava a boca.

– Bem – começou ele, pigarreando várias vezes –, eu... há...

Voltou a tossir. Era-lhe completamente impossível conseguir produzir uma palavra que fosse. E desta vez não podia atribuir culpas à sua gaguez.

– Já toda a gente sabe – avisou Daphne, pousando a mão no braço dele para se apoiar no regresso à cama.

– Toda a gente? – repetiu ele.

– Eu não tinha planeado dizer nada até que voltasses, mas eles adivinharam.

Simon anuiu lentamente, ainda a tentar absorver toda a informação. Um bebé. Na sua idade. Na idade *dela*.

Era...

Era...

Era *incrível*.

Estranho como o invadiu tão de repente. Mas, após o choque inicial ter passado, tudo o que sentia era pura alegria.

– É uma notícia maravilhosa! – exclamou ele. Estendeu a mão para a abraçar, mas pensou melhor quando lhe viu a tez macilenta. – Nunca paras de me encantar – declarou, preferindo dar-lhe uma palmadinha desajeitada no ombro.

Ela estremeceu e fechou os olhos.

– Não abanes a cama – queixou-se ela. – Estás a pôr-me enjoada.

– Tu não enjoas – lembrou ele.

– Enjoo sim, quando estou grávida.

– És uma pata muito estranha, Daphne Basset – murmurou ele, recuando logo de seguida para 1) parar de abanar a cama e 2) se afastar das imediações, caso ela levasse a mal o comentário.

(Havia uma história por trás disto. Enquanto grávida de Amelia, ela perguntara-lhe certa vez se tinha um ar radiante ou se parecia uma pata bamboleante. Ele respondera que ela parecia uma pata radiante. Não fora a resposta correta.)

Ele pigarreou e disse:

– Coitadinha de ti, meu amor.

Em seguida, fugiu.

Várias horas depois, Simon encontrava-se sentado à sua imponente secretária de carvalho, com os cotovelos apoiados na madeira lisa, e o indicador direito a deslizar pelo rebordo do balão de *brandy* que já reabastecera duas vezes.

Tinha sido um dia memorável.

Cerca de uma hora depois de ter deixado Daphne a descansar, Colin e Penelope regressaram com a sua prole, e todos tomaram chá com biscoitos na sala de pequeno-almoço. Inicialmente Simon dirigira-se para a sala de estar, mas Penelope perguntara se em vez disso podiam ir para um outro sítio sem «tecidos e estofos caros».

Nesse momento, o pequeno Georgie sorrira para ele, o rostinho ainda manchado com uma substância que Simon esperava ser chocolate.

Simon reparou na quantidade de migalhas espalhadas desde a mesa até ao chão e no guardanapo molhado que fora usado para absorver o chá que Agatha derramara, e lembrou-se de como ele e Daphne costumavam tomar o chá ali quando as crianças eram pequenas.

Curioso como uma pessoa se esquecia desses pormenores.

Terminado o lanche, quando todos se preparavam para dispersar, Colin pedira-lhe uma conversa a sós. Foram para o gabinete de Simon e foi lá que Colin lhe confidenciou as suas preocupações com Georgie.

Ele não falava.

Os olhos eram astutos. Colin achava que ele já lia.

Mas não falava.

Colin pedira-lhe conselho e Simon percebeu que não tinha nenhum para lhe dar. Já pensara sobre isso, é claro. Esse pensamento havia-o assombrado de cada vez que Daphne ficava grávida, persistindo até ao momento em que cada um dos seus filhos começara a formar as primeiras frases.

Supôs que o mesmo aconteceria agora. Haveria um outro bebé, uma outra alma para amar desesperadamente... e com que se preocupar.

Tudo o que pudera dizer a Colin fora que amasse o filho. Que falasse com ele, o elogiasse, o levasse a passear a cavalo, à pesca e que fizesse tudo aquilo que um pai deve fazer com um filho.

Tudo aquilo que o seu próprio pai nunca fizera com ele.

Hoje em dia era raro pensar no pai. Podia agradecer a Daphne por isso. Antes de se conhecerem, Simon era obcecado por vingança. Queria magoar o pai, fazê-lo sofrer tal como ele o fizera sofrer em criança, com toda a dor e angústia de saber que tinha sido rejeitado e considerado deficiente.

Não importava que o pai estivesse morto; Simon mantinha a sede de vingança e fora preciso o amor, primeiro de Daphne e depois dos seus filhos, para banir esse fantasma. Finalmente percebera que estava livre quando Daphne lhe entregara um pacote de cartas do pai que tinham sido confiadas ao seu cuidado. Na altura, não quisera queimá-las, nem rasgá-las em pedaços.

Mas também não tivera nenhuma vontade especial de as ler.

Olhara para a pilha de envelopes, amarrados ordenadamente com uma fita vermelha e dourada e percebera que não sentia nada. Nenhuma raiva, nenhuma tristeza, nem mesmo remorsos. Fora a maior vitória que poderia ter imaginado.

Não sabia quanto tempo as cartas tinham ficado na escrivaninha de Daphne. Ele sabia que ela as guardara na gaveta de baixo e de vez em quando ele abria-a para espreitar e ver se ainda lá estavam.

Mas, por fim, até isso acabara por esmorecer. Não se esquecera das cartas, pois, uma vez por outra, algo acontecia e a sua existência vinha-lhe à mente, mas já não se lembrava delas com a mesma constância. Provavelmente tinham estado ausentes do seu pensamento durante meses quando, certa vez, abriu a gaveta de baixo da sua secretária e viu que Daphne as tinha passado para lá.

Isso fora há vinte anos.

Embora ele ainda não sentisse vontade de as queimar ou rasgar, também nunca sentira necessidade de as abrir.

Até agora.

Bem, não.

Talvez?

Olhou para elas novamente, ainda amarradas com a fita. Será que *queria* abri-las? Seria possível haver algo nas cartas do pai capaz de servir de ajuda a Colin e Penelope para orientarem Georgie no que se perspetivava ser uma infância difícil?

Não. Era impossível. O pai fora um homem duro, insensível e implacável. Era tão obcecado com a sua herança nobre e respetivo título que virara as costas ao único filho. Não poderia haver nada... nada... que ele tivesse escrito que pudesse ajudar Georgie.

Simon pegou nas cartas. Estavam ásperas. Cheiravam a antigo.

O fogo na lareira reavivou-se. Quente, refulgente e redentor. Olhou para as chamas até a visão ficar turva, ficou assim durante muito tempo, agarrado às palavras finais do pai para ele. Quando o pai morrera já não se falavam há mais de cinco anos. Se houvesse alguma coisa que o velho duque lhe tivesse querido dizer, estaria ali.

– Simon?

Ele olhou para cima lentamente, mal capaz de sair do torpor. Daphne estava de pé na soleira da porta, a mão descansando levemente na ombreira. Estava vestida com seu robe preferido, o azul-claro. Tinha-o há anos. Sempre que ele lhe perguntava se queria substituí-lo, ela dizia que não, que algumas coisas eram melhores macias e confortáveis.

– Vens para a cama? – perguntou ela.

Ele fez que sim com a cabeça, levantando-se.

– Vou já. Estava só... – Pigarreou, porque, na verdade, não sabia bem o que estava a fazer. Nem sequer sabia o que pensava. – Como te sentes? – perguntou-lhe.

– Melhor. Fico sempre melhor à noite. – Ela avançou alguns passos. – Comi pão torrado e até um pouco de geleia, e...

Ela calou-se, o único movimento no seu rosto foi um repentino piscar de olhos. Fitava as cartas. Ele nem se apercebeu de que ainda as tinha na mão quando se levantou.

– Vais lê-las? – perguntou ela em voz baixa.

– Eu pensei... que talvez... – Ele engoliu em seco. – Não sei.

– Mas porquê agora?

– O Colin falou-me do Georgie e pensei que poderia haver algo aqui. – Moveu a mão, elevando ligeiramente o maço de cartas. – Alguma coisa que pudesse ajudá-lo.

Os lábios de Daphne entreabriram-se, mas vários segundos se passaram antes de ela ser capaz de falar.

– Acho que és capaz de ser um dos homens mais amáveis e generosos que alguma vez conheci.

Ele olhou-a com ar confuso.

– Eu sei que não queres lê-las – explicou ela.

– A verdade é que não me importo...

– Importas, sim – interrompeu ela, com carinho. – Não o suficiente para as destruir, mas elas ainda significam algo para ti.

– Quase nunca penso nelas – disse ele. Era a verdade.

– Eu sei. – Daphne estendeu a mão e pegou na dele, o polegar movendo-se levemente sobre os nós dos dedos. – Mas só porque te libertaste da sombra do teu pai, isso não significa que ele nunca teve importância.

Simon não respondeu. Não sabia o que dizer.

– Não me surpreende que, se finalmente te decidires a lê-las, o faças para ajudar alguém.

Ele engoliu em seco e, em seguida, agarrou a mão dela como uma tábua de salvação.

– Queres que eu as abra?

Ele assentiu, sem palavras, e entregou-lhe o maço de cartas.

Daphne foi sentar-se numa cadeira próxima e puxou a fita até soltar o laço.

– Estão por ordem? – perguntou ela.

– Não sei – admitiu ele.

Simon foi sentar-se atrás da secretária. Longe o suficiente para não ver as páginas.

Ela dirigiu-lhe um aceno de assentimento e então, cuidadosamente, quebrou o selo do primeiro envelope. Os olhos moveram-se ao longo das linhas ou, pelo menos, ele achou que era isso que faziam. A luz era muito fraca para lhe ver claramente a expressão, mas já a observara vezes suficientes a ler cartas para saber quando o fazia.

– Ele tinha uma caligrafia terrível – murmurou Daphne.

– Tinha?

Agora que pensava nisso, Simon não estava certo de alguma vez ter visto a letra do pai. Supunha que eventualmente isso tivesse acontecido, mas não era nada de que se lembrasse.

Esperou um pouco mais, tentando não prender a respiração quando ela virou a página.

– Ele não escrevia no verso – disse ela com alguma surpresa.

– Pois não – explicou Simon. – Nunca faria algo que cheirasse a poupança.

Ela olhou para cima, as sobrancelhas arqueadas de curiosidade.

– O duque de Hastings não precisa de economizar – anunciou Simon secamente.

– A sério? – Ela virou para a próxima página e murmurou: – Terei de me lembrar disso da próxima vez que for à modista.

Ele sorriu. Adorava que ela fosse capaz de o fazer sorrir num momento como aquele.

Depois de mais alguns instantes, ela voltou a dobrar as folhas e olhou para cima. Fez uma breve pausa, talvez para o caso de ele querer dizer alguma coisa, e vendo que não, disse:

– É um pouco enfadonho, na verdade.

– Enfadonho?

Ele não tinha a certeza do que esperara, mas seguramente não era aquilo.

Daphne encolheu ligeiramente os ombros.

– Fala da colheita, de umas obras de melhoria na ala leste da casa e de vários inquilinos que ele suspeita estarem a enganá-lo.

– Comprimiu os lábios em desaprovação. – Claro que não estavam. Mr. Miller e Mr. Bethum nunca enganariam ninguém.

Simon estava admirado. Pensara que as cartas do pai podiam conter um pedido de desculpas. Ou, se não isso, então mais acusações de inépcia. Nunca lhe ocorrera que o pai poderia ter simplesmente enviado um relato do que se passava nas propriedades.

– O teu pai era um homem muito desconfiado – murmurou Daphne.

– Ah, isso era.

– Devo ler a próxima?

– Por favor, lê.

Ela assim fez, e foi a mesma coisa, só que desta vez tratava-se de uma ponte que precisava de reparação e de uma janela que não fora feita segundo as diretrizes dele.

E assim continuou. Rendas, contas, reparações, reclamações... ocasionalmente havia algo pessoal, mas nada mais do que «estou a pensar organizar uma caçada no próximo mês, por isso informe-me se estiver interessado em participar». Era espantoso. O pai tinha não só negado a sua existência quando pensava nele como um idiota gago, como conseguira negar a própria negação, assim que Simon se provara à altura e capaz de falar claramente. Passara a agir como se nada tivesse acontecido, como se nunca tivesse desejado a morte do próprio filho.

– Deus do Céu! – disse Simon, pois *algo* tinha de ser dito.

Daphne olhou para cima.

– Hum?

– Nada – murmurou ele.

– É a última – disse ela, levantando a carta.

Ele suspirou.

– Queres que a leia?

– É claro – respondeu Simon em tom sarcástico. – Pode ser sobre as rendas. Ou sobre as contas.

– Ou sobre uma má colheita – brincou Daphne, obviamente tentando não sorrir.

– Ou isso – respondeu ele.

– Rendas – disse ela assim que terminou de a ler. – E contas.

– A colheita?

Ela sorriu levemente.

– Foi uma boa época.

Simon fechou os olhos um instante, sentindo uma estranha tensão escapar-lhe do corpo.

– É estranho – comentou Daphne. – Porque seria que nunca tas enviou?

– O que queres dizer?

– Bem, ele não te enviou as cartas. Não te lembras? Ele guardou-as todas e, antes de morrer, entregou-as a Lord Middlethorpe.

– Acho que foi por eu estar fora do país. Não saberia para onde as enviar.

– Ah sim, claro. – Ela franziu o sobrolho. – Ainda assim, acho interessante que tenha gastado tempo a escrever-te cartas, sem esperança de as enviar. Se fosse eu a escrever cartas a alguém, sabendo que não poderia enviá-las, seria porque tinha algo a dizer, algo de significativo que eu quisesse que essa pessoa soubesse, mesmo depois de eu desaparecer.

– Essa é uma das muitas coisas em que és diferente do meu pai – disse Simon.

Ela sorriu com tristeza.

– Sim, suponho que sim. – Levantou-se, pousando as cartas numa mesinha de apoio. – Vamos para a cama?

Ele anuiu e aproximou-se dela. Mas antes de lhe pegar no braço, baixou-se, pegou nas cartas e atirou-as para o fogo. Daphne soltou um pequeno suspiro de surpresa quando se virou a tempo de as ver escurecer e murchar.

– Não há nada que valha a pena salvar – disse ele. Inclinou-se e beijou-a, uma vez no nariz e outra nos lábios. – Vamos para a cama.

– O que vais dizer ao Colin e à Penelope? – perguntou ela, enquanto caminhavam de braço dado em direção à escada.

– Sobre o Georgie? O mesmo que lhes disse esta tarde. – Beijou-a novamente, desta vez na testa. – Apenas que o amem. É tudo o que podem fazer. Se ele falar, fala. Se não falar, não fala. Mas, seja como for, tudo irá ficar bem, desde que eles simplesmente o amem.

– Tu, Simon Arthur Fitzranulph Basset, és um excelente pai.

Ele tentou não inchar de orgulho.

– Esqueceste-te do Henry.

– O quê?

– Simon Arthur *Henry* Fitzranulph Basset.

Ela dispensou-o com um ruído escarninho.

– Tens nomes a mais.

– Mas não filhos a mais. – Ele parou de andar e puxou-a para si até ficarem cara a cara. Descansou uma mão levemente na barriga dela e disse: – Achas que somos capazes de fazer tudo isto mais uma vez?

Ela assentiu com um gesto de cabeça.

– Desde que te tenha ao meu lado.

– Não – respondeu ele com suavidade. – Desde que eu te tenha a *ti*.

## Peripécias do Coração

Sem dúvida, a cena preferida dos leitores de *Peripécias do Coração* (e talvez de todos os meus livros) é aquela em que os Bridgerton se reúnem para jogar palamalho, a versão do século XIX do *croquet*. Eles são ferozmente competitivos e desprezam completamente as regras, tendo há muito decidido que a única coisa melhor do que ganhar é garantir que os irmãos percam. Quando chegou a hora de revisitar os personagens deste livro, eu sabia que tinha de ser numa *revanche* de palamalho.

## Peripécias do Coração:
## Segundo Epílogo

*Dois dias antes...*

K ate atravessou o relvado como um furacão, espreitando por cima do ombro para se certificar de que o marido não a seguia. Quinze anos de casamento tinham-lhe ensinado uma coisa ou outra, e ela sabia que ele estaria a observar cada movimento seu.

Mas ela era inteligente. E estava determinada. E sabia que, por uma libra, o criado pessoal de Anthony era capaz de fingir o mais extraordinário desastre relacionado com roupa. Algo que envolvesse compota no ferro de engomar, ou talvez uma infestação no guarda-fatos... aranhas, ratos, realmente não importava que tipo de bicho... Kate ficava perfeitamente feliz em deixar os pormenores para o criado, desde que Anthony fosse convenientemente distraído tempo suficiente para ela conseguir escapulir-se.

– É minha, toda minha – disse ela com uma risada alta, num tom semelhante ao que usara no mês anterior, na produção teatral da família Bridgerton da peça *Macbeth*. O seu filho mais velho distribuíra os papéis e ela tinha sido nomeada Primeira Bruxa.

Kate fingira não perceber quando Anthony o recompensara com um novo cavalo.

Ele iria pagar caro agora. As camisas dele estariam manchadas de cor-de-rosa por causa da compota de framboesa e ela...

Ela sorria tanto que desatou às gargalhadas.

– Meu, meu, meu, *meeeeeeu* – cantou ela, escancarando a porta do barracão na última sílaba, encaixando na perfeição na nota profunda e grave da Quinta Sinfonia de Beethoven.

– Meu, meu, meu, *meeeeeeu*.

Iria encontrá-lo. Seria dela. Podia praticamente sentir-lhe o gosto. Seria até capaz de o provar, se isso, de alguma forma, o trouxesse a si. Não tinha nenhum gosto especial por madeira, é claro, mas aquele não era um qualquer instrumento de destruição. Aquele era...

O malho da morte.

– Meu, meu, meu, *meu*, meu, meu, meu, *meu*, meu, meu, meu, *meeeeeeu* – continuou ela, entrando na pequena secção saltitante que se seguia ao tão conhecido refrão.

Mal pôde conter-se ao afastar um cobertor para o lado. O jogo de palamalho estaria encostado ao canto, como sempre estava, e daí a um mero instante...

– Estás à procura disto?

Kate girou nos calcanhares. Anthony, de pé à porta, sorria diabolicamente enquanto fazia rodopiar o malho preto de palamalho nas mãos.

A camisa estava impecavelmente branca.

– Tu... tu...

Uma das sobrancelhas dele ergueu-se perigosamente.

– Nunca foste muito hábil na escolha do vocabulário quando estás irritada.

– Como é que... como é que...

Ele inclinou-se para frente, semicerrando os olhos.

– Paguei-lhe *cinco* libras.

– Deste de mão beijada cinco libras ao Milton?

Deus do Céu, era praticamente o salário anual dele.

– Muito mais barato do que substituir todas as minhas camisas – disse ele com má cara. – Compota de framboesa. Francamente! Não pensaste no custo que seria?

Kate olhou ansiosamente para o malho.

– O jogo é daqui a três dias – disse Anthony com um suspiro satisfeito – e eu já ganhei.

Kate não o contradisse. Os outros Bridgerton podiam pensar que a desforra anual de palamalho começava e terminava num só dia, mas ela e Anthony sabiam que não era assim.

Há três anos consecutivos que era mais rápida a ir buscar o malho do que o marido. Era o que mais faltava deixá-lo levar a melhor desta vez.

– Desiste, minha querida – provocou Anthony. – Admite a derrota e ficaremos todos muito mais felizes.

Kate suspirou baixinho, quase como se aquiescesse.

Os olhos de Anthony semicerraram-se.

Kate deslizou vagarosamente os dedos pelo decote do vestido.

Os olhos de Anthony arregalaram-se.

– Está calor aqui, não achas? – provocou ela, a voz doce e suave e imensamente ofegante.

– Safada! – murmurou ele, deslizando-lhe o tecido dos ombros e notando que ela não usava nada por baixo. – Sem botões? – sussurrou.

Ela respondeu com um gesto de cabeça. Não era parva. Sabia que até os melhores planos podiam dar para o torto. Era sempre necessário vestir-se para a ocasião. Uma certa friagem ainda se fazia sentir no ar, e os mamilos contraíram-se como se dois botões ofendidos.

Kate estremeceu, mas tentou encobrir a reação com um suspiro arquejante de prazer, como se estivesse desesperadamente excitada.

O que poderia ser verdade, não estivesse ela única e exclusivamente concentrada na tentativa de *não* se concentrar no malho que o marido tinha na mão.

Já para não falar no frio.

– Linda – murmurou Anthony, estendendo a mão e acariciando-lhe o lado do seio.

Kate soltou um gemido miado. Ele nunca era capaz de resistir a isso.

Anthony sorriu lentamente e deslizou a mão para a frente, até poder rodar o mamilo entre os dedos.

Kate deixou escapar um suspiro e os olhos voaram para os dele. O ar dele era... não exatamente calculista, mas, ainda assim, muito controlado... o ar de quem sabia precisamente ao que *ela* nunca seria capaz de resistir.

– Ah, minha mulher – murmurou ele, abarcando-lhe agora todo o seio e erguendo-o até repousar deliciosamente carnudo na sua mão.

Ele sorriu.

Kate parou de respirar.

Ele inclinou-se para a frente e tomou-lhe o mamilo na boca.

– *Oh!*

Ela já não fingia.

Ele repetiu a tortura no outro lado.

Depois deu um passo atrás.

E mais um.

Kate manteve-se imóvel e sem fôlego.

– Ah, como seria maravilhoso ter uma pintura deste momento – disse ele. – Pendurá-la-ia no meu escritório.

A boca de Kate escancarou-se.

Ele levantou o malho com ar triunfante.

– Adeus, querida mulher. – Saiu do barracão, mas, voltando a enfiar a cabeça pela porta, ainda disse: – Vê se não apanhas uma constipação. Detestarias perder a desforra, não é?

A sorte dele, refletiu Kate mais tarde, foi ela não se ter lembrado de agarrar numa das bolas de palamalho quando andava à procura das peças do jogo. Embora, pensando melhor, a cabeça dele fosse provavelmente demasiado dura para lhe ter feito mossa.

*Um dia antes*

Havia poucos momentos tão deliciosos quanto a superação total e completa da sua própria mulher, decidiu Anthony. Dependia da mulher, é claro, mas como escolhera casar-se com uma de soberbo intelecto e sagacidade, os momentos em que tal acontecia eram mais deliciosos do que a maioria, disso tinha a certeza.

Saboreou a vitória enquanto tomava chá no escritório, suspirando de prazer ao contemplar o malho preto que se encontrava em cima da secretária como um valioso troféu. Era magnífico, resplandecente à luz da manhã, ou, pelo menos, nos pontos onde não estava desgastado e maltratado por décadas de jogo duro.

Não importava. Anthony adorava cada um daqueles arranhões e mossas. Talvez fosse infantil, ingénuo até, mas *adorava-o*.

Adorava principalmente o facto de estar na sua posse, mas ainda assim sentia uma grande afeição por ele. Quando era capaz de se esquecer que o tinha brilhantemente arrebatado de debaixo do nariz de Kate, lembrava-se de que simbolizava algo mais...

O dia em que se apaixonara.

Não que se tivesse dado conta na altura. Nem Kate, supunha, mas tinha a certeza de que aquele fora o dia em que o destino os unira, o dia do famigerado jogo de palamalho.

Ela deixara-o com o malho cor-de-rosa. E atirara-lhe a bola para dentro do lago.

Deus, que mulher!

Tinham sido quinze anos maravilhosos.

Sorriu de contentamento e deixou o olhar recair novamente no malho preto. Todos os anos repetiam a partida, com todos os jogadores originais: Anthony, Kate, o seu irmão, Colin, a sua irmã, Daphne e respetivo marido, Simon, e a irmã de Kate, Edwina; todos respeitavam a tradição, afluindo em bando a Aubrey Hall na primavera, e assumiam os seus lugares no percurso que era sempre

53

diferente. Alguns concordavam em participar com fervor; outros, por mero divertimento, mas todos apareciam, ano após ano.

E este ano...

Anthony riu-se baixinho de puro regozijo. Ele tinha o malho e Kate não.

A vida era boa. A vida era muito, muito boa.


– Kaaaaaaaaaaate!

Kate levantou os olhos do livro.

– Kaaaaaaaaaaate!

Ela tentou calcular a distância a que ele se encontrava. Depois de quinze anos a ouvir o seu nome ser berrado mais ou menos da mesma maneira, possuía bastante experiência no cálculo do tempo entre o primeiro rugido e aparição do marido.

Não era um cálculo assim tão simples como podia parecer. Era preciso ter em conta o local onde ela se encontrava: se estava no andar de cima ou no de baixo, visível da entrada, *et cetera*, *et cetera*.

Depois havia que adicionar as crianças. Estavam em casa? Possivelmente a travar-lhe o caminho? Iriam atrasá-lo, certamente, talvez até um minuto inteiro, e...

– *Tu!*

Kate pestanejou de surpresa. Anthony estava à porta, ofegante pelo esforço e fixando o olhar nela com um grau surpreendente de veneno.

– Onde está? – exigiu ele saber.

Bem, talvez não tão surpreendente.

Ela pestanejou, impassível.

– Não te queres sentar? – perguntou ela. – Pareces-me completamente exausto.

– Kate...

– Já não és tão jovem como antes – disse ela com um suspiro.

– Kate... – O volume da voz foi subindo.

– Posso tocar para o chá – sugeriu ela docemente.

– Ele estava trancado – rosnou ele. – O meu escritório estava trancado.

– Estava? – murmurou ela.

– Eu tenho a única chave.

– Tens?

Os olhos dele arregalaram-se.

– O que é que fizeste?

Ela virou uma página, mesmo não estando a olhar para as letras impressas.

– Quando?

– O que queres dizer, quando?

– Eu quero dizer... – respondeu ela, fazendo uma pausa, pois aquele não era um momento para deixar passar sem a devida celebração interna – quando. Esta manhã? Ou no mês passado?

Bastou um momento. Não mais do que um ou dois segundos, apenas o tempo suficiente para Kate ver a sua expressão mudar de confusa a suspeita, a indignada.

Foi glorioso. Encantador. Delicioso. Ela teria dado uma boa gargalhada, mas isso só iria encorajar mais um mês de piadas infelizes, e ainda agora conseguira fazê-lo cessar.

– Mandaste fazer uma chave para o meu escritório?

– Eu sou tua mulher – respondeu ela, olhando para as unhas. – Não deve haver segredos entre nós, não achas?

– Mandaste fazer uma chave?

– Não gostarias que eu guardasse segredos de ti, pois não?

Os dedos dele agarraram a ombreira da porta até os dedos ficarem brancos.

– Para de olhar para mim como se estivesses a adorar a situação – resmungou ele.

– Ah, mas isso seria uma mentira, e é pecado mentir ao marido.

Estranhos sons estrangulados começaram a escapar da garganta dele.

Kate sorriu.

– Eu não prometi honestidade em algum momento?

– Isso era *obediência* – rosnou ele.

– Obediência? Certamente que não.

– Onde está?

Ela encolheu os ombros.

– Não digo.

– Kate!

Ela começou a trautear:

– Não *diiiigooo*.

– Mulher... – começou ele, avançando com ar ameaçador.

Kate engoliu em seco. Havia uma pequena hipótese, bastante pequena, na verdade, mas ainda assim uma hipótese muito real de ela poder ter ido um pouquinho longe de mais.

– Olha que eu amarro-te à cama – ameaçou ele.

– Siiim... – respondeu ela, reconhecendo-lhe a razão, enquanto aferia a distância até à porta. – Mas talvez eu não me *importe*.

Os olhos dele soltavam chamas, e não exatamente de desejo, pois ele ainda estava demasiado concentrado no malho para isso, mas ela teve a sensação de ter visto vestígios de um certo... *interesse* no fundo do olhar.

– Amarrar-te – murmurou ele, avançando mais – e dizes tu que eras capaz de gostar, hã?

Kate percebeu o significado daquelas palavras e respondeu, chocada:

– Não te atreverias!

– Oh, atreveria, sim.

Ele estava preparado para repetir o que já fizera antes. Ia amarrá-la e *deixá-la* ali, enquanto procurava o malho.

Não se ela tivesse uma palavra a dizer.

Kate passou por cima do braço da cadeira e pôs-se atrás dela. Era sempre bom ter uma barreira física em situações como aquela.

– Oh, Kaaaaate! – provocou ele, avançando na direção dela.

– É meu – declarou ela. – Foi meu há quinze anos e ainda é meu.

– Foi meu antes de ser teu.

– Mas tu casaste comigo!

– E isso fá-lo teu?

Ela não respondeu, limitando-se a fitá-lo. Estava sem fôlego, a respiração ofegante, apanhada na emoção do momento.

Então, rápido como um relâmpago, ele deu um salto em frente, esticando-se para além da cadeira e agarrando-lhe o ombro por um breve instante antes de ela se contorcer e libertar.

– Nunca irás encontrá-lo – quase gritou ela, fugindo para trás do sofá.

– Não penses que vais escapar agora – avisou ele, e numa manobra subtil, colocou-se entre ela e a porta.

Ela olhou de través para a janela.

– A queda iria matar-te – disse ele.

– Oh, pelo amor de Deus! – veio uma voz da porta.

Kate e Anthony viraram-se. O irmão de Anthony, Colin, estava ali a olhar para ambos com um ar repugnado.

– Colin – cumprimentou Anthony em voz tensa. – Que bom ver-te.

Colin limitou-se a arquear uma sobrancelha.

– Suponho que estejas à procura *disto*.

Kate soltou um grito abafado. Ele tinha nas mãos o malho preto.

– Como é que...

Colin acariciou a ponta romba e cilíndrica de modo quase amoroso.

– Só posso falar por mim, é claro – disse ele com um suspiro feliz –, mas, até onde sei, já ganhei.


*Dia do jogo*

– Não consigo compreender porque és sempre tu a delinear o percurso – comentou a irmã de Anthony, Daphne.

– Porque sou eu o dono do maldito relvado – resmungou ele.

57

Ele ergueu a mão para proteger os olhos do sol enquanto inspecionava o seu trabalho. Tinha feito um trabalho brilhante desta vez, e afirmava-o sem falsa modéstia. O resultado era diabólico.

Genial, aliás.

– Alguma hipótese de seres capaz de te abster de blasfémias na companhia de senhoras?

Isto vindo do marido de Daphne, Simon, o duque de Hastings.

– Ela não é uma senhora – resmungou Anthony. – É minha irmã.

– Ela *é* minha mulher.

Anthony mostrou-lhe um sorriso presunçoso.

– Era minha irmã primeiro.

Simon virou-se para Kate, que batia com o malho verde na relva, com o qual se declarara satisfeita, embora Anthony soubesse que não.

– Como é que o aguentas? – perguntou.

Ela encolheu os ombros.

– É um talento que poucos possuem.

Colin aproximou-se, segurando o malho preto como se fosse o Santo Graal.

– Vamos começar? – perguntou ele em tom pomposo.

Os lábios de Simon entreabriram-se de surpresa.

– O malho da morte?

– Eu sou muito inteligente – confirmou Colin.

– Ele subornou a criada – resmungou Kate.

– E tu subornaste o meu criado de quarto – apontou Anthony.

– Tu também!

– Eu não subornei ninguém – declarou Simon, para ninguém em particular.

Daphne bateu-lhe ao de leve no braço de forma condescendente.

– Tu não nasceste no seio desta família.

– Ela também não – devolveu ele, apontando para Kate.

Daphne ponderou.

– Ela é uma aberração – concluiu finalmente.

– Uma aberração? – resmungou Kate.

– É o mais alto dos elogios – informou-a Daphne. Fez uma pausa e acrescentou: – Neste contexto. – Virou-se para Colin. – Quanto?

– Quanto o quê?

– Quanto é que deste à empregada?

Ele encolheu os ombros.

– Dez libras.

– Dez *libras*? – quase gritou Daphne.

– Enlouqueceste? – protestou Anthony.

– Tu deste cinco ao teu criado – lembrou Kate.

– Espero que não tenha sido a uma das *boas* criadas – resmungou Anthony –, pois certamente ela despede-se ainda hoje com tanto dinheiro no bolso.

– Todas as nossas criadas são boas – retorquiu Kate, com certa irritação.

– Dez libras – repetiu Daphne, sacudindo a cabeça. – Vou dizer à tua mulher.

– Não te acanhes – respondeu Colin com indiferença, fazendo um gesto de cabeça para a colina que descia até ao percurso definido para o jogo de palamalho. – Ela está mesmo ali.

Daphne olhou para cima.

– A Penelope está cá?

– A Penelope está cá? – bramiu Anthony. – Porquê?

– Porque é minha mulher – contrapôs Colin.

– Ela nunca participou antes.

– Ela queria ver-me vencer – ripostou Colin, recompensando o irmão com um sorriso enjoado.

Anthony resistiu à vontade de o esganar. Mas com esforço.

– Como é que sabes que vais ganhar?

Colin balançou o malho preto diante dele.

– Já ganhei.

– Bom dia a todos – cumprimentou Penelope, descendo em passo lento até junto do grupo.

– Não vale aplaudir – avisou Anthony.

Penelope pestanejou, sem perceber.

– Desculpa?

– E em nenhuma circunstância – continuou ele, porque a verdade é que alguém tinha de se certificar de que o jogo mantinha alguma integridade – podes estar a menos de dez passos do teu marido.

Penelope olhou para Colin, balançando a cabeça nove vezes, enquanto calculava os passos entre ambos, e deu um passo para trás.

– Não vale fazer batota – avisou Anthony.

– Pelo menos, nenhum tipo *novo* de batota – acrescentou Simon. – As técnicas de batota previamente estabelecidas são permitidas.

– Posso falar com o meu marido durante o jogo? – perguntou Penelope com brandura.

– Não! – foi a resposta retumbante e em coro de três vozes.

– Poderás notar que eu não fiz nenhuma objeção – disse-lhe Simon.

– Como já disse – reforçou Daphne, passando por ele a caminho de ir inspecionar um aro –, tu não nasceste no seio desta família.

– Onde está a Edwina? – perguntou Colin em tom enérgico, semicerrando os olhos em direção à casa.

– Ela já desce – respondeu Kate. – Estava a acabar de tomar o pequeno-almoço.

– Ela está a atrasar o jogo.

Kate virou-se para Daphne.

– A minha irmã não partilha a nossa devoção pelo jogo.

– Ela acha que somos todos loucos? – perguntou Daphne.

– Sim.

– Bom, é simpático da parte dela vir todos os anos – comentou Daphne.

– É tradição – vociferou Anthony.

Ele conseguira apossar-se do malho cor de laranja e balançava-o contra uma bola imaginária, semicerrando os olhos enquanto praticava a pontaria.

– Ele não tem andado a praticar no percurso, pois não? – inquiriu Colin.

– Como poderia? – reagiu Simon. – Só o montou esta manhã. Todos nós vimos.

Colin ignorou-o e virou-se para Kate.

– Ele tem feito estranhos desaparecimentos noturnos recentemente?

Ela ficou boquiaberta.

– Achas que ele se esgueira para jogar palamalho ao luar?

– Não me admiraria nada – resmoneou Colin.

– A mim também não – respondeu Kate –, mas asseguro-te de que ele tem dormido na sua própria cama.

– Não é uma questão de *camas* – argumentou Colin –, é uma questão de competição.

– Essa não é certamente uma conversa apropriada para se ter à frente de uma senhora – disse Simon, mas era óbvio que estava a divertir-se.

Anthony dirigiu a Colin um olhar irritado, e logo outro a Simon, para que ninguém se ficasse a rir. A conversa começava a tornar-se ridícula e estava mais do que na hora de começarem a partida.

– Onde *está* a Edwina? – barafustou ele.

– Já a vejo a descer a colina – respondeu Kate.

Ele ergueu o olhar e viu Edwina Bagwell, a irmã mais nova de Kate, a descer a encosta. Ela nunca fora grande adepta de atividades ao ar livre, e poderia muito bem imaginá-la a suspirar e a revirar os olhos.

– Este ano quero o cor-de-rosa – declarou Daphne, pegando num dos malhos restantes da pilha. – Estou a sentir-me feminina e

delicada. – Lançou aos irmãos um olhar malandro e acrescentou:
– Enganosamente feminina e delicada.

Simon aproximou-se por trás dela, escolheu o malho amarelo
e disse:

– O azul é para a Edwina, claro.

– A Edwina fica sempre com o azul – explicou Kate a Penelope.

– Porquê?

Kate fez uma pausa.

– Não sei.

– Então e o roxo? – perguntou Penelope.

– Oh, nós nunca usamos *esse*.

– Porquê?

Kate parou novamente.

– Não sei.

– É tradição – esclareceu Anthony.

– Mas então porque é que o resto de vós muda de cor todos os
anos? – insistiu Penelope.

Anthony virou-se para o irmão.

– Ela faz sempre tantas perguntas?

– Sempre.

Voltou-se para Penelope e respondeu:

– Nós gostamos assim.

– Cheguei! – exclamou Edwina alegremente ao aproximar-se
do resto dos jogadores. – Oh, azul outra vez! Que atenciosos. –
Pegou no equipamento e virou-se para Anthony. – Vamos jogar?

Ele concordou com um aceno de cabeça e virou-se para Simon.

– És tu a abrir, Hastings.

– Como sempre – murmurou ele, deixando cair a bola na posição de partida. – Afastem-se – advertiu, embora ninguém se encontrasse à distância do balanço do malho.

Ele ergueu o malho para trás e depois lançou-o para diante
com uma tacada magnífica. A bola rolou a toda a velocidade pelo

relvado numa perfeita linha reta, parando a poucos metros do aro seguinte.

– Oh, muito bem! – exclamou Penelope, batendo palmas.

– Eu disse que é proibido aplaudir – resmungou Anthony. Já ninguém era capaz de seguir uma simples instrução?

– Até o Simon? – retorquiu Penelope. – Pensei que fosse só o Colin.

Anthony pousou a sua bola com muito cuidado.

– É uma distração.

– Como se todos nós não fôssemos uma distração – comentou Colin. – Aplaude à vontade, querida.

Mas ela manteve o silêncio enquanto Anthony fazia mira. A tacada dele foi ainda mais poderosa do que a do duque e a bola rolou para ainda mais longe.

– Hum, pouca sorte – notou Kate.

Anthony virou-se para ela, desconfiado.

– O que queres dizer com isso? Foi uma tacada brilhante.

– Bem, sim, mas...

– Sai-me da frente – comandou Colin, marchando para a posição de partida.

Anthony fixou o olhar na mulher.

– O que quiseste dizer?

– Nada – respondeu ela, com toda a descontração –, só que aquela zona é um pouco enlameada.

– Enlameada? – Anthony olhou para a bola, depois para a mulher e, em seguida, de volta para a bola. – Não chove há dias.

– Hum, pois não.

Ele olhou para trás, para a mulher, para a sua enlouquecedora e diabólica mulher que não tardava nada estava a enfiar num calabouço.

– Como é que ela ficou enlameada?

– Bem, talvez *enlameada* não seja o termo mais correto...

– Enlameada não é o termo mais correto – repetiu ele, com muito mais paciência do que ela merecia.

– Lodanhenta talvez seja mais apropriado.

Ele ficou sem palavras.

– Lodacenta? – Ela franziu ligeiramente o rosto. – Qual é o adjetivo para uma poça de água?

Ele deu um passo em direção a ela. Ela apressou-se a ir atrás de Daphne.

– O que se passa? – perguntou Daphne, virando-se para trás.

Kate espreitou para ela e abriu um sorriso triunfante.

– Acho que ele vai matar-me.

– Com tantas testemunhas? – questionou Simon.

– Como é que se formou uma poça de lama no meio da primavera mais seca de que me recordo é o que eu quero saber – disse Anthony.

Kate lançou-lhe outro dos seus sorrisos irritantes.

– Eu derramei o meu chá.

– De forma a fazer uma poça?

Ela encolheu os ombros.

– Estava com frio.

– Frio.

– E com sede.

– E aparentemente muito trapalhona, também – interveio Simon.

Anthony lançou-lhe um olhar furibundo.

– Bem, se vais matá-la – continuou Simon –, importas-te de esperar até que a minha mulher não esteja no meio de vocês os dois? – Virou-se para Kate. – Como sabias onde colocar a poça?

– Ele é muito previsível – respondeu ela.

Anthony esticou as mãos como a medir-lhe o pescoço.

– Todos os anos – continuou ela, sorrindo diretamente para o marido – pões o primeiro aro no mesmo lugar e bates a bola precisamente da mesma maneira.

Colin escolheu esse momento para se aproximar.

– És tu a jogar, Kate.

Ela saiu de trás de Daphne e precipitou-se para o ponto de partida.

– No amor e na guerra vale tudo, querido marido! – exclamou ela alegremente.

Em seguida, inclinou-se para frente, fez pontaria e lançou a bola verde num voo.

Diretamente para a poça.

Anthony suspirou, feliz. Sempre havia justiça no mundo, afinal de contas.


Trinta minutos mais tarde, Kate aguardava ao lado da sua bola, junto ao terceiro aro.

– Pena a lama – comentou Colin, passando por ela em passo vagaroso.

Ela atirou-lhe um olhar furioso.

Daphne passou um momento depois.

– Tens um pouco de... – Apontou para o cabelo. – Sim, aí – acrescentou ela, quando Kate limpou furiosamente a têmpora com a mão. – Embora tenhas mais, bem... – aclarou a garganta – por toda a parte.

Kate fuzilou-a com o olhar.

Simon aproximou-se. Santo Deus, será que toda a gente tinha de passar pelo terceiro aro a caminho do sexto?

– Tens um pouco de lama – disse ele em tom amável.

Os dedos de Kate apertaram o malho com mais firmeza. A cabeça dele estava muito, muito perto.

– Mas, pelo menos, está misturada com chá – acrescentou ele.

– O que tem isso a ver? – perguntou Daphne.

– Não sei – ouviu-o Kate dizer a Daphne enquanto os dois se encaminhavam para o aro número cinco –, mas pareceu-me que devia dizer *alguma* coisa.

Kate contou até dez mentalmente e logo de seguida, claro, apareceu Edwina, com Penelope no seu encalço, a uns meros três passos. O par tinha-se tornado uma espécie de equipa, com Edwina responsável por dar a tacada e Penelope responsável pela estratégia.

– Oh, Kate! – disse Edwina com um suspiro de pena.

– Não digas nada – rosnou Kate.

– Tu fizeste a poça – referiu Edwina.

– Afinal de quem *és* irmã? – protestou Kate.

Edwina dirigiu-lhe um sorriso maroto.

– A devoção de irmã não anula o meu sentido de desportivismo.

– Isto é palamalho. Não há desportivismo.

– Aparentemente, não – comentou Penelope.

– Dez passos – observou Kate.

– Do Colin, não de ti – devolveu Penelope. – Embora acredite que o melhor é manter-me sempre, pelo menos, à distância de um malho.

– Vamos? – sugeriu Edwina, virando-se para Kate e informando: – Acabámos mesmo agora o quarto aro.

– E precisavas mesmo de dar esta volta toda? – resmoneou Kate.

– Achei que seria uma mostra de desportivismo fazer-te uma visita – objetou Edwina.

Ela e Penelope deram meia-volta para se irem embora e foi então que Kate deixou escapar, pois era incapaz de se conter:

– Onde está o Anthony?

Edwina e Penelope viraram-se.

– Queres mesmo saber? – perguntou Penelope.

Kate obrigou-se a assentir com a cabeça.

– No último aro, lamento dizer-te – respondeu Penelope.

– Antes ou depois? – rabujou Kate.

– Desculpa?

– Ele está antes do aro ou depois? – repetiu ela, impaciente. Vendo que Penelope não lhe respondia de imediato, acrescentou: – Ele já passou pela maldita coisa ou não?

Penelope piscou os olhos de surpresa.

– Bem, ainda não. Ainda lhe faltam umas duas tacadas, acho. Talvez três.

Kate ficou a vê-la partir de olhos semicerrados. Ela não ia ganhar, já não tinha a menor hipótese. Mas se não podia ganhar, então, por Deus, Anthony também não. Ele não merecia um resquício de glória, não depois de a fazer tropeçar e cair na poça de lama.

Oh, ele alegara que fora um acidente, mas Kate achara altamente suspeito que a bola dele se tivesse esparrinhado na poça no exato momento em que ela dava um passo adiante para se aproximar da sua própria bola. Ela tivera de dar um saltinho para a evitar e congratulava-se por ter evitado um acidente quando Anthony se virara para trás, perguntando com evidente falsidade:

– Ora bolas, estás bem?

O malho balançara com ele, convenientemente ao nível do tornozelo. Kate não fora capaz de o evitar com mais um saltinho e estatelara-se na lama.

De cara para baixo.

Anthony ainda tivera o desplante de lhe oferecer um lenço.

Ela ia matá-lo.

Matar.

Matar, matar, matar.

Mas primeiro ia certificar-se de que ele não ganhava.


Anthony sorria amplamente, assobiava, até, enquanto esperava a sua vez. Estava a demorar uma quantidade ridiculamente longa de tempo para chegar a vez dele, pois estando Kate tão atrasada, era preciso alguém vir a correr dizer quando era a vez dela, já para não falar de Edwina, que nunca parecia compreender as virtudes do jogo rápido. Como se não bastassem os últimos catorze anos, com ela a perambular como se tivesse todo o tempo do mundo, agora juntava-se-lhe Penelope, que não a deixava bater a bola sem a sua análise e aconselhamento.

Mas, pela primeira vez, Anthony não se importava. Ele estava na liderança, e tão destacado que ninguém conseguiria alcançá-lo. E para lhe tornar a vitória ainda mais doce, Kate estava em último.

Total e completamente incapaz de ultrapassar fosse quem fosse.

Quase compensava o facto de Colin ter açambarcado o malho da morte.

Virou-se para o último aro. Precisava de uma tacada para colocar a bola perto do aro e mais uma para a fazer passar. Depois disso, precisava apenas de a conduzir até ao último pino e terminar o jogo com um simples toque.

Brincadeira de crianças.

Espreitou por cima do ombro. Via Daphne de pé ao lado do velho carvalho. Ela estava no cimo de uma colina, por isso podia ver a descida, algo que ele não podia.

– É a vez de quem? – gritou ele.

Ela esticou o pescoço, observando os outros que jogavam ao fundo da colina.

– Do Colin, parece-me – respondeu ela, voltando a olhar para ele –, o que significa que a Kate é a próxima.

Ele sorriu.

Este ano o traçado era ligeiramente diferente, tomando uma forma mais ou menos circular. Os jogadores tinham de seguir um padrão tortuoso, o que significava que, em linha reta, ele estava na verdade mais perto de Kate do que dos outros. Aliás, precisava apenas de se deslocar menos de dez metros para sul para conseguir vê-la avançar em direção ao quarto aro.

Ou seria ainda o terceiro?

Fosse como fosse, ele não ia perder o espetáculo.

Assim, com um sorriso estampado no rosto, ele correu em direção a ela. Deveria chamá-la? Irritá-la-ia mais se o fizesse.

Mas isso seria cruel. Por outro lado...

CRAQUE!

Anthony olhou para cima, afastando-se das suas reflexões, mesmo a tempo de ver a bola verde ser arremessada na sua direção.

Que diabo?

Kate deixou escapar uma gargalhada triunfante, pegou nas saias e começou a correr para ele.

— O que raios estás tu a fazer? O quarto aro *é para ali* — bradou Anthony, apontando na direção certa, embora soubesse que ela sabia muito bem qual era.

— Eu ainda estou no terceiro aro — respondeu ela com malvadez — e, seja como for, eu já desisti de ganhar. É impossível, a esta altura da competição, não achas?

Anthony observou-a, depois olhou para a sua bola, descansando pacificamente perto do último aro.

Em seguida, voltou a olhar para ela.

— Oh não, não te atrevas — rosnou ele.

Ela sorriu lentamente.

Tortuosamente.

Um sorriso de feiticeira.

— Observa-me — provocou ela.

Nesse momento Colin apareceu a correr, subindo a colina.

— É a tua vez, Anthony!

— Como é possível? — questionou ele. — A Kate jogou agora, por isso ainda falta a Daphne, a Edwina e o Simon.

— Nós fomos muito rápidos — explicou Simon, avançando a passos largos. — Não queremos por nada deste mundo perder *isto*.

— Oh, pelo amor de Deus! — resmungou ele, ficando a ver o resto do pessoal a aproximar-se.

Caminhou até à sua bola, semicerrando os olhos para preparar a tacada.

— Cuidado com a raiz da árvore! — avisou Penelope em voz alta.

Anthony cerrou os dentes.

— Eu não estava a aplaudir — justificou ela, com uma expressão magnificamente branda. — Certamente que um alerta não pode ser qualificado como aplau...

— *Caluda!* — rosnou Anthony.

— Todos temos o nosso lugar neste jogo — disse ela, os lábios contraindo-se de riso.

Anthony virou-se.

69

– Colin! – gritou. – Se não queres acabar viúvo, faz-me o favor de calar a tua mulher.

Colin aproximou-se de Penelope.

– Eu amo-te – disse ele, beijando-a na face.

– E eu...

– Parem com isso! – explodiu Anthony. Quando todos os olhos se voltaram para ele, acrescentou quase num grunhido: – Estou a tentar concentrar-me.

Kate aproximou-se mais, saltitando.

– Fica longe de mim, mulher.

– Eu só quero *ver* – disse ela. – Quase não tive oportunidade de *ver* nada deste jogo, por me ter atrasado tanto.

Ele semicerrou os olhos.

– Eu posso *eventualmente* ser responsável pela lama, e repara na minha ênfase na palavra *eventualmente*, que não implica qualquer tipo de confirmação da minha parte.

Ele fez uma pausa, ignorando intencionalmente o resto do grupo, cujos membros se encontravam de boca aberta a olhar para ele.

– No entanto – continuou ele –, não percebo por que razão estares em último lugar possa ser *minha* responsabilidade.

– A lama tornou as minhas mãos escorregadias – resmoneou ela. – Deixei de conseguir agarrar no malho devidamente.

Um pouco afastado, Colin fez uma careta.

– Fraquinha, lamento dizer-te, Kate. Vou ter de concordar com o Anthony nisso, por mais que me custe.

– Pronto, está bem – concedeu ela, depois de atirar a Colin um olhar fulminante. – Não é culpa de mais ninguém, exceto minha. Mas...

E não disse mais nada.

– Mas... o quê? – perguntou finalmente Edwina.

Kate poderia ser uma rainha empunhando o cetro, ali de pé, toda coberta de lama.

– Mas – recomeçou ela regiamente – não tenho de gostar. E sendo isto palamalho, e sendo nós Bridgerton, também não tenho de jogar limpo.

Anthony sacudiu a cabeça e voltou a inclinar-se para baixo para preparar a tacada.

– Agora é ela que tem uma certa razão – comentou Colin, como o chato irritante que era. – O bom espírito desportivo nunca foi altamente valorizado neste jogo.

– Fica quieto – resmungou Anthony.

– Na verdade – continuou Colin –, pode até argumentar-se que...

– Eu disse para ficares quieto.

– ... o oposto também é verdade, e que o *mau* espírito despor-tivo...

– *Cala-te*, Colin.

– ... deve ser de facto louvado e...

Anthony decidiu desistir de tomar balanço. Àquele ritmo, o verão chegaria ao fim e ainda estariam todos ali. Colin nunca iria parar de falar, não quando sabia existir a possibilidade de irritar o irmão.

Anthony esforçou-se para não ouvir mais nada, exceto o vento. Ou pelo menos tentou.

Fez pontaria.

Recuou.

Craque!

Com tanta força não, com tanta força não.

A bola rolou para a frente, mas, infelizmente, não foi longe o suficiente. Não ia conseguir passar o aro na próxima tentativa. Pelo menos não sem alguma espécie de intervenção divina, capaz de fazer a bola contornar uma pedra do tamanho de um punho fechado.

– Colin, és o próximo – anunciou Daphne, mas ele já corria para a sua bola.

Colin deu um toque casual e gritou:

– Kate!

Ela deu um passo em frente, pestanejando enquanto avaliava a configuração do terreno. A sua bola estava a cerca de trinta centímetros da dele. A pedra, no entanto, estava no lado oposto, o que significava que se ela tentasse sabotá-lo, não conseguiria enviar a bola dele para muito longe, pois sem dúvida que a pedra a deteria.

– Um dilema interessante – murmurou Anthony.

Kate pôs-se a andar à volta das bolas.

– Seria um gesto romântico se eu te deixasse ganhar – refletiu ela.

– Oh, não é uma questão de *deixares* – provocou ele.

– Resposta errada – disse ela e fez pontaria.

Anthony semicerrou os olhos. O que estava ela a fazer?

Kate bateu a bola com uma certa força, visando não diretamente a bola dele, mas de maneira a bater-lhe no lado esquerdo. A bola bateu na dele, fazendo-a disparar para a direita. Por causa do ângulo, não conseguiu enviá-la para tão longe quanto poderia se lhe tivesse acertado em cheio, mas conseguiu que subisse até ao topo da colina.

Mesmo até ao topo.

Mesmo até ao topo.

E, em seguida, lá foi a bola colina abaixo.

Kate soltou um grito de alegria que não seria descabido num campo de batalha.

– Vais pagar-mas – ameaçou Anthony.

Ela estava demasiado ocupada a pular de alegria para lhe prestar atenção.

– Quem achas que vai ganhar agora? – perguntou Penelope.

– Sabes uma coisa – disse Anthony calmamente –, não quero saber.

E então foi até a bola verde e mirou.

– Espera, não é a tua vez! – exclamou Edwina.

– E não é a tua bola – acrescentou Penelope.

– Ai não? – murmurou ele, desferindo uma tacada na bola de Kate e ficando a vê-la voar pelo lado menos inclinado da encosta relvada até ao lago.

Kate bufou de indignação.

– Isso não foi nada desportista da tua parte!

Ele atirou-lhe um sorriso enfurecedor.

– Como bem disseste, no amor e na guerra vale tudo, querida esposa.

– Agora vais tu pescá-la – ripostou ela.

– Mas tu é que precisas de um banho.

Daphne soltou uma risada e disse:

– Acho que deve ser a minha vez. Vamos continuar?

Ela partiu, com Simon, Edwina e Penelope no seu encalço.

– Colin! – chamou Daphne.

– Oh, muito bem – resmungou ele, e arrastou-se atrás deles.

Kate olhou para o marido, os lábios começando a contorcer-se de riso.

– Bom – disse ela, coçando um ponto na orelha particularmente coberto de lama –, suponho que seja o fim do jogo para nós.

– Eu diria que sim.

– Fizeste um trabalho brilhante este ano.

– Tu também – acrescentou ele, com um sorriso. – A poça foi uma ideia inspirada.

– Eu também achei – respondeu ela, sem modéstia. – E... acerca da lama...

– Não foi *bem* de propósito – murmurou ele.

– Eu teria feito o mesmo – concedeu ela.

– Sim, eu sei.

– Estou imunda – disse ela, olhando por si abaixo.

– O lago está mesmo ali – sugeriu ele.

– Está tanto frio.

– Um banho, então?

Ela sorriu sedutoramente.

– Vens comigo?

– Mas é claro.

Ele estendeu o braço e, juntos, começaram a caminhar de regresso a casa.

– Devíamos avisá-los de que desistimos? – perguntou Kate.

– Não.

– O Colin vai tentar roubar o malho preto, sabes disso.

Ele fitou-a com interesse.

– Achas que ele vai tentar levá-lo de Aubrey Hall?

– Tu não o farias?

– Absolutamente – respondeu ele, com grande ênfase. – Teremos de unir forças.

– Oh, certamente.

Caminharam mais alguns metros até Kate dizer:

– Mas assim que o recuperarmos...

Ele olhou-a com ar horrorizado.

– Oh, aí é cada um por si. Não pensaste...

– Não – apressou-se ela a responder. – Claro que não.

– Então estamos de acordo – disse Anthony, com certo alívio, pois, na verdade, onde estaria a graça se não pudesse trucidar Kate?

Caminharam mais uns segundos até Kate anunciar:

– Vou ganhar no próximo ano.

– Eu sei que pensas que vais.

– Não, eu vou. Tenho cá umas ideias. Estratégias.

Anthony riu-se e inclinou-se para a beijar, com lama e tudo.

– Eu também tenho algumas ideias – disse ele com um sorriso. – E muitas, muitas estratégias.

Ela passou a língua pelos lábios.

– Já não estamos a falar de palamalho, pois não?

Ele abanou a cabeça.

Ela abraçou-o, as mãos puxando-lhe a cabeça para que os lábios se encontrassem. No momento antes de os lábios dele tocarem os dela, ele ouviu-a suspirar...

– Ainda bem.

## Amor e Enganos

*Amor e Enganos* é a minha homenagem à história da Cinderela, mas logo se tornou evidente que a história tinha uma irmã malvada a mais. Rosamund era maldosa e cruel, mas Posy tinha um coração de ouro, e quando a história atingiu o seu clímax, ela foi a pessoa que arriscou tudo para salvar a situação. Parece-me, portanto, mais do que justo que também ela tenha o seu final feliz...

*Amor e Enganos:*
*Segundo Epílogo*

Aos vinte e cinco anos, Miss Posy Reiling era considerada *quase* uma solteirona. Havia quem a julgasse como tendo já saltado a barreira de donzela para solteirona inveterada, pois vinte e três era frequentemente a idade citada como sendo a da cruel fronteira cronológica. Mas Posy era, como Lady Bridgerton (a sua protetora oficiosa) muitas vezes comentava, um caso único.

Em termos de anos de debute, insistia Lady Bridgerton, Posy tinha no máximo uns vinte, *talvez* vinte e um anos.

Eloise Bridgerton, a filha que mais tempo ficara solteira da casa, dissera-o com muito menos floreados: os primeiros anos de Posy na sociedade tinham sido totalmente inúteis e não lhe deviam ser imputados.

A irmã mais nova de Eloise, Hyacinth, que não gostava de ser verbalmente superada, declarara simplesmente que os anos de Posy entre os dezassete e os vinte e dois tinham sido «um desperdício completo».

Fora nesse exato momento que Lady Bridgerton suspirara, se servira de uma bebida forte e se afundara numa cadeira. Eloise, cuja língua era tão afiada quanto a de Hyacinth (embora, felizmente, temperada com alguma discrição), comentara que o melhor a fazer era casar Hyacinth o mais rapidamente possível ou corriam o risco de a mãe se tornar uma alcoólica. Lady Bridgerton não apreciara o comentário, embora secretamente tivesse pensado que poderia ser verdade.

Hyacinth era assim.

Mas esta história pertence a Posy. E como Hyacinth tem tendência para se apoderar de qualquer coisa em que esteja envolvida... por favor, esqueçam-na até ao fim deste conto.

A verdade é que os primeiros anos de Posy no Mercado Matrimonial tinham *realmente* sido um desperdício completo. Era verdade que fizera o seu debute numa idade adequada, aos dezassete anos; e que era enteada do falecido conde de Penwood, que tão prudentemente tratara de lhe atribuir um dote antes da sua morte prematura vários anos antes.

Ela era uma pessoa perfeitamente agradável ao olhar, se talvez um pouco roliça, tinha os dentes todos, e mais do que uma vez se proferira o comentário de que tinha uns olhos invulgarmente bondosos.

Qualquer pessoa que lhe fizesse uma avaliação escrita não iria entender por que razão passara ela tanto tempo sem uma única proposta de casamento.

Mas quem lhe fizesse a avaliação escrita poderia não saber da existência da mãe de Posy, Araminta Gunningworth, a condessa viúva de Penwood.

Araminta era esplendidamente bela, mais ainda do que a irmã mais velha de Posy, Rosamund, que tinha sido abençoada com cabelo loiro, uma boca de botão de rosa e olhos de um azul cerúleo.

Araminta era ambiciosa, também, e imensamente orgulhosa da sua ascensão da pequena nobreza à aristocracia. Tinha passado de Miss Wincheslea a Mrs. Reiling e daí a Lady Penwood, embora, quem a ouvisse falar do assunto, ficasse convencido de que da sua boca saía apenas ouro desde o dia do seu nascimento.

Mas Araminta falhara num aspeto: não tinha sido capaz de presentear o conde com um herdeiro. O que significava que, apesar do «Lady» antes do nome, não era detentora de um grande poder. Nem tinha acesso ao tipo de fortuna que sentia ser-lhe devida.

Por essa razão fixara as suas esperanças em Rosamund. Ela estava certa de que Rosamund faria um casamento esplêndido. Rosamund era belíssima. Rosamund cantava e tocava piano, e mesmo não sendo talentosa com a agulha, sabia exatamente como picar Posy, que o era. E uma vez que Posy não gostava de sofrer as repetidas punções cutâneas da agulha, eram os bordados de Rosamund que possuíam sempre o ar mais requintado.

Os de Posy, por outro lado, ficavam geralmente inacabados.

Embora o dinheiro não fosse tão abundante quanto Araminta gostaria que os seus pares acreditassem, gastava tudo o que tinha no guarda-roupa de Rosamund, nas lições de Rosamund e em *tudo* para Rosamund.

Obviamente não permitia que Posy se apresentasse com um ar embaraçosamente maltrapilho, mas, sinceramente, não havia razão para gastar mais do que tinha com ela. Afinal de contas, não era possível endireitar o que nasce torto, e certamente seria impossível transformar uma Posy numa Rosamund.

Mas.

(E este é um grande mas.)

As coisas não correram assim tão bem para Araminta. É uma história terrivelmente longa e provavelmente merecedora de um livro próprio, mas basta dizer que Araminta roubou a herança de outra jovem de seu nome Sophia Beckett, que era a filha ilegítima do conde. Poderia até ter escapado incólume, pois quem se preocupa com uma filha bastarda, não fora o facto de Sophie ter tido a ousadia de se apaixonar por Benedict Bridgerton, segundo filho da já citada (e extremamente influente) família Bridgerton.

Isto não teria sido suficiente para selar o destino de Araminta, não fora Benedict decidir que também amava Sophie. Desesperadamente. E embora ele pudesse ter feito vista grossa ao peculato, decerto não poderia fazer o mesmo ao ver Sophie ser levada para a cadeia (sob acusações de fraude).

O panorama parecia bastante sombrio para a querida Sophie, mesmo com a intervenção de Benedict e da sua mãe, a já mencionada Lady Bridgerton. Mas, então, quem aparece para salvar o dia, senão Posy?

Posy, que tinha sido ignorada durante a maior parte da sua vida.

Posy, que passara anos a sentir-se culpada por não ser capaz de se impor perante a própria mãe.

Posy, que ainda era um pouco roliça e que nunca iria ser tão bonita quanto a irmã, mas que sempre teria os olhos mais *bondosos*.

Araminta deserdara-a imediatamente, mas antes de Posy conseguir perceber se tal se tratava de boa ou má fortuna, Lady Bridgerton convidara-a para viver em sua casa, durante o tempo que quisesse.

Posy podia ter passado vinte e dois anos a ser picada e espetada pela irmã, mas não era tola. Aceitou de bom grado o convite e nem sequer se preocupou em ir a casa recolher os seus pertences.

Quanto a Araminta... bom, essa rapidamente constatou que seria muito melhor para ela não fazer qualquer comentário público sobre a futura Sophia Bridgerton a menos que fosse para a declarar um absoluto encanto de pessoa.

O que não fez. Mas também não se pôs a tratá-la aos quatro ventos por bastarda, e isso já era o bastante.

Tudo isto explica (de forma reconhecidamente enviesada) a razão de Lady Bridgerton ser a protetora oficiosa de Posy e porque a considerava um caso único. Na sua opinião, Posy não fizera verdadeiramente o seu debute até ter ido morar com ela. Com o dote de Penwood ou sem ele, quem neste mundo teria olhado duas vezes para uma jovem vestida com roupas que não lhe assentavam, sempre encostada a um canto, a esforçar-se ao máximo para não ser notada pela própria mãe?

Se ainda estava solteira aos vinte e cinco anos, bem, isso era o mesmo que uns meros vinte para qualquer outra jovem. Ou assim afirmava Lady Bridgerton.

E ninguém desejava realmente contradizê-la.

Quanto a *Posy*, muitas vezes dizia que a sua vida não começara verdadeiramente até ter ido para a cadeia.

Tal declaração tendia a exigir alguma explicação, tal como a maioria das declarações de Posy.

Posy não se importava. Os Bridgerton até *gostavam* das suas explicações. Eles gostavam *dela*.

Melhor ainda, ela gostava de si mesma.

O que era muito mais importante do que ela alguma vez imaginara.


Sophie Bridgerton considerava a sua vida quase perfeita. Amava o marido, adorava a sua acolhedora casa e estava certa de que os seus dois filhos eram as criaturas mais bonitas e inteligentes que nasceram alguma vez em qualquer sítio, em qualquer tempo, em qualquer... bem, em qualquer *qualquer* de que uma pessoa se pudesse lembrar.

Era verdade que *tinham* de viver no campo, pois apesar da considerável influência da família Bridgerton, Sophie, por causa do seu nascimento, nunca seria aceite por algumas das anfitriãs mais picuinhas de Londres.

(Sophie chamava-lhes picuinhas. Benedict chamava-lhes algo completamente diferente.)

Mas isso não tinha importância. Não verdadeiramente. Tanto ela como Benedict preferiam a vida rural, por isso a perda não era grande. E mesmo que nunca se livrassem do sussurro de que o nascimento de Sophie não era o que deveria ser, a história oficial era que ela era parente distante, embora totalmente legítima, do falecido conde de Penwood. E mesmo que ninguém *realmente* acreditasse em Araminta quando ela confirmava a história, ainda assim ela fazia-o.

Sophie sabia que quando os seus filhos fossem crescidos, os rumores já seriam velhos o suficiente para que nenhuma porta lhes fosse fechada, caso eles desejassem assumir as suas posições na sociedade londrina.

Tudo estava bem. Tudo era perfeito.

Quase. Agora só precisava de encontrar um marido para Posy. Não um marido qualquer, é claro. Posy merecia o melhor.

– Ela não é para qualquer um – admitira Sophie a Benedict no dia anterior –, mas isso não significa que não seja um partido fantástico.

– Claro que não – murmurou ele, tentando ler o jornal, que já tinha três dias, mas, para ele, não deixavam de ser notícias.

Ela lançou-lhe um olhar severo.

– Quero dizer, é claro – apressou-se ele a corrigir. E então, ao perceber que ela não prosseguia o seu discurso, emendou: – O que quero dizer é que independentemente do que for, ela será decerto uma esposa esplêndida.

Sophie deixou escapar um suspiro.

– O problema é que a maioria das pessoas não parece perceber como ela é maravilhosa.

Benedict deu um aceno obediente. Compreendia bem o seu papel nesta cena em particular. Era o tipo de conversa que não era realmente uma conversa. Sophie estava a pensar em voz alta, e ele estava ali apenas para lhe fornecer o incentivo verbal ou gestual adequado.

– Ou pelo menos é isso que diz a tua mãe – continuou Sophie.

– Hum, hum.

– Ela não é convidada para dançar tão frequentemente quanto deveria.

– Os homens são umas bestas – concordou Benedict, virando mais uma página do jornal.

– É verdade – disse Sophie com certa emoção. – Tirando tu, é claro.

– Ah, é claro.

– A maioria das vezes – acrescentou ela, com certa petulância.

A resposta dele foi um aceno com a mão.

– Não tens nada que agradecer.

– Estás a ouvir-me? – perguntou ela, semicerrando os olhos.

– Cada palavra – garantiu ele, baixando o jornal o suficiente para a espreitar por cima do rebordo.

Ele não *vira* exatamente os olhos dela a semicerrarem-se, mas conhecia-a suficientemente bem para o perceber na sua voz.

– Precisamos de encontrar um marido para a Posy.

Ele refletiu sobre o problema.

– Talvez ela não queira um marido.

– É claro que quer um marido!

– Já me foi dito que todas as mulheres querem um marido – aventou Benedict –, mas, pela minha experiência, isso não é exatamente verdade.

Sophie limitou-se a fitá-lo, algo que ele não achou de todo surpreendente. Era uma declaração bastante longa, vinda de um homem que lia o jornal.

– Pensa na Eloise – prosseguiu ele, sacudindo a cabeça, pois era a sua inclinação habitual ao pensar na irmã. – Quantos homens é que ela já recusou?

– Pelo menos, três – respondeu Sophie –, mas a questão não é essa.

– Qual *é* a questão, então?

– A *Posy.*

– Certo – demorou-se ele.

Sophie inclinou-se para frente, a expressão assumindo uma estranha mistura de perplexidade e determinação.

– Eu não sei porque é que os homens não veem como ela é maravilhosa.

– Ela é um gosto adquirido – disse Benedict, esquecendo-se momentaneamente do seu papel e oferecendo um parecer real.

– *O quê?*

– *Tu* própria disseste que ela não é para qualquer um.

– Mas tu não devias... – Ela deixou-se afundar mais no assento. – Deixa lá.

– O que é que ias dizer?

– Nada.

– *Sophie...* – insistiu ele.

– Apenas que tu não devias concordar comigo – murmurou ela –, mas até eu vejo como é ridículo dizê-lo.

Há muito que Benedict chegara à conclusão de que era ótimo ter uma mulher sensata.

Sophie não falou durante algum tempo, e Benedict teria retomado a leitura do jornal, não fora ser muito mais interessante observar o rosto da mulher. Ela mastigava o lábio, depois deixava escapar um suspiro de cansaço, depois endireitava ligeiramente o corpo, como se acabasse de ter um bom pensamento e, por fim, ficava de semblante carregado.

Para ser franco, ele era capaz de ficar a admirá-la toda a tarde.

– Consegues pensar em alguém? – perguntou ela, de repente.

– Para a Posy?

Ela atirou-lhe um olhar que dizia «de quem mais poderia eu estar a falar senão dela?».

Ele deixou escapar um suspiro. Deveria ter previsto a pergunta, mas tinha começado a pensar na pintura em que trabalhava atualmente no estúdio. Era um retrato de Sophie, o quarto que fazia nos três anos de casamento. Começava a pensar que não conseguira ainda captar-lhe a boca na perfeição. Não eram tanto os lábios, mas os cantos da boca. Um bom retratista precisava de entender os músculos do corpo humano, mesmo os faciais e...

– Benedict!

– Então e Mr. Folsom? – apressou-se ele a sugerir.

– O advogado?

Ele assentiu.

– Tem um ar manhoso.

Ela estava certa, percebeu ele, agora que pensava nisso.

– Sir Reginald?

Sophie atirou-lhe outro olhar, visivelmente dececionada com tal escolha.

– Ele é *gordo*.

– Também...

– Ela *não* é – cortou Sophie. – Ela é agradavelmente roliça.

– Eu só ia dizer que Mr. Folsom também – concluiu Benedict, sentindo a necessidade de se defender –, mas que preferiste comentar a falsidade dele.

– Oh!

Ele permitiu-se abrir o mais subtil dos sorrisos.

– Falsidade é muito pior do que excesso de peso – murmurou ela.

– Eu não poderia estar mais de acordo – disse Benedict. – E Mr. Woodson?

– Quem?

– O novo vigário. Aquele que disseste ter...

– ... um sorriso radioso! – terminou Sophie com entusiasmo. – Oh, Benedict, ele é perfeito! Oh, adoro-te, adoro-te, adoro-te!

Ela praticamente saltou por cima da mesinha que os separava para os braços do marido.

– Eu também te adoro – retribuiu ele, congratulando-se por ter tido a precaução de fechar a porta da sala de estar.

O jornal voou por cima do ombro e o mundo voltou a ser perfeito.


A temporada social chegou ao fim algumas semanas mais tarde e Posy decidiu aceitar o convite de Sophie para uma visita prolongada. Londres era quente, peganhenta e malcheirosa no verão, e uma estadia no campo parecia-lhe a decisão mais acertada. Além disso, ela não via os afilhados há vários meses e ficara *pasmada* quando Sophie lhe escrevera a dizer que Alexander já tinha começado a perder os refegos de bebé.

Oh, ele era a coisa mais adorável e fofa do mundo. Tinha de vê-lo antes que começasse a ficar esguio. Era-lhe completamente impossível resistir.

Também seria bom ver Sophie. Ela escrevera a dizer que ainda se sentia um pouco fraca e Posy adorava ajudar.

Poucos dias depois de ter chegado, Posy e Sophie encontravam-se a tomar chá quando a conversa virou, como por vezes acontecia, para Araminta e Rosamund, que Posy ocasionalmente via em Londres. Após mais de um ano de silêncio, a mãe finalmente tinha começado a reconhecê-la como filha, mas, mesmo assim, a conversa entre ambas era breve e formal. E era melhor assim, decidira Posy. A mãe podia não ter nada a dizer-lhe, mas ela também não tinha nada a dizer à mãe.

No que toca a epifanias, essa fora bastante libertadora.

– Vi-a a sair da modista de chapéus – respondeu Posy, preparando o chá tal como gostava, com uma dose extra de leite e sem açúcar. – Ela tinha acabado de descer as escadas, e não pude evitá-la, mas então percebi que, na verdade, não queria evitá-la. Não que tivesse muita vontade de falar com ela, é claro. – Bebeu um gole de chá. – Simplesmente não me apetecia gastar a energia necessária para me esconder.

Sophie assentiu em aprovação.

– Então falámos, ou seja, não dissemos nada de especial, na verdade, embora ela tenha conseguido introduzir na conversa um dos seus insultos mordazes.

– Eu odeio isso.

– Eu sei. Ela é *tão* boa no que faz.

– É um talento – comentou Sophie. – Não que seja bom, mas um talento, ainda assim.

– Bem – continuou Posy –, devo dizer que me comportei com bastante maturidade durante todo o encontro. Deixei-a dizer o que queria e depois despedi-me. Foi então que me dei conta da mais incrível constatação.

– E qual foi?

Posy abriu um sorriso.

– Eu gosto de mim.

– Pois é claro que gostas – disse Sophie, pestanejando, incrédula.

– Não, não estás a perceber – disse Posy.

Era estranho, pois Sophie deveria ter compreendido perfeitamente. Ela era a única pessoa no mundo que sabia o que significava viver como criança desfavorecida nos afetos de Araminta. Mas havia algo radiante em Sophie. Fora sempre assim. Mesmo quando Araminta a tratava praticamente como escrava, Sophie nunca parecia derrotada. Sempre mostrara um ânimo singular, uma centelha imperturbável. Não era rebeldia; Sophie era a pessoa menos rebelde que Posy conhecia, exceto, talvez, ela própria.

Não era rebeldia... era resiliência. Sim, era exatamente isso.

Em todo o caso, Sophie deveria ter entendido o que Posy queria dizer, mas não entendeu, por isso Posy acrescentou:

– Eu nem sempre gostei de mim. E porque deveria? A minha própria mãe não gostava de mim.

– Oh, Posy – disse Sophie, os olhos marejados de lágrimas –, não deves...

– Não – interrompeu Posy, com bonomia –, não faças caso. Isso não me incomoda.

Sophie limitou-se a fitá-la.

– Bem, agora já não me incomoda – emendou Posy.

Ela olhou para o prato de biscoitos pousado na mesinha de centro. Não devia comer mais nenhum. Já tinha comido três, mas queria comer mais três, então talvez isso significasse que, se comesse um, estava na verdade a abster-se de dois...

Tamborilou os dedos na perna. Talvez não devesse comer um. Talvez devesse deixá-los para Sophie, que acabara de ter um bebé e precisava de recuperar forças. Embora Sophie parecesse perfeitamente recuperada e o pequeno Alexander já tivesse quatro meses de idade...

– Posy?

Ela olhou para cima.

– Passa-se alguma coisa?

Posy encolheu ao de leve os ombros.

– Não consigo decidir se quero comer mais um biscoito.

Sophie pestanejou.

– Um biscoito? Estás a falar a sério?

– Há pelo menos duas razões pelas quais não devo, e provavelmente até mais do que duas.

Ela fez uma pausa, franzindo o sobrolho.

– Parecias muito compenetrada – comentou Sophie. – Quase como se estivesses a conjugar um verbo em latim.

– Oh, não, o meu ar seria muito mais pacífico se estivesse a conjugar verbos em latim – declarou Posy. – Isso seria bastante simples, considerando que não sei nada sobre o assunto. Já os biscoitos, por outro lado, é um problema que pondero infinitamente. – Suspirou e baixou o olhar. – Para minha grande tristeza.

– Não sejas tonta, Posy – repreendeu Sophie. – És a mulher mais adorável que conheço.

Posy sorriu e pegou no biscoito. O mais extraordinário em Sophie era que ela não estava a mentir. Sophie achava-a realmente a mulher mais adorável que conhecia. Mas a verdade é que Sophie sempre fora esse tipo de pessoa. Ela via bondade onde outros viam... bem, onde os outros não se preocupavam em olhar, para ser franca.

Posy deu uma mordida e mastigou, decidindo ter valido totalmente a pena. Manteiga, açúcar e farinha. O que poderia ser melhor?

– Recebi uma carta de Lady Bridgerton hoje – comentou Sophie.

Posy ergueu um olhar interessado. Tecnicamente, Lady Bridgerton poderia significar a cunhada de Sophie, a mulher do atual visconde. Mas ambas sabiam que ela se referia à mãe de Benedict. Para todos, ela seria sempre Lady Bridgerton. A outra era Kate. E ainda bem, pois essa também era a preferência de Kate no seio da família.

– Ela disse que Mr. Fibberly a visitou. – Posy não fez comentários, por isso Sophie acrescentou: – Ele foi à tua procura.

– Ora, pois claro que foi – confirmou Posy, tomando a decisão de pegar no quarto biscoito, apesar de tudo. – A Hyacinth é demasiado nova e a Eloise deixa-o apavorado.

– A Eloise deixa-me apavorada a mim – admitiu Sophie. – Ou, pelo menos, deixava. Quanto à Hyacinth, tenho a certeza de que irá matar-me de terror.

– Só precisas de perceber como lidar com ela – interveio Posy com um aceno.

Era verdade, Hyacinth Bridgerton *era* terrível, mas as duas sempre se tinham dado muito bem. Provavelmente devido ao firme (alguns diriam inflexível) sentido de justiça de Hyacinth. Quando ela descobrira que a mãe de Posy nunca a amara tanto como a Rosamund...

Bem, Posy não era pessoa de revelar segredos, e não ia começar agora, mas bastava dizer que Araminta nunca mais comera peixe.

Ou frango.

Posy tinha ficado a sabê-lo pelos criados, e eles sabiam sempre os mexericos mais fidedignos.

– Mas ias falar-me de Mr. Fibberly – incitou Sophie, ainda beberricando o chá.

Posy encolheu os ombros, embora não tivesse estado a ponto de falar de tal assunto.

– Ele é muito chato.

– Bonito?

Posy encolheu os ombros novamente.

– Não te sei dizer.

– Geralmente só é preciso ver-lhe o rosto.

– Não sou capaz de ultrapassar a obtusidade dele. Acho que ele nem sabe rir.

– Não pode ser assim tão mau.

– Ah, pode, sim, garanto-te. – Estendeu a mão e pegou em mais um biscoito antes de se aperceber de tal intenção. Bem, agora já o tinha na mão, não podia voltar a pô-lo no prato. Pôs-se a agitar o biscoito no ar enquanto falava, tentando provar o seu argumento. – Às vezes ele faz um barulho horrível, do tipo «Ahem, ahem, ahem» e eu acho que ele pensa que está a rir, mas é óbvio que não está.

Sophie soltou uma risada, embora tivesse posto um ar de quem achava que não o deveria fazer.

– E ele nem sequer olha para o meu peito!

– Posy!

– É a minha *única* característica boa.

– Não é nada! – protestou Sophie, relanceando o olhar pela sala de estar, mesmo não estando mais ninguém presente. – Não acredito que acabaste de dizer uma coisa dessas.

Posy soltou um suspiro frustrado.

– Não posso dizer *peito* em Londres e agora também não posso fazê-lo no Wiltshire?

– Não quando estou à espera do novo vigário – disse Sophie.

Um pedaço do biscoito de Posy partiu-se e caiu-lhe no colo.

– O quê?

– Eu não te disse?

Posy fitou-a com ar desconfiado. A maioria das pessoas pensava que Sophie era péssima a mentir, mas isso era por causa do seu ar angelical. E ela raramente mentia. Então, toda a gente achava que, se o fizesse, seria péssima.

Posy, no entanto, sabia que não era assim.

– Não – respondeu, sacudindo as saias –, não me disseste.

– Nem parece meu – murmurou Sophie, pegando num biscoito e dando uma mordida.

Posy fixou o olhar nela.

– Sabes o que não vou fazer agora?

Sophie abanou a cabeça.

– Não vou revirar os olhos, porque estou a tentar agir de maneira consentânea com a minha idade e maturidade.

– Tens realmente um ar muito sério.

Posy manteve o olhar fixo nela por mais uns instantes.

– Ele é solteiro, suponho.

– Há, sim.

Posy ergueu a sobrancelha esquerda, aquela expressão astuta sendo possivelmente o único dom útil que herdara da mãe.

– Quantos anos tem esse tal vigário?

– Não sei – admitiu Sophie –, mas sei que ainda tem o cabelo todo.

– E chegámos a isto – murmurou Posy.

– Pensei em ti quando o conheci porque ele sorri – disse Sophie.

Porque ele *sorri*? Posy começava a pensar que Sophie estava a perder o juízo.

– Perdão?

– Ele sorri com tanta frequência. E tão bem. – Foi a vez de *Sophie* sorrir. – Não consegui deixar de pensar em ti.

Desta vez, Posy não conseguiu evitar e revirou os olhos, seguindo o gesto de um imediato:

– Decidi abandonar a maturidade.

– Por quem sois.

– Aceito conhecer esse teu vigário – disse Posy –, mas devo dizer-te que decidi aspirar à excentricidade.

– Desejo-te a melhor das sortes – respondeu Sophie, com um toque de sarcasmo.

– Achas que não consigo?

– És a pessoa menos excêntrica que conheço.

Era verdade, claro, mas se Posy ia passar a vida solteirona, queria ser a excêntrica com o grande chapéu, não a amargurada de lábios chupados.

– Como é que ele se chama? – perguntou.

Mas antes que Sophie pudesse responder, ouviram a porta de entrada abrir-se e logo depois o mordomo deu-lhe a resposta ao anunciar:

– Mr. Woodson chegou, Mrs. Bridgerton.

Posy escondeu o biscoito meio comido debaixo de um guardanapo e cruzou as mãos no colo com toda a delicadeza feminina. Sentia-se um pouco ofendida com Sophie por ter convidado um solteirão para o chá sem a alertar, mas fosse como fosse, não havia razão para não fazer boa figura. Olhou com expectativa para a porta, aguardando pacientemente enquanto ouvia os passos de Mr. Woodson a aproximar-se.

E depois...

E depois...

Honestamente, não vale a pena tentar contar, pois ela não se lembrava de quase nada do que se seguiu.

Ela viu-o e foi como se, depois de vinte e cinco anos de vida, o seu coração começasse finalmente a bater.


Hugh Woodson nunca fora o rapaz mais admirado na escola. Nunca fora o mais bonito ou o mais atlético. Nunca fora o mais inteligente ou o mais snobe ou o mais inconsequente. Fora sempre, e fora-o toda a sua vida, o mais benquisto.

As pessoas gostavam dele. Sempre gostaram. Ele supunha que isso se devia ao facto de ele também gostar de praticamente toda a gente. A mãe jurava que tinha saído do ventre a sorrir. Dizia-o com muita frequência, embora Hugh suspeitasse que ela só o fazia para dar ao pai a deixa para dizer: «Oh, Georgette, sabes bem que eram apenas gases.»

O que nunca deixava de pôr ambos a rir às gargalhadas.

Era uma prova do amor de Hugh pelos pais e da sua própria bonomia, pois normalmente ria-se também.

No entanto, apesar de toda a sua simpatia, nunca parecia atrair as mulheres. Elas adoravam-no, é claro, e confiavam-lhe os seus segredos mais desesperados, mas faziam-no sempre de maneira a levar Hugh a acreditar que era visto como uma espécie de criatura alegre e de confiança.

A pior parte era que todas as mulheres do seu conhecimento tinham a absoluta certeza de que conheciam a mulher *perfeita* para ele, ou se não isso, então tinham a certeza de que existia, com efeito, uma mulher perfeita.

Contudo nunca passara despercebido o facto de nenhuma mulher jamais *se* julgar a mulher perfeita. Bom, pelo menos a Hugh. A todos os outros tal facto passava despercebido.

Mas a vida continuava, pois não faria sentido pensar no contrário. E como sempre suspeitara que as mulheres eram o sexo mais inteligente, ele ainda nutria esperanças de que existisse a mulher perfeita para ele.

Afinal, nada menos do que quatro dúzias de mulheres o haviam dito. Não podiam estar *todas* enganadas.

Mas Hugh estava a chegar aos trinta anos e a tal Miss Perfeição ainda não achara conveniente revelar-se. Hugh começava a pensar que devia tratar do assunto pessoalmente, embora não tivesse a menor ideia de como o fazer, especialmente porque acabara de aceitar viver num canto extremamente sossegado do Wiltshire, numa paróquia onde não parecia haver uma única mulher solteira de idade apropriada.

Incrível, mas verdade.

Talvez devesse ir até ao Gloucestershire no próximo domingo. Havia uma vaga lá, e ele tinha sido convidado a ajudar e a fazer um sermão ou dois, até encontrarem um novo vigário. Tinha de haver pelo menos uma mulher solteira. Toda a região de Cotswolds não podia ser assim tão desprovida.

Mas aquele não era o momento de se debruçar sobre essas questões. Acabava de chegar para tomar chá com Mrs. Bridgerton, um convite pelo qual estava extremamente grato. Ainda estava a familiarizar-se com a zona e os seus habitantes, mas bastara-lhe um serviço religioso para saber que Mrs. Bridgerton era universalmente querida e admirada. Ela parecera-lhe bastante inteligente e amável.

Esperava que ela gostasse de falar dos outros, pois realmente precisava de alguém que partilhasse com ele mais pormenores sobre as tradições da zona. Não podia cuidar devidamente do seu rebanho sem conhecer a sua história.

Também ouvira dizer que a cozinheira de Mrs. Bridgerton preparava um excelente chá, sendo dada especial relevância aos biscoitos.

– Mr. Woodson chegou, Mrs. Bridgerton.

Hugh entrou na sala de estar quando o mordomo anunciou o seu nome. Ainda bem que se esquecera de almoçar, pois a casa cheirava divinamente e...

E então esqueceu-se completamente de tudo.

A razão por que tinha vindo.

Quem era.

Até mesmo da cor do céu e do cheiro da relva.

Na verdade, ali de pé na entrada em arco para a sala de estar dos Bridgerton, sabia apenas uma coisa.

A mulher no sofá, aquela com os olhos extraordinários que não era Mrs. Bridgerton, era a Miss Perfeição.


Sophie Bridgerton sabia uma coisa ou outra acerca do amor à primeira vista, pois ela própria fora, certa vez, atingida pelo seu proverbial raio, que a deixara muda de louca paixão, de felicidade inebriante e com uma estranha sensação de formigueiro a percorrer-lhe o corpo.

Ou, pelo menos, era assim que se lembrava.

Também se lembrava de que, embora a seta do Cupido tivesse sido, no caso dela, notavelmente precisa, demorara bastante tempo para que ela e Benedict alcançassem o seu final feliz. Por essa razão, mesmo cheia de vontade de se pôr aos saltinhos de alegria na cadeira enquanto observava Posy e Mr. Woodson olharem um para o outro como um par de cachorrinhos apaixonados, uma outra parte dela, uma parte extremamente prática, a parte menos bafejada pela sorte e bem ciente de que o mundo não é feito de arco-íris e anjos, procurava conter a excitação.

Contudo, o mais interessante em Sophie era que, não importava quão terrível tivesse sido a sua infância (e partes dela tinham sido assustadoramente horríveis), não importava que crueldades e indignidades tivesse enfrentado na vida (e nessa área ela também não tivera sorte), ela era, no fundo, uma romântica incurável.

O que a levava a Posy.

Era verdade que Posy a visitava várias vezes por ano e também era verdade que uma dessas visitas quase sempre coincidia com o final da temporada social, mas Sophie *talvez* tivesse exagerado ligeiramente na súplica do convite recentemente enviado. Talvez também tenha exagerado um pouco ao descrever a velocidade a que as crianças cresciam e havia até a possibilidade de ter mentido quando afirmara que se sentia adoentada.

Mas, neste caso, os fins justificavam absolutamente os meios. Oh, bem sabia que Posy lhe dissera estar perfeitamente conformada em ficar solteira, mas Sophie não acreditava nela nem por um instante. Ou, para ser mais precisa, Sophie acreditava que Posy acreditava que viveria perfeitamente satisfeita. Mas era só olhar para Posy quando ela tinha os pequenos William e Alexander nos braços para saber que ela era uma mãe nata e que o mundo seria um lugar muito mais pobre se Posy não tivesse um bando de crianças a que chamasse suas.

Era verdade que Sophie tinha, uma vez ou doze, feito questão de apresentar Posy a qualquer um dos cavalheiros solteiros passíveis de serem encontrados no Wiltshire, mas *desta vez...*

Desta vez, Sophie sabia.

Desta vez era amor.

– Mr. Woodson – disse ela, tentando não desatar a sorrir como uma louca –, queria apresentar-lhe a minha querida irmã, Miss Posy Reiling.

Mr. Woodson mostrava um ar de quem se julgava prestes a dizer alguma coisa, mas a verdade é que olhava para Posy como se tivesse acabado de conhecer Afrodite.

– Posy – continuou Sophie –, este é Mr. Woodson, o nosso novo vigário. Chegou recentemente, há quanto tempo, três semanas?

Ele já ali vivia há quase dois meses. Sophie sabia-o perfeitamente, mas estava ansiosa para ver se ele a ouvira para a corrigir.

Ele limitou-se a acenar em concordância com a cabeça, sem tirar os olhos de Posy.

– Por favor, Mr. Woodson – murmurou Sophie –, sente-se.

Ele conseguiu compreender o significado e sentou-se numa cadeira.

– Chá, Mr. Woodson? – perguntou Sophie.

Ele assentiu.

– Posy, queres servir?

Posy assentiu.

Sophie esperou, mas quando se tornou evidente que Posy não ia fazer nada mais do que sorrir para Mr. Woodson, insistiu:

– *Posy.*

Posy virou-se para olhar para ela, mas a cabeça moveu-se tão lentamente e com tanta relutância, que era como se estivesse a lutar contra a força de um íman gigante.

– Serves o chá de Mr. Woodson? – murmurou Sophie, tentando restringir o sorriso aos olhos.

– Ah, claro! – Posy voltou-se para o vigário, o sorriso pateta regressando-lhe às faces. – Gostaria de um pouco de chá?

Numa situação normal, Sophie poderia ter mencionado que já perguntara a Mr. Woodson se ele queria chá, mas não havia nada de normal naquele encontro, por isso decidiu ficar simplesmente sentada e observar.

– Adoraria – respondeu Mr. Woodson a Posy. – É o que mais quero.

Francamente, pensou Sophie, era como se ela não estivesse ali.

– Como o toma? – perguntou Posy.

– Como o quiser servir.

Bolas, agora já era de mais. Nenhum homem ficava tão cego de amor ao ponto de deixar de ter preferências quanto ao chá. Afinal estavam em Inglaterra, pelo amor de Deus. E o mais importante de tudo, aquela era a hora do *chá*.

– Temos leite e açúcar – disse Sophie, incapaz de se conter.

A intenção dela era ficar sentada a assistir, mas, francamente, nem o romântico mais incurável poderia ter permanecido em silêncio.

Mr. Woodson não a ouviu.

96

– Qualquer um deles seria apropriado na sua chávena – acrescentou.

– Tem os olhos mais extraordinários que já vi – elogiou ele, a voz cheia de admiração, como se não pudesse acreditar que estava ali, na mesma sala que Posy.

– O seu sorriso – começou Posy em resposta – é... fascinante.

Ele inclinou-se para frente.

– Gosta de rosas, Miss Reiling?

Posy anuiu.

– Tenho de trazer-lhe um *bouquet*.

Sophie desistiu de tentar parecer serena e finalmente deixou-se sorrir, pois, afinal de contas, nenhum dos dois reparava nela.

– Nós temos rosas – comentou.

Nenhuma resposta.

– No jardim das traseiras.

Mais uma vez, nada.

– Onde os dois podem ir dar um passeio.

Foi como se alguém tivesse espetado uma agulha em ambos.

– Claro, vamos?

– Seria um prazer.

– Por favor, permita-me que...

– Aceite o meu braço.

– Eu...

– Deve...

No momento em que Posy e Mr. Woodson alcançaram a porta, Sophie já não conseguia distinguir quem dizia o quê. E nem uma gota de chá tinha entrado na chávena de Mr. Woodson.

Sophie esperou um minuto e depois soltou uma gargalhada, tapando a boca com a mão para abafar o som, embora não soubesse porque precisava de o fazer. Era um riso de puro deleite. E de orgulho, também, por ter orquestrado a coisa toda.

– Do que te ris? – Era Benedict, que entrava vagarosamente na sala, os dedos manchados de tinta. – Ah, biscoitos. Excelente. Estou faminto. Esqueci-me de comer esta manhã. – Pegou no último e franziu o sobrolho. – Podias ter deixado mais para mim.

– Foi a Posy – disse Sophie, com um grande sorriso. – E Mr. Woodson. Prevejo um curto noivado.

Os olhos de Benedict arregalaram-se. Virou-se para a porta e, em seguida, para a janela.

– Onde estão eles?

– Nas traseiras. Não podemos vê-los daqui.

Ele mastigou pensativamente.

– Mas podemos vê-los do meu estúdio.

Durante cerca de dois segundos nenhum dos dois se mexeu. Mas apenas dois segundos.

Logo correram para a porta, empurrando-se um ao outro ao longo do corredor até ao estúdio de Benedict, que se projetava das traseiras da casa, recebendo luz de três direções. Sophie chegou primeiro, embora não por meios inteiramente justos, e deixou escapar um suspiro chocado.

– O que foi? – perguntou Benedict da porta.

– Eles estão a beijar-se!

Ele aproximou-se.

– Não estão nada.

– Oh, estão, sim!

Ele parou ao lado da mulher e ficou de boca aberta.

– Macacos me mordam!

E Sophie, que nunca usava este tipo de expressões, respondeu:

– Eu sei. Eu *sei*.

– Acabaram de se conhecer? A sério?

– Tu beijaste-me na primeira noite em que nos conhecemos – lembrou ela.

– Isso foi diferente.

Sophie conseguiu desviar-lhe a atenção do casal que se beijava no relvado apenas o tempo suficiente para inquirir:

– Diferente, como?

Ele pensou um momento e então respondeu:

– Era um baile de máscaras.

– Ah, então queres dizer que não faz mal beijar alguém, se não souberes quem é?

– Não estás a ser justa, Sophie – protestou ele, fazendo ruídos discordantes com a língua enquanto abanava a cabeça. – Eu perguntei, tu é que recusaste dizer-mo.

Isso era verdade o suficiente para pôr fim àquele ramo particular da conversa, e ficaram ali os dois um momento a observar descaradamente Posy e o vigário. Eles tinham parado de se beijar e estavam agora a conversar... ao que parecia, a mil à hora. Posy falava, Mr. Woodson concordava vigorosamente com a cabeça e interrompia-a, e depois ela interrompia-o a ele, e de repente ele parecia estar a rir, e logo em seguida Posy desatou a falar com tanta animação que os braços se agitavam acima da cabeça.

– O que poderão estar eles a dizer? – questionou Sophie.

– Provavelmente tudo o que deveriam ter dito antes de ele a beijar. – Benedict franziu o sobrolho e cruzou os braços. – Há quanto tempo estão nisto, afinal?

– Tens estado a assistir há tanto tempo quanto eu.

– Não, eu quis dizer, quando é que ele chegou? Eles chegaram a conversar antes de...

Ele acenou com a mão em direção à janela, apontando para o casal, que parecia prestes a beijar-se novamente.

– Sim, claro, mas... – Sophie fez uma pausa para pensar. Tanto Posy como Mr. Woodson tinham ficado praticamente sem fala quando foram apresentados. Na verdade, ela não conseguia recordar-se de uma única palavra substantiva ter sido dita. – Bem, não muito, receio.

Benedict assentiu lentamente.

– Achas que deveria ir lá fora?

Sophie olhou para ele, depois para a janela e, em seguida, de volta para ele.

– Estás louco?

Ele encolheu os ombros.

– Ela é minha irmã agora, e esta é a minha casa...

– Não te atrevas!

– Então eu não deveria proteger-lhe a honra?

– É o primeiro beijo dela!

Ele arqueou uma sobrancelha.

– E aqui estamos nós, a espiá-los.

– É um direito meu – protestou Sophie, indignada. – Fui eu que orquestrei a coisa toda.

– Ah, foste tu? Pois se não estou em erro, fui *eu* que sugeri Mr. Woodson.

– Mas não *fizeste* mais nada.

– Esse é o teu trabalho, querida.

Sophie considerou responder-lhe à altura, pois o tom dele era bastante irritante, mas ele não deixava de ter razão. Ela adorava a busca para encontrar um bom partido para Posy e *sem dúvida* que estava a desfrutar do seu óbvio sucesso.

– Sabes – disse Benedict pensativo –, podemos ter uma filha um dia.

Sophie fitou-o com espanto. Normalmente ele não era dado a tais achegas.

– O que disseste?

Ele gesticulou para os dois pombinhos no jardim.

– Apenas que isto pode ser um excelente treino para mim. Tenho a certeza de que quero ser um pai esmagadoramente protector. Eu podia sair daqui agora e desfazê-lo em mil pedacinhos.

Sophie estremeceu. O pobre Mr. Woodson não teria a mais pequena hipótese.

– Desafiá-lo para um duelo?

Ela abanou a cabeça.

– Pronto, está bem, mas se ele a deita no chão, vou ser obrigado a intervir.

– Ele não o... Oh, Céus! – Sophie inclinou-se para frente, o rosto quase colado ao vidro. – Oh, meu Deus!

Ela nem sequer tapou a boca, horrorizada por ter blasfemado.

Benedict suspirou e flexionou os dedos.

– Não queria nada ferir as mãos agora. Estou a meio do teu retrato e está a correr tão bem.

Sophie tinha uma mão no braço do marido, para o impedir de agir, embora ele não estivesse propriamente a mexer-se para lado nenhum.

– Não – pediu ela –, não... – Soltou um suspiro chocado. – Ai, meu Deus. Talvez devamos fazer alguma coisa.

– Eles ainda não estão no chão.

– Benedict!

– Noutra situação, eu diria para chamarmos o padre – observou ele –, mas neste caso parece ser exatamente isso que nos levou a esta confusão.

Sophie engoliu em seco.

– Talvez possas arranjar uma licença especial para eles? Como presente de casamento?

Ele sorriu.

– Considera-o feito.


Foi um casamento esplêndido. E aquele beijo no final...

Ninguém se surpreendeu quando Posy teve um bebé nove meses mais tarde e depois disso a intervalos de um ano. Ela tinha um grande cuidado nos nomes que dava à sua prole e Mr. Woodson, que era tão querido como vigário como fora em qualquer outra fase da sua vida, adorava-a demasiado para contrariar qualquer uma das suas escolhas.

Primeiro foi Sophia, por razões óbvias, e depois Benedict. O próximo teria sido Violet, mas Sophie pediu-lhe para que não usasse esse nome. Ela sempre quisera esse nome para a sua filha, e seria muito confuso com as duas famílias a viver tão perto. Então Posy decidiu-se por Georgette, em homenagem à mãe de Hugh, que ela considerava ter o sorriso *mais amável* que já vira.

Depois disso foi John, em honra do pai de Hugh. Durante muito tempo pareceu que ele seria o mais novo da família. Após dar à luz sempre no mês de junho, durante quatro anos consecutivos, Posy parou de ficar grávida. Não fazia nada de diferente, confidenciou a Sophie; ela e Hugh continuavam muito apaixonados. Parecia apenas que o seu corpo decidira estar farto da procriação.

O que até calhava bem, pois com duas meninas e dois meninos, todos com menos de dez anos, ela não tinha mãos a medir.

Mas então, quando John tinha cinco anos, Posy levantou-se da cama uma manhã e vomitou para o chão. Isso só podia significar uma coisa e, no outono seguinte, ela deu à luz uma menina.

Sophie estava presente no nascimento, como sempre acontecia.

– Que nome lhe vais dar? – perguntou a Posy.

Posy olhou para a perfeita criaturinha que tinha nos braços. Ela dormia profundamente, e mesmo sabendo que os recém-nascidos não sorriam, aquela bebé parecia estar realmente muito satisfeita com alguma coisa.

Talvez por ter nascido. Talvez esta tivesse decidido enfrentar a vida com um sorriso. O bom humor seria sua arma de eleição.

Que esplêndido ser humano ela seria.

– Araminta – anunciou Posy de repente.

Sophie quase caiu com o choque.

– *O quê?*

– Quero dar-lhe o nome Araminta. Tenho a certeza absoluta.

Posy acariciou a bochecha da bebé e tocou-lhe o queixinho com toda a suavidade.

Sophie não conseguia parar de abanar a cabeça.

– Mas a tua mãe... não posso acreditar que queiras...

– Não lhe dou o nome *em honra* da minha mãe – cortou Posy com cuidado. – Dou-lhe o nome *por causa* da minha mãe. É diferente.

Sophie mostrou a sua incerteza, mas inclinou-se para espreitar a bebé mais de perto.

– Ela é mesmo um docinho de gente – murmurou.

Posy sorriu, sem tirar os olhos do rosto da bebé.

– Eu sei.

– Talvez eu consiga acostumar-me – disse Sophie, a cabeça balançando de um lado para outro em aquiescência. Meteu um dedo entre a mão e o corpo da bebé, fazendo-lhe cócegas até os dedos minúsculos se enroscarem instintivamente ao redor do seu.

– Olá, Araminta! Muito prazer em conhecer-te.

– Minty – interveio Posy.

Sophie ergueu o olhar.

– O que disseste?

– Vou chamar-lhe Minty. Araminta vai ficar bem no livro da família, mas eu acho que ela é uma Minty.

Sophie comprimiu os lábios num esforço para não sorrir.

– A tua mãe odiaria esse nome.

– Sim – murmurou Posy –, pois odiaria.

– Minty – disse Sophie, testando o som. – Gosto. Não, adoro o nome. Combina com ela.

Posy beijou o topo da cabeça de Minty.

– Que tipo de menina vais ser? – sussurrou ela. – Meiga e dócil?

Sophie soltou uma risadinha. Tinha estado presente em doze partos: quatro seus, cinco de Posy e três da irmã de Benedict, Eloise, e nunca ouvira um bebé entrar neste mundo com um grito tão alto como o de Minty.

– Esta aqui – disse ela, convicta – vai dar-te pano para mangas.

E assim foi. Mas essa, caro leitor, é uma outra história...

# A Grande Revelação

Dizer que um grande segredo foi revelado em *A Grande Revelação* seria um grave eufemismo. Mas Eloise Bridgerton, uma das personagens secundárias mais importantes deste livro, saiu da cidade antes de toda a gente em Londres conhecer a verdade sobre Lady Whistledown. Muitos dos meus leitores esperavam uma cena no livro seguinte (*Para Sir Phillip, Com Amor*) que mostrasse Eloise a descobrir a verdade, mas não havia maneira de encaixar uma cena dessas no livro. Porém, Eloise teria de acabar por saber, e é aí que entra o segundo epílogo...

## A Grande Revelação:
## Segundo Epílogo

– *Tu não lhe disseste?*

Penelope Bridgerton teria dito mais, e na verdade teria gostado de dizer mais, mas era-lhe difícil proferir as palavras, uma vez que estava de boca aberta. O marido acabava de regressar de uma corrida louca por todo o sul da Inglaterra, com os três irmãos, em busca da irmã, Eloise, que tinha, para todos os efeitos, fugido para casar com...

*Oh, meu Deus!*

– Ela está casada? – perguntou Penelope, frenética.

Colin atirou o chapéu para uma cadeira com uma pequena torção do pulso, um canto da boca subindo num sorriso satisfeito vendo-o rodopiar no ar num eixo horizontal perfeito.

– Ainda não – respondeu ele.

Então ela não tinha fugido para casar. Mas *tinha* fugido. E tinha-o feito em segredo. Eloise, a melhor amiga de Penelope. Eloise, que contava tudo a Penelope. Eloise, que aparentemente *não* contava tudo a Penelope, tinha fugido para a casa de um homem que nenhum deles conhecia, deixando um bilhete a garantir à família que tudo ficaria bem e que não se preocupassem.

*Não se preocupassem????*

Meu Deus, seria de pensar que Eloise Bridgerton conhecesse melhor a própria família. Eles tinham ficado desesperados, todos eles. Penelope ficara com a nova sogra, enquanto os homens tinham partido em busca de Eloise. Violet Bridgerton esforçara-se por disfarçar, mas notava-se-lhe na pele lívida a preocupação e Penelope não pudera deixar de reparar no tremor das mãos a cada movimento.

Agora Colin estava de volta, agindo como se nada tivesse acontecido, não respondendo a nenhuma das perguntas que lhe fazia de maneira satisfatória, e ainda por cima...

– Como pudeste não lhe dizer nada? – insistiu ela mais uma vez, não lhe dando tréguas.

Ele esparramou-se numa cadeira e encolheu ombros.

– Não houve um momento apropriado.

– Estiveste fora cinco dias!

– Sim, bem, mas nem todos foram com a Eloise. Um dia de viagem para cada lado, não te esqueças.

– Mas... mas...

Colin conseguiu reunir energia suficiente para olhar em volta e perguntar:

– Pediste chá?

– Sim, claro – respondeu Penelope de forma automática, pois não precisara de mais de uma semana de casamento para aprender que quando se tratava do seu novo marido, era melhor ter sempre comida pronta. – Mas, Colin...

– Eu apressei-me a voltar para casa, sabias?

– Vejo que sim – disse ela, reparando no cabelo ainda húmido e despenteado pelo vento. – Vieste a cavalo?

Ele assentiu.

– Do Gloucestershire?

– Do Wiltshire, na verdade. Ficámos em casa do Benedict.

– Mas...

Ele abriu um sorriso desarmante.

– Tive saudades tuas.

Penelope não estava assim tão acostumada às demonstrações de afeto do marido para não enrubescer.

– Eu também tive saudades tuas, mas...

– Vem sentar-te comigo.

*Onde?* quase perguntou Penelope, pois a única superfície plana era o colo dele.

O sorriso, já todo ele puro charme, tornou-se mais quente.

– Sinto a tua falta neste momento – murmurou ele.

Para seu extremo embaraço, o olhar dela desceu instantaneamente para a frente das calças dele. Colin soltou uma gargalhada e Penelope cruzou os braços.

– *Não*, Colin – avisou ela.

– Não, o quê? – perguntou ele, com toda a inocência.

– Mesmo que não estivéssemos na sala de estar e mesmo que as cortinas não estivessem abertas...

– Um incómodo que se remedeia facilmente – comentou ele, relanceando para as janelas.

– E *mesmo* – rezingou ela, a voz não aumentando em volume, mas tornando-se mais profunda – que não estivéssemos à espera de uma criada que irá entrar a qualquer momento, a coitada a cambalear sob o peso da bandeja de chá, o facto é que...

Colin soltou um suspiro.

– *... não respondeste à minha pergunta!*

Ele piscou os olhos.

– Já me esqueci do que era.

Um total de dez segundos decorreram antes de ela dizer:

– Eu vou matar-te.

– Disso tenho a certeza, podes crer – disse ele sem cerimónias. – A única questão é quando.

– Colin!

– Mais cedo ou mais tarde – murmurou ele. – Mas, na verdade, eu pensei que ia ter uma apoplexia, causada por mau comportamento.

Ela limitou-se a fitá-lo.

– Pelo *teu* mau comportamento – esclareceu ele.

– Eu não tinha mau comportamento antes de te conhecer – retorquiu ela.

– Oh, essa é boa – riu-se ele. – *Essa* é muito boa!

Penelope foi obrigada a calar-se. Maldito fosse, ele tinha razão. E afinal de contas, era exatamente essa a questão subjacente. O marido, depois de entrar em casa, de tirar o casaco e de a beijar em cheio nos lábios (à frente do mordomo!), informara-a alegremente:

– Oh, a propósito, não cheguei a dizer-lhe que eras a Whistledown.

Se alguma coisa havia que podia ser considerado mau comportamento, tinha de ser os dez anos que passara como autora das agora infames *Crónicas da Sociedade de Lady Whistledown*. Durante a última década, Penelope tinha, sob o disfarce do seu pseudónimo, conseguido insultar quase todos os membros da sociedade, até a ela própria. (Certamente que a alta sociedade começaria a desconfiar se ela nunca troçasse de si mesma, além de que ela realmente se parecia com um citrino maduro nos tons horríveis de amarelo e laranja que a mãe sempre a obrigava a vestir.)

Penelope «aposentara-se» pouco antes de casar, mas uma tentativa de chantagem havia convencido Colin de que o melhor a fazer era revelar o seu segredo num gesto grandioso, por isso revelara a sua identidade no baile oferecido pela irmã, Daphne. Tinha sido tudo muito romântico e muito, como dizer, *grandioso*, mas no final da noite tornara-se notório que Eloise tinha desaparecido.

Eloise era a melhor amiga de Penelope há anos, mas nem ela conhecia o grande segredo de Penelope. E continuava a não saber. Ela abandonara a festa antes do anúncio de Colin, e ele aparentemente não se dignara a contar-lhe nada quando finalmente a encontrara.

– Francamente – disse Colin, a voz denotando uma atípica irritabilidade –, é menos do que ela merecia, depois do que nos fez passar.

– Compreendo – murmurou Penelope, sentindo-se desleal, mesmo ao dizê-lo.

Mas todo o clã Bridgerton tinha ficado louco de preocupação. Eloise havia deixado um bilhete, era certo, mas de alguma forma ele ficara misturado com a correspondência da mãe e um dia inteiro se passara até a família ter a certeza de que Eloise não fora raptada. E mesmo depois disso, ninguém ficou sossegado; Eloise podia ter partido por vontade própria, mas fora necessário mais um dia inteiro a virar o quarto dela do avesso para encontrarem uma carta de Sir Phillip Crane que indicava para onde ela poderia ter fugido.

Considerando tudo isso, Colin tinha uma certa razão.

– Temos de voltar lá daqui a uns dias para o casamento – anunciou ele. – Dizemos-lhe nessa altura.

– Oh, mas não podemos!

Ele fez uma pausa. Depois sorriu.

– Porque não? – perguntou ele, os olhos descansando nela, apreciadores.

– Será o dia do casamento dela – explicou Penelope, ciente de que ele esperava uma razão muito mais diabólica. – Ela tem de ser o centro das atenções. Eu não posso contar-lhe algo como *isso*.

– Ligeiramente mais altruísta do que eu gostaria – meditou ele –, mas o resultado final é o mesmo, por isso tens a minha aprovação...

– Eu não preciso da tua aprovação – cortou Penelope.

– Seja como for, tem-la – disse ele com suavidade. – Manteremos Eloise sem saber. – Tamborilou as pontas dos dedos umas nas outras e soltou um suspiro audível de prazer. – Vai ser um belo casamento.

A criada chegou logo em seguida, carregando uma bandeja de chá muito pesada. Penelope tentou não reparar no grunhido que ela soltou quando finalmente conseguiu pousá-la.

– Pode fechar a porta quando sair – ordenou Colin, assim que a criada se endireitou.

Os olhos de Penelope voaram para a porta, depois para o marido, que se tinha levantado e estava a fechar as cortinas.

– Colin! – exclamou ela, pois os braços dele já a prendiam e os seus lábios já lhe deslizavam pelo pescoço, e ela já se sentia a derreter

111

no seu abraço. – Julguei que querias comer – conseguiu ela pronunciar já com pouco fôlego.

– Quero – murmurou ele, puxando-lhe o corpete do vestido. – Mas quero-te mais a ti.

E quando Penelope se deixou afundar nas almofadas, que de alguma forma já se encontravam no tapete espesso, sentiu-se muito amada.

Vários dias depois, Penelope estava sentada numa carruagem, a olhar pela janela e a repreender-se.

Colin dormia.

Era uma pateta por se sentir tão nervosa com a perspetiva de ver Eloise novamente. Eloise, pelo amor de Deus. Tinham sido tão próximas como irmãs durante mais de uma década. Mais do que próximas. Só que talvez... não tão próximas como qualquer uma das duas pensava, pois ambas tinham guardado segredos. Penelope tinha vontade de torcer o pescoço a Eloise por não lhe ter contado sobre o seu pretendente, mas, na verdade, não tinha moral para o fazer. Quando Eloise descobrisse que Penelope era Lady Whistledown...

Penelope estremeceu. Colin podia estar ansioso por esse momento, aliás o entusiasmo dele era decididamente diabólico, mas, com toda a franqueza, ela sentia um aperto no estômago. Não tinha comido todo o dia, e ela *não* era o tipo de pessoa de falhar o pequeno-almoço.

Torceu as mãos, esticou o pescoço para ter uma melhor visão da janela – julgava terem virado para a rua que conduzia a Romney Hall, mas não tinha a certeza absoluta – e depois olhou para trás para Colin.

Ele ainda dormia.

Deu-lhe um pontapé. Suave, é claro, pois não se achava excessivamente violenta, mas, francamente, não era justo que ele dormisse como um bebé desde o momento em que a carruagem começara a rolar. Acomodara-se no assento, inquirira se ela estava confortável e antes que ela conseguisse dizer o «obrigada» da frase «Estou bem, obrigada», os olhos dele já estavam fechados.

Trinta segundos depois, já roncava.

Realmente não era justo. Mesmo à noite, ele adormecia sempre antes dela.

Deu-lhe outro pontapé, mais forte desta vez.

Ele murmurou algo no sono, mudou ligeiramente de posição e encostou a cabeça ao canto da carruagem.

Penelope deslizou para junto dele. Aproximou-se mais...

Em seguida, fechou o braço, tornando o cotovelo uma ponta afiada e espetou-lho nas costelas.

– O que...? – disparou Colin endireitando-se num ápice, piscando os olhos e tossindo. – O que foi? O que aconteceu?

– Parece-me que chegámos – respondeu Penelope.

Ele espreitou pela janela e depois voltou a olhar para ela.

– E achaste necessário informar-me disso espetando uma arma no meu corpo?

– Era o meu cotovelo.

Ele relanceou para o braço dela.

– Tu, minha querida, tens uns cotovelos excessivamente ossudos.

Penelope tinha certeza de que os seus cotovelos, ou qualquer parte dela, aliás, não tinham nada de ossudo, mas parecia-lhe haver pouca vantagem em contradizê-lo, por isso disse mais uma vez:

– Parece-me que chegámos.

Colin inclinou-se em direção ao vidro, piscando os olhos sonolentos.

– Acho que tens razão.

– É lindo – disse Penelope, admirando os jardins requintadamente cuidados. – Porque é que me disseste que estava em ruínas?

– E está – respondeu Colin, entregando-lhe o xaile. – Toma – disse ele com um sorriso tosco, como se ainda não estivesse acostumado a cuidar do bem-estar de outra pessoa da maneira que fazia com ela. – Deve estar frio.

Ainda era muito cedo; a pousada onde tinham dormido ficava apenas a uma hora de distância. A maior parte da família tinha ficado com Benedict e Sophie, mas a casa deles não era grande o suficiente para acomodar todos os Bridgerton. Além disso, tal como Colin lhes explicara, eles eram recém-casados e precisavam de privacidade.

Penelope aconchegou-se na lã macia e encostou-se ao marido para espreitar melhor pela janela. Para ser sincera, também porque gostava de se apoiar nele.

– Pois eu acho lindo – disse ela. – Nunca vi rosas como estas.

– É melhor do lado de fora do que lá dentro – explicou Colin na altura em que a carruagem parava. – Mas calculo que a Eloise vá mudar isso.

Ele próprio abriu a porta e saltou para fora, oferecendo em seguida o braço para a ajudar a descer.

– Vamos, Lady Whistledown

– Mrs. Bridgerton – corrigiu ela.

– Seja o que for que queiras chamar-te – disse ele com um grande sorriso –, és minha. E este é o teu canto do cisne.


No momento em que Colin atravessou o limiar da porta daquela que seria a nova casa da irmã, foi atingido por uma inesperada sensação de alívio. Apesar de toda a irritação que sentia por causa dela, amava a irmã. Não tinham sido particularmente íntimos enquanto cresciam; ele era muito mais próximo em idade de Daphne, e Eloise muitas vezes não parecia mais do que uma coisa secundária e importuna. Mas o ano anterior aproximara-os mais e se não tivesse sido por Eloise, talvez ele nunca tivesse descoberto Penelope.

E sem Penelope, ele estaria...

Era curioso como não se via capaz de imaginar como estaria sem ela.

Olhou para a sua nova esposa. Ela olhava em redor, analisando o átrio de entrada e tentando não ser demasiado óbvia. A expressão era impassível, mas ele sabia que ela estava a absorver tudo. E no dia seguinte, quando refletissem sobre os acontecimentos do dia, lembrar-se-ia de todos os detalhes.

Memória de elefante, era o que ela tinha. Ele adorava.

– Mr. Bridgerton– disse o mordomo, cumprimentando-os com um aceno de cabeça –, bem-vindo mais uma vez a Romney Hall.

– É um prazer, Gunning – murmurou Colin. – Sinto muito pela última vez.

Penelope olhou-o de soslaio.

– Fizemos uma entrada... repentina – explicou Colin.

O mordomo deve ter visto a expressão de alarme de Penelope, pois rapidamente acrescentou:

– Eu saí do caminho.

– Oh – começou ela a dizer –, fico muito...

– Contudo, Sir Phillip não – cortou Gunning.

– Oh. – Penelope tossiu desajeitadamente. – Ele vai ficar bem?

– Ficou com um certo inchaço à volta do pescoço – respondeu Colin, despreocupado. – Imagino que já esteja melhor. – Apanhou-a a baixar o olhar para as suas mãos e soltou uma risada. – Oh, não fui eu – explicou, tomando-lhe o braço para a conduzir pelo corredor. – Eu só fiquei a assistir.

Ela fez uma careta.

– Calculo que pudesse ter sido pior.

– Muito possivelmente – disse ele com grande entusiasmo. – Mas tudo acabou bem. Fiquei a gostar muito do homem e até... ah, mãe, aí está!

Violet Bridgerton atravessava o corredor num alvoroço.

– Estão atrasados – protestou ela, embora Colin tivesse a certeza de que não estavam. Baixou-se para lhe beijar a face e deu um passo para o lado para a mãe cumprimentar Penelope, o que fez pegando-lhe logo nas duas mãos. – Minha querida, precisamos de ti lá atrás. Afinal de contas, és a dama de honor.

Colin teve uma súbita visão da cena: um bando de mulheres tagarelas, todas a falar umas por cima das outras sobre minúcias com as quais ele não queria preocupar-se, quanto mais entender. Elas contavam tudo umas às outras e...

Ele virou-se bruscamente.

— Não digas uma palavra — alertou ele.

— Perdão? — Penelope soltou um pequeno bufo de justa indignação. — Fui eu que disse que não lhe podíamos contar no dia do casamento.

— Eu estava a falar com a minha mãe — esclareceu ele.

Violet abanou a cabeça.

— A Eloise vai matar-nos.

— Ela já quase nos matou, quando fugiu como uma idiota — retorquiu Colin, com incaracterístico mau feitio. — Já instrui os outros para manterem a boca fechada.

— Até a Hyacinth? — questionou Penelope, na dúvida.

— Especialmente a Hyacinth.

— Subornaste-a? — quis saber Violet. — Porque não vai funcionar a menos que a subornes.

— Santo Deus — resmungou Colin. — Até parece que entrei para esta família ontem. É claro que a subornei. — Virou-se para Penelope. — Sem ofensa para adições recentes.

— Oh, não fiquei ofendida — respondeu ela. — O que lhe deste?

Ele pensou na sessão de negociação com a irmã mais nova e quase estremeceu.

— Vinte libras.

— Vinte libras! — exclamou Violet. — Enlouqueceste?

— Suponho que a mãe pudesse ter feito melhor — respondeu ele —, mas só lhe dei metade. É como o provérbio: fia-te na Virgem e não corras, e verás o tombo que levas. Mas se ela mantiver a boca fechada, ficarei outras dez libras mais pobre.

— Pergunto-me que distância *poderia* ela correr até cair — meditou Penelope em voz alta.

Colin virou-se para a mãe.

— Eu tentei por dez, mas ela não cedeu. — Depois respondeu a Penelope: — Não o suficiente.

Violet suspirou.

— Eu devia repreender-te por isso.

— Mas não o vai fazer — disse-lhe Colin com uma piscadela e um sorriso.

116

– Deus me ajude! – foi a única resposta.

– Deus ajude quem for louco o suficiente para se casar com ela – observou ele.

– Pois eu acho que há mais em Hyacinth do que os dois pensam – interveio Penelope. – Não a deviam subestimar.

– Deus do Céu – exclamou Colin –, nós não fazemos *isso*.

– És tão querida – disse Violet, inclinando-se para dar a Penelope um abraço repentino.

– É apenas pura sorte que ela não tenha ainda conquistado o mundo – resmungou Colin.

– Ignora-o – disse Violet a Penelope. – E tu – acrescentou, voltando-se para Colin – devias ir imediatamente para a igreja. O resto dos homens já lá estão. É apenas uma caminhada de cinco minutos.

– Estão a planear ir a pé? – perguntou ele, incrédulo.

– Claro que não – desdenhou a mãe. – Mas certamente não podemos desperdiçar uma carruagem só contigo.

– Eu não sonharia em pedir tal coisa – respondeu Colin, decidindo que um passeio solitário pelo ar fresco da manhã era decididamente preferível a uma viagem numa carruagem fechada com as suas parentes femininas.

Inclinou-se para beijar o rosto da mulher, mesmo junto à orelha e aproveitou para lhe sussurrar:

– Lembra-te, nenhuma palavra.

– Eu sei guardar um segredo – respondeu ela.

– É muito mais fácil guardar um segredo de um milhar de pessoas do que de apenas uma – avisou ele. – Há muito menos culpa envolvida.

As faces dela coraram e ele beijou-a novamente perto da orelha.

– Conheço-te tão bem – murmurou ele.

Quase podia ouvi-la a ranger os dentes quando saiu.

117

– Penelope!

Eloise começou a querer pular da cadeira para a cumprimentar, mas Hyacinth, que supervisionava o arranjo do cabelo, pôs-lhe a mão no ombro, obrigando-a a ficar quieta e proferindo um quase ameaçador «Senta-te!».

Eloise, que normalmente teria matado Hyacinth com um olhar, deixou-se ficar docilmente sentada na cadeira.

Penelope olhou para Daphne, que parecia estar a supervisionar Hyacinth.

– Tem sido uma longa manhã – declarou Daphne.

Penelope avançou, contornou delicadamente Hyacinth e foi abraçar Eloise, com cuidado para não lhe estragar o penteado.

– Estás linda – elogiou ela.

– Obrigada – respondeu Eloise, mas os lábios tremelicaram-lhe e os olhos estavam marejados e ameaçando transbordar a qualquer momento.

Mais do que tudo, Penelope queria chamá-la ao lado e dizer-lhe que tudo ia ficar bem, que não era *obrigada* a casar com Sir Phillip se não era essa a sua vontade, mas a verdade é que, feitas as contas, Penelope *não* sabia se tudo ia ficar bem e suspeitava de que Eloise tinha mesmo de casar com Sir Phillip.

Já soubera de parte da história. Eloise tinha residido em Romney Hall durante mais de uma semana sem dama de companhia. A reputação dela ficaria em frangalhos se tal mexerico viesse a público, o que certamente aconteceria. Penelope sabia melhor do que ninguém o poder e a tenacidade das más-línguas. Além disso, Penelope soubera que Eloise e Anthony tinham tido uma «conversa».

A questão do casamento, ao que parecia, era definitiva.

– Estou tão feliz por estares aqui – disse Eloise.

– Céus, sabes perfeitamente que eu nunca perderia o teu casamento.

– Eu sei. – Os lábios de Eloise tremelicaram e o rosto assumiu aquela expressão que se faz quando se está a tentar parecer corajoso e realmente se acredita que se está a conseguir. – Eu sei – voltou ela a dizer, agora com mais firmeza. – Eu sei que não. Mas isso não diminui o meu prazer em ver-te.

Era uma frase estranhamente formal para Eloise e, por um momento, Penelope esqueceu os seus próprios segredos, os seus próprios medos e preocupações. Eloise era a sua amiga mais querida. Colin era o seu amor, a sua paixão e a sua alma, mas fora Eloise, mais do que ninguém, que influenciara a vida adulta de Penelope. Não podia imaginar como teria sido a última década sem o sorriso de Eloise, as suas risadas e a sua incansável boa disposição.

Eloise amava-a, mais ainda do que à própria família.

– Eloise – disse Penelope, agachando-se ao lado dela para poder colocar o braço em volta dos seus ombros. Aclarou a garganta, principalmente porque estava prestes a fazer uma pergunta cuja resposta provavelmente não tinha importância. – Eloise – repetiu, a voz descendo para um sussurro –, tu queres isto?

– É claro – respondeu Eloise.

Mas Penelope não tinha a certeza se acreditava nela.

– Tu ama... – Conteve-se, fez aquele tique com a boca que tentava ser um sorriso e perguntou: – Gostas dele? De Sir Phillip?

Eloise anuiu.

– Ele é... complicado.

A declaração fez Penelope sentar-se.

– Estás a brincar.

– Num momento como este?

– Não foste tu que sempre disseste que os homens são criaturas simples?

Eloise olhou-a com uma expressão estranhamente indefesa.

– Eu pensava que sim.

Penelope chegou-se mais perto, ciente de que as capacidades auditivas de Hyacinth eram praticamente caninas.

– Ele gosta de ti?

– Ele acha que eu falo de mais.

– Tu falas de mais – concordou Penelope.

Eloise fuzilou-a com o olhar.

– Podias pelo menos sorrir.

– É a verdade. Mas eu acho cativante.

– Julgo que ele também. – Eloise fez uma careta. – Às vezes.

– Eloise! – chamou Violet da porta. – Temos de nos pôr a caminho.

– Não queremos que o noivo pense que fugiste – brincou Hyacinth.

Eloise levantou-se e endireitou os ombros.

– Já fugi o bastante nos últimos dias, não te parece? – Virou-se para Penelope, com um sorriso melancólico e sábio. – Está na hora de começar a correr para e parar de correr de.

Penelope fitou-a com curiosidade.

– O que disseste?

Eloise abanou a cabeça.

– Apenas algo que ouvi recentemente.

Era uma afirmação curiosa, mas aquele não era o momento de aprofundar mais a questão, por isso Penelope preparou-se para seguir o resto da família. Contudo, alguns passos depois, foi interrompida pelo som da voz de Eloise.

– Penelope!

Penelope virou-se. Eloise ainda estava na porta, uns bons três metros atrás dela. Exibia uma expressão estranha no rosto, que Penelope não conseguiu interpretar. Penelope esperou, mas Eloise não falou.

– Eloise? – incitou Penelope calmamente, pois parecia que Eloise *queria* dizer alguma coisa, mas não sabia como. Ou possivelmente o que dizer.

E então...

– *Lamento tanto* – deixou escapar Eloise, as palavras escapando-lhe dos lábios com uma velocidade notável, mesmo para ela.

– Lamentas tanto – repetiu Penelope, principalmente de surpresa, pois não tinha sequer considerado o que Eloise poderia dizer naquele momento, mas um pedido de desculpas não estava no topo da lista. – Lamentas o quê?

– Ter guardado segredos de ti. Não foi correto da minha parte.

Penelope engoliu em seco. *Santo Deus!*

– Desculpas-me?

A voz de Eloise era suave, mas o olhar era urgente, e Penelope sentiu-se uma completa fraude.

– Claro – gaguejou em resposta. – Não tem importância.

E *não tinha* importância, pelo menos, em comparação com os seus próprios segredos.

– Eu devia ter-te contado sobre a minha correspondência com Sir Phillip. Não sei porque não o fiz desde o início – continuou Eloise. – Mas então, mais tarde, quando tu e o Colin começaram a apaixonar-se... acho que foi... acho que foi porque era uma coisa só *minha*.

Penelope assentiu. Ela sabia bem o que era querer algo só seu.

Eloise soltou um riso nervoso.

– E agora olha para mim.

Penelope assim fez.

– Estás linda.

Era verdade. Eloise não era uma noiva serena, era uma noiva resplandecente, e Penelope sentiu a preocupação levantar e clarear e finalmente desaparecer. Tudo iria ficar bem. Penelope não sabia se Eloise iria conhecer a mesma felicidade no casamento que ela tinha encontrado, mas conheceria, pelo menos, felicidade e contentamento.

E quem era ela para dizer que o novo casal não iria apaixonar-se loucamente? Coisas mais estranhas já tinham acontecido.

Passou o braço pelo de Eloise e levou-a até ao corredor, onde Violet tinha levantado a voz para volumes até então inimagináveis.

– Acho que a tua mãe quer que nos despachemos – sussurrou Penelope.

– Eloeeeeeeeeeeeeese! – bradou Violet. – AGORA!

As sobrancelhas de Eloise ergueram-se e olhou de soslaio para Penelope comentando:

– O que te faz pensar isso?

Mas elas não se apressaram. De braço dado, atravessaram o corredor como se fosse a nave central da igreja.

– Quem diria que casaríamos a escassos meses uma da outra? – conjeturou Penelope. – Não éramos para acabar as duas velhas caducas solteironas?

– Ainda podemos ser velhas caducas – respondeu Eloise alegremente –, simplesmente seremos velhas caducas casadas.

– Vai ser fantástico.

– Magnífico!

– Estupendo!

– Seremos líderes da moda caduca!

– Árbitros da elegância caduca.

– O que estão as duas para aí a dizer? – exigiu saber Hyacinth, de mãos nas ancas.

Eloise ergueu o queixo e olhou-a com altivez.

– És demasiado nova para perceber.

E ela e Penelope praticamente colapsaram com um ataque de riso.

– Elas enlouqueceram, mãe – anunciou Hyacinth.

Violet olhou carinhosamente para a filha e nora, ambas tendo atingido a idade pouco elegante de vinte e oito anos antes de ficarem noivas.

– Deixa-as em paz, Hyacinth – disse, conduzindo-a para a carruagem que aguardava. – Elas já vêm. – E então acrescentou, quase como uma consideração tardia: – És demasiado nova para perceber.


Após a cerimónia, o copo-d'água, e depois de Colin ser capaz de se convencer de uma vez por todas que Sir Phillip Crane seria de facto um marido aceitável para a irmã, conseguiu encontrar um canto sossegado para onde pudesse puxar a mulher e falar com ela em privado.

– Achas que ela suspeita? – perguntou ele, sorrindo.

– És terrível – respondeu Penelope. – É o *casamento* dela.

O que não era uma das duas respostas habituais para uma pergunta de sim ou não. Colin resistiu ao impulso de deixar escapar

– Nem eu, se queres saber – retorquiu ele, completamente incapaz de afastar o humor da expressão –, mas *fico* satisfeito por te vir à mente tão facilmente. – Fingiu perscrutar o ambiente. – Quando achas que seria educado irmo-nos embora?

– Agora não, de todo.

Ele fingiu refletir.

– Hum, sim, provavelmente tens razão. É pena. Contudo... – fingiu alegrar-se – assim dá-nos tempo para fazer diabruras.

Mais uma vez, ela ficou sem palavras. Ele gostava disso.

– Vamos? – murmurou ele.

– Eu não sei o que faço contigo.

– Precisamos de trabalhar nisso – disse ele, abanando levemente a cabeça. – Não sei se compreendes bem a mecânica de uma pergunta de sim ou não.

– Eu acho que devias sentar-te – aconselhou ela, com os olhos a assumirem um lampejo de exaustão cautelosa, geralmente reservado às crianças.

Ou adultos parvos.

– E depois – continuou ela – acho que deves permanecer no teu lugar.

– Indefinidamente?

– *Sim.*

Só para a torturar, ele sentou-se. E depois...

– *Nããão*, acho que prefiro fazer diabruras.

Novamente em pé, afastou-se para ir à procura de Eloise antes que Penelope pudesse sequer tentar agarrá-lo.

– Colin, *não te atrevas*! – protestou ela, a sua voz ecoando pelas paredes do salão de receções.

Obviamente que conseguiu gritar no preciso momento em que todos os outros convidados do casamento faziam uma pausa para respirar.

Uma sala cheia de Bridgertons. Quais eram as probabilidades?

Penelope ostentou um sorriso ao ver duas dezenas de cabeças viraram-se na sua direção.

– Não foi nada – disse ela, com a voz a sair estrangulada e demasiado alegre. – Peço desculpa por incomodar.

Aparentemente, os membros da família de Colin estavam muito habituados a que ele embarcasse em algo que necessitasse da réplica «Colin, não te atrevas!», pois todos retomaram as conversas com apenas mais um olhar na sua direção.

Exceto Hyacinth.

– Ora, bolas! – murmurou Penelope entre dentes, antes de ir atrás dele.

Mas Hyacinth foi mais rápida.

– O que se passa? – perguntou ela, caminhando ao lado de Penelope com notável agilidade.

– Nada – respondeu Penelope, porque a última coisa que queria era que Hyacinth contribuísse para o desastre.

– Ele vai contar-lhe, não vai? – persistiu Hyacinth, soltando um «Pfff!» e um «Desculpa» ao passar e empurrar um dos seus irmãos.

– Não – garantiu Penelope com firmeza, contornando as crianças de Daphne –, não vai.

– *Vai*, sim.

Penelope parou um instante e virou-se para ela.

– Algum de vocês ouve quando os outros falam?

– Eu, não – respondeu Hyacinth alegremente.

Penelope abanou a cabeça e seguiu em frente, com Hyacinth no seu encalço. Quando chegou junto de Colin, ele estava em pé ao lado dos noivos, os braços enfiados nos de Eloise, sorrindo para ela como se nunca tivesse, por uma só vez, considerado:

a. Ensiná-la a nadar, atirando-a para o lago.

b. Cortar-lhe vários centímetros de cabelo enquanto ela dormia.

ou

c. Amarrá-la a uma árvore para que ela não o seguisse até uma estalagem pública local.

Claro que tinha considerado as três coisas, mas, na verdade, só concretizara duas. (Nem Colin teria ousado algo tão permanente como cortar-lhe o cabelo).

– Eloise – chamou Penelope, um pouco sem fôlego por estar a tentar livrar-se Hyacinth.

– Penelope.

A voz de Eloise parecia curiosa, o que não surpreendeu Penelope. Eloise não era parva e estava bem ciente de que o comportamento normal do irmão não incluía dirigir-lhe sorrisos beatíficos.

– Eloise – disse Hyacinth, sem qualquer motivo que Penelope pudesse deduzir.

– Hyacinth.

Penelope virou-se para o marido.

– Colin.

Ele parecia divertido.

– Penelope. Hyacinth.

Hyacinth sorriu.

– Colin. – E depois: – Sir Phillip.

– Senhoras. – Sir Phillip, aparentemente, favorecia a brevidade.

– Parem com isso! – explodiu Eloise. – O que se passa?

– A recitação dos nossos nomes próprios, ao que parece – respondeu Hyacinth.

– A Penelope tem uma coisa para te dizer – disse Colin.

– Não tenho nada.

– Tem sim.

– Ah, pois *tenho* – devolveu Penelope, pensando rapidamente. Precipitou-se para Eloise, tomando-lhe as mãos nas suas. – Parabéns! Estou tão feliz por ti!

– Era isso que precisavas de me dizer? – perguntou Eloise.

– Sim.

– *Não*.

E Hyacinth:

– Estou a divertir-me imenso.

127

– Há, é muito gentil da sua parte dizê-lo – declarou Sir Phillip, parecendo um pouco perplexo com a súbita necessidade dela de felicitar a anfitriã.

Penelope fechou os olhos por instantes e soltou um suspiro de cansaço; ia precisar de falar com o pobre homem em particular e instruí-lo sobre as minúcias de casar com alguém da família Bridgerton.

E porque conhecia a sua nova família tão bem e sabia que não havia maneira de conseguir evitar revelar o seu segredo, virou-se para Eloise e disse:

– Posso falar contigo a sós?

– Comigo?

Foi o suficiente para fazer Penelope desejar estrangular alguém. Fosse quem fosse.

– Sim – respondeu pacientemente –, contigo.

– E comigo – interveio Colin.

– E comigo – acrescentou Hyacinth.

– Contigo, *não* – cortou Penelope, sem se preocupar em olhar para ela.

– Mas comigo – aditou Colin, metendo o braço livre no de Penelope.

– Não pode esperar? – perguntou Sir Phillip educadamente. – Afinal este é o dia do casamento da Eloise, e imagino que ela não queira perdê-lo.

– Eu sei – disse Penelope em tom cansado. – Sinto muito.

– Está tudo bem – asseverou Eloise, libertando-se de Colin e voltando-se para o novo marido. Murmurou-lhe algumas palavras que Penelope não conseguiu ouvir e, em seguida, disse: – Há um pequeno salão logo depois daquela porta. Vamos?

Ela foi à frente, o que deu jeito a Penelope, porque teve tempo para dizer a Colin:

– Tu não dizes nada.

Ele surpreendeu-a ao aceitar com um gesto de cabeça e, mantendo o silêncio, segurou-lhe a porta quando ela entrou na sala atrás de Eloise.

– Não vai demorar muito – disse Penelope como quem pede desculpa. – Pelo menos, espero que não.

Eloise não disse nada e Penelope teve ainda presença de espírito suficiente para notar que a amiga a fitava com uma expressão estranhamente serena.

O casamento estava a fazer-lhe bem, pensou Penelope, pois a Eloise que *ela* conhecia estaria a roer-se toda num momento daqueles. Um grande segredo, um mistério a ser revelado... Eloise adorava esse tipo de coisas.

No entanto ali estava ela de pé, a aguardar calmamente, um leve sorriso aflorando-lhe ao rosto. Penelope olhou para Colin, com ar confuso, mas, aparentemente, ele levara o pedido dela ao pé da letra e mantinha a boca firmemente cerrada.

– Eloise – começou Penelope.

Eloise sorriu. Um pouco. Um leve trejeito nos cantos, como se quisesse sorrir mais.

– Sim?

Penelope aclarou a garganta.

– Eloise – repetiu –, há algo que preciso de te contar.

– A sério?

Os olhos de Penelope semicerraram-se. Decerto não era o momento para sarcasmos. Respirou fundo para abafar a vontade de disparar uma resposta igualmente seca, e disse:

– Não queria contar-te isto no teu dia de casamento – e *fuzilou* o marido com um olhar –, mas parece que não tenho escolha.

Eloise piscou os olhos algumas vezes, mas tirando isso, o seu comportamento sereno não se alterou.

– Não consigo pensar em nenhuma outra forma de to dizer – perseverou Penelope, sentindo um mal-estar apoderar-se dela –, mas enquanto estiveste fora... aliás, na mesma noite em que partiste, por acaso...

Eloise inclinou-se para a frente. O movimento foi ligeiro, mas Penelope apercebeu-se e, por um momento, pensou... bem, não pensou em nada claramente, pelos menos nada que pudesse ter expressado numa frase adequada, mas teve uma sensação de mal-estar, um tipo diferente de desconforto do que aquele que já sentia. Era uma espécie de desconforto de suspeita...

– Eu sou a Whistledown – deixou por fim escapar, porque se esperava mais tempo, o seu cérebro era capaz de explodir.

E Eloise respondeu:

– Eu sei.

Penelope sentou-se no objeto sólido mais próximo, que por acaso era uma mesa.

– Tu sabes.

Eloise encolheu os ombros e voltou a dizer:

– Eu sei.

– Como?

– A Hyacinth contou-me.

– *O quê?*

Isto foi dito por Colin, que estava com ar de quem parecia prestes a saltar ao pescoço de alguém. Ou mais exatamente, ao pescoço de Hyacinth.

– Tenho a certeza de que ela está a ouvir atrás da porta – murmurou Eloise, com um aceno –, caso queiras...

Mas Colin já pensara nisso e escancarou a porta do pequeno salão. E, de facto, Hyacinth perdeu o equilíbrio e entrou aos tropeções.

– Hyacinth! – exclamou Penelope com ar de desaprovação.

– Oh, por favor – respondeu Hyacinth, alisando as saias. – Não te passava pela cabeça que eu não fosse escutar, não é? Tu conheces-me.

– Eu vou torcer-te o pescoço – rosnou Colin. – Nós tínhamos um acordo.

Hyacinth encolheu os ombros.

– Na verdade, eu não preciso de vinte libras, se queres saber.

– Eu já te *dei* dez.

– Eu sei – respondeu Hyacinth com um sorriso alegre.

– Hyacinth! – exclamou Eloise.

– Mas isso não quer dizer – continuou Hyacinth com modéstia – que eu não *queira* as outras dez.

– Ela disse-me ontem à noite – explicou Eloise, a semicerrar os olhos perigosamente –, mas só depois de me informar que sabia quem era Lady Whistledown e que, na verdade, toda a alta sociedade sabia, mas que tal informação me custaria vinte e *cinco* libras.

– Não te ocorreu que se toda a sociedade sabia, bastava que simplesmente perguntasses a outra pessoa? – perguntou Penelope.

– Toda a sociedade não estava no meu quarto às duas da manhã – protestou Eloise.

– Estou a pensar comprar um chapéu – partilhou Hyacinth em voz alta. – Ou talvez um pónei.

Eloise lançou-lhe um olhar de censura e virou-se para Penelope.

– És mesmo a Whistledown?

– Sou – admitiu Penelope. – Ou antes...

Olhou para Colin, não exatamente certa de porque o fazia, talvez porque o amava muito e porque ele a conhecia tão bem, e porque quando ele lhe visse o ligeiro sorriso indefeso e vacilante, iria devolver-lho, não importava o quanto estivesse zangado com Hyacinth.

E ele assim fez. De alguma forma, no meio daquilo tudo, ele sabia do que ela precisava. Sabia sempre.

Penelope virou-se para Eloise.

– Eu *era* – corrigiu. – Já não sou. Aposentei-me.

Mas é claro que Eloise já sabia. A carta de aposentadoria de Lady W tinha circulado muito antes de Eloise ter deixado a cidade.

– Para sempre – acrescentou Penelope. – As pessoas têm insistido, mas não me vão convencer a voltar a pegar na pena. – Fez uma pausa, pensando no que começara recentemente a escrevinhar. – Pelo menos não como Whistledown.

Olhou para Eloise, que se sentara ao lado dela na mesa. O seu rosto não exibia grande expressão e não dizia nada há *séculos*... bem, séculos para alguém como Eloise.

Penelope tentou sorrir.

– A verdade é que estou a pensar em escrever um romance.

Ainda nenhuma reação de Eloise, embora tivesse começado a pestanejar muito rapidamente e a testa se lhe tivesse contraído, como se estivesse muito concentrada a pensar.

Então Penelope pegou-lhe na mão e disse a única coisa que realmente sentia.

– Sinto muito, Eloise.

Eloise, que estava até aí a olhar fixamente para uma mesinha de apoio, virou-se de repente, os olhos encontrando os de Penelope.

– Sentes muito? – repetiu ela, como quem duvida, como se aquela não devesse ser a emoção certa, ou pelo menos, não a *suficientemente* certa.

O coração de Penelope caiu-lhe aos pés.

– Sinto muito – voltou a dizer. – Eu devia ter-te contado. Eu devia ter...

– Estás *louca*? – interrompeu Eloise, parecendo finalmente prestar atenção. – *Claro* que não devias ter-me contado. Eu nunca teria sido capaz de guardar um segredo desses.

Penelope achou bastante extraordinário que ela o admitisse.

– Estou tão *orgulhosa* de ti – continuou Eloise. – E esquece a escrita um momento; não consigo sequer conceber a logística disso tudo, e um dia, quando não for o dia do meu casamento, vou querer saber todos os pormenores.

– Ficaste surpreendida, então? – murmurou Penelope.

Eloise atirou-lhe um olhar bastante seco.

– Surpreendida é favor.

– Eu tive de lhe ir buscar uma cadeira – entrepôs-se Hyacinth.

– Eu já estava sentada – resmungou Eloise.

Hyacinth agitou uma mão no ar e respondeu:

– Seja como for.

– Ignora-a – disse Eloise, concentrando-se exclusivamente em Penelope. – Verdade, nem consigo explicar-te como estou impressionada... agora que superei o choque, claro.

– A sério?

Até àquele momento não ocorrera a Penelope o quanto desejava a aprovação de Eloise.

– Guardaste o segredo de todos nós e durante tanto tempo – disse Eloise, abanando lentamente a cabeça de admiração. – De mim. *Dela.* – Apontou para Hyacinth. – Fizeste-a mesmo muito bem feita.

Inclinou-se e envolveu Penelope num abraço caloroso.

– Não estás zangada comigo?

Eloise afastou-se um pouco e abriu a boca para falar; Penelope percebeu que ela estava prestes a dizer: «Não», provavelmente seguido de «Claro que não».

Mas as palavras permaneceram na boca de Eloise, e ela ficou ali sentada, com um certo ar pensativo e admirado até finalmente responder:

– Não.

Penelope sentiu o erguer das próprias sobrancelhas.

– Tens a certeza? – inquiriu, pois Eloise não parecia certa. Para ser franca, nem parecia a Eloise.

– Seria diferente se eu ainda estivesse em Londres – disse Eloise com serenidade –, sem mais nada para fazer. Mas isto... – Olhou em redor para a sala, gesticulando vagamente em direção à janela. – *Aqui.* Simplesmente não é a mesma coisa. É uma vida diferente. Eu sou uma pessoa diferente. Um pouco, pelo menos.

– Lady Crane – lembrou Penelope.

Eloise sorriu.

– Ainda bem que me lembras disso, Mrs. Bridgerton.

Penelope quase deixou escapar uma gargalhada.

– Dá para acreditar?

– De ti, ou de mim? – perguntou Eloise.

– De ambas.

Colin, que tinha mantido uma distância respeitosa, com uma das mãos a agarrar firmemente o braço de Hyacinth para a manter a uma distância respeitosa, avançou.

– Talvez seja melhor voltarmos – disse ele calmamente. Estendeu a mão e ajudou primeiro Penelope e depois Eloise a levantarem-se. – Tu, pelo menos – disse ele, inclinando-se para beijar a irmã na face –, deves *certamente* voltar.

Eloise abriu um sorriso saudoso, voltando a ser a noiva ruborizada, e assentiu. Com um último aperto de mãos a Penelope, passou por Hyacinth (revirando os olhos ao fazê-lo) e regressou à sua festa de casamento.

Penelope observou-a a afastar-se, metendo o braço no de Colin e encostando-se suavemente a ele. Ficaram ambos ali num silêncio feliz, a olhar para a porta agora vazia, ouvindo os sons da festa que lhes chegavam a flutuar.

– Achas que agora já seria de bom-tom se nos fôssemos embora? – murmurou ele.

– Provavelmente não.

– Achas que Eloise se importaria?

Penelope abanou a cabeça numa negativa.

Os braços de Colin cingiram-na mais, e ela sentiu os lábios dele deslizarem suaves junto ao seu ouvido.

– Vamos – disse ele.

Ela não o contrariou.


No dia 25 de maio, do ano de 1824, precisamente um dia depois do casamento de Eloise Bridgerton com Sir Phillip Crane, três missivas foram entregues no quarto de Mr. e Mrs. Colin Bridgerton, hóspedes da pousada Rose and Bramble, perto de Tetbury, Gloucestershire. Chegaram ao mesmo tempo e todas eram provenientes de Romney Hall.

– Qual abrimos primeiro? – perguntou Penelope, espalhando-as diante de si na cama.

Colin despiu a camisa que tinha vestido para ir abrir a porta.

– Eu submeto-me ao teu bom senso, como sempre.

– Como sempre?

Ele voltou a enfiar-se na cama com ela. Ela era curiosamente adorável quando estava a ser sarcástica. Ele não era capaz de pensar numa outra alma capaz de o conseguir.

– Como sempre, quando me convém – emendou ele.

– A da tua mãe, então – disse Penelope, pegando numa das cartas pousadas na cama.

Quebrou o selo e desdobrou cuidadosamente o papel.

Colin ficou a vê-la ler. Os olhos dela arregalaram-se, as sobrancelhas subiram e os lábios contraíram-se ligeiramente nos cantos, como se estivesse a tentar não sorrir.

– O que tem ela a dizer? – perguntou ele.

– Ela perdoa-nos.

– Imagino que não faça sentido perguntar o que é que ela nos perdoa.

Penelope atirou-lhe um olhar severo.

– Por termos abandonado o copo d'água mais cedo.

– Tu disseste que a Eloise não se importaria.

– E tenho certeza de que não. Mas aqui trata-se da tua *mãe*.

– Escreve-lhe a garantir que se ela alguma vez voltar a casar, eu fico até o fim.

– Não vou fazer uma coisa dessas – respondeu Penelope, revirando os olhos. – Seja como for, não acho que ela espere uma resposta.

– A sério? – Agora ficara curioso, pois a mãe esperava sempre resposta. – O que fizemos então para merecer o perdão dela?

– Há, ela mencionou algo sobre a produção atempada de netos.

Colin sorriu.

– Estás a corar?

– Não.

– Estás, *sim*.

Ela deu-lhe uma cotovelada nas costelas.

– Não estou nada. Toma, lê-a tu mesmo se te apetece. Vou ler a da Hyacinth.

– Não creio que ela me devolva as dez libras – resmungou Colin.

Penelope desdobrou o papel e sacudiu-o. Nada caiu de dentro da carta.

– Essa interesseira tem sorte de ser minha irmã – murmurou ele.

– Que mostra de mau desportivismo – repreendeu Penelope. – Ela superou-te, e de forma brilhante, devo dizer.

135

– Oh, por favor – zombou ele. – Não *te* vi a elogiar a astúcia dela ontem à tarde.

Ela dispensou os protestos dele com um gesto.

– Sim, bem, algumas coisas veem-se mais facilmente com o passar do tempo.

– O que diz ela na carta? – perguntou Colin, debruçando-se sobre o ombro dela.

Conhecendo Hyacinth, era provavelmente algum esquema para lhe extorquir mais dinheiro do bolso.

– É querido, na verdade – elucidou Penelope. – Nada de nefasto, de todo.

– Leste de ambos os lados? – duvidou Colin.

– Ela só escreveu uma página.

– Estranhamente antieconómico da parte dela – acrescentou ele, desconfiado.

– Oh, Céus, Colin, é apenas um relato da festa de casamento depois de sairmos. E devo dizer, ela tem um talento excecional para o humor e o detalhe. Teria dado uma bela Whistledown.

– Deus nos ajude!

A última carta era de Eloise e, ao contrário das outras duas, era dirigida unicamente a Penelope. Colin ficou curioso, é claro, quem não ficaria? Mas afastou-se para dar a Penelope privacidade. A amizade dela com a sua irmã era algo que lhe inspirava respeito e fascínio. Ele era próximo dos irmãos, muito próximo até. Mas nunca tinha visto um vínculo de amizade tão profundo como o que unia Penelope e Eloise.

– Oh! – soltou Penelope, ao virar a página. A missiva de Eloise era muito mais longa do que as duas anteriores, enchendo as duas páginas, frente e verso. – Que atrevida!

– O que é que ela fez? – quis saber Colin.

– Oh, não foi nada – respondeu Penelope, apesar da expressão bastante irritada. – Tu não estavas lá, mas na manhã do casamento ela pôs-se a pedir-me desculpa por guardar segredos, e nem sequer me ocorreu que ela estivesse a tentar fazer-me admitir que eu também guardava um segredo. Fez-me sentir miserável, a malvada.

A voz desvaneceu-se enquanto ela lia a outra página. Colin reclinou-se nos travesseiros macios, os olhos descansando no rosto da mulher. Ele gostava de ficar a observar os olhos dela moverem-se da esquerda para a direita, seguindo as palavras. Gostava de lhe ver os lábios a mexerem-se enquanto sorria ou franzia a testa. Era bastante surpreendente, na verdade, o contentamento que sentia pelo simples facto de ver a mulher a ler.

Até que ela soltou um gritinho engasgado e ficou branca.

Ele soergueu-se de imediato nos cotovelos.

– O que foi?

Penelope abanou a cabeça e gemeu.

– Oh, ela é diabólica.

Que se danasse a privacidade. Ele arrancou-lhe a carta das mãos.

– O que é que ela disse?

– Ao fundo da página – disse Penelope, apontando horrorizada para a carta. – Mesmo no fim.

Colin afastou-lhe o dedo e começou a ler.

– Céus, como ela é prolixa – murmurou ele. – Não percebo nada do que aqui está escrito.

– Desforra – esclareceu Penelope. – Ela diz que o meu segredo era maior do que o dela.

– Isso é verdade.

– Diz que lhe é devida uma compensação.

Colin refletiu.

– Provavelmente é.

– Para acertar contas.

Ele afagou-lhe a mão.

– Lamento dizer-te que é assim que os Bridgerton pensam. Nunca participaste num jogo connosco, pois não?

Penelope soltou um queixume.

– Ela diz que vai pedir conselho à *Hyacinth*.

Colin sentiu o sangue fugir-lhe do rosto.

– Como te compreendo – disse Penelope, sacudindo a cabeça. – Nunca mais estaremos seguros.

Colin deslizou o braço em volta dela e puxou-a para si.

– Não dissemos que queríamos visitar a Itália?

– Ou a Índia.

Ele sorriu e beijou-a no nariz.

– Ou podemos ficar aqui.

– Na pousada?

– Éramos para sair amanhã de manhã. Seria o último lugar de que Hyacinth se lembraria.

Penelope ergueu os olhos para ele, os dela tornando-se quentes e ligeiramente travessos.

– Eu não tenho compromissos urgentes em Londres durante, pelo menos, duas semanas.

Ele rolou para cima dela, puxando-a para baixo até ela ficar deitada de costas.

– A minha mãe disse que não nos perdoaria se não lhe déssemos um neto.

– Ela não colocou a coisa em termos tão inflexíveis.

Ele beijou-a, mesmo no ponto sensível atrás da orelha que sempre a fazia estremecer.

– Faz de conta que sim.

– Bem, nesse caso... oh!

Os lábios deslizaram até ao ventre.

– Oh? – murmurou ele.

– Talvez fosse melhor... oh!

Ele olhou para cima.

– Estavas a dizer?

– ... tratarmos de obedecer – ela mal conseguiu terminar.

Ele sorriu muito próximo da pele dela.

– Um seu criado, Mrs. Bridgerton. Sempre.

# Para Sir Phillip, Com Amor

Raramente escrevi sobre crianças tão intrometidas como Amanda e Oliver Crane, os gémeos solitários, filhos de Sir Phillip Crane. Parecia-me impossível que pudessem crescer e tornar-se adultos sensatos e bem integrados na sociedade, mas percebi que se alguém era capaz de os moldar devidamente, esse alguém seria a nova madrasta, Eloise (Bridgerton, de nascimento) Crane. Há muito que tinha vontade de experimentar escrever na primeira pessoa, por isso decidi ver o mundo através dos olhos de uma Amanda adulta. Ela iria apaixonar-se, e Phillip e Eloise teriam de vê-lo acontecer.

# Para Sir Phillip, Com Amor:
## Segundo Epílogo

Eu não sou a mais paciente das pessoas. E não tenho quase nenhuma tolerância para a estupidez. Por essa razão fiquei muito orgulhosa de mim mesma por ter conseguido manter a boca calada, esta tarde, enquanto tomava chá com a família Brougham.

Os Brougham são nossos vizinhos, já o são há seis anos, desde que Mr. Brougham herdou a propriedade do tio, também chamado Mr. Brougham. Eles têm quatro filhas e um filho extremamente mimado. Felizmente para mim, o filho é cinco anos mais novo do que eu, o que significa que não terei de considerar a possibilidade de casar com ele. (Embora as minhas irmãs, Penelope e Georgiana, nove e dez anos mais novas do que eu, não tenham a mesma sorte.) As filhas Brougham têm todas um ano de intervalo, começando dois anos antes de mim e terminando dois anos depois. São perfeitamente agradáveis, talvez um tanto ao quanto simpáticas e delicadas de mais para o meu gosto. Mas ultimamente têm sido muito difíceis de suportar.

Isto porque eu também tenho um irmão, e ele não é cinco anos mais novo do que elas. Na verdade, ele é meu irmão gémeo, o que faz dele uma possibilidade matrimonial viável para qualquer uma delas.

Sem surpresas, o Oliver decidiu não nos acompanhar, a mim, à minha mãe e a Penelope, ao chá.

Mas aqui fica o relato do que aconteceu e a razão por que estou satisfeita comigo própria por não dizer o que queria dizer, e que era: *Mas isso é uma perfeita idiotice!*

Estava eu a tomar o meu chá, tentando manter a chávena nos lábios tanto tempo quanto possível, de modo a evitar perguntas acerca do Oliver, quando Mrs. Brougham disse:

– Deve ser muito interessante ser gémeo. Diga-me, querida Amanda, em que medida é diferente de não o ser?

Eu deveria esperar não ter de explicar por que razão é uma pergunta estúpida. Como poderei eu explicar a diferença, se passei cerca de cem por cento da minha vida sendo gémea e, portanto, tendo precisamente zero de experiência em não o ser?

O desdém deve ter-me ficado estampado no rosto, porque a minha mãe atirou-me um dos seus lendários olhares de advertência no instante em que os meus lábios se entreabriram para responder. Uma vez que eu não queria constranger a minha mãe (e não por qualquer necessidade de fazer Mrs. Brougham sentir-se mais inteligente do que é na realidade), respondi:

– Acho que é ter-se sempre um companheiro.

– Mas o seu irmão não está aqui agora – comentou uma das filhas Brougham.

– O meu pai não está sempre com a minha mãe, e eu imagino que ela o considera seu companheiro – respondi.

– Não se pode comparar um irmão a um marido – trinou Mrs. Brougham.

– Esperemos que não – retorqui.

Sou sincera, foi uma das conversas mais ridículas em que já participei. E Penelope ficou com ar de quem teria muitas perguntas para me fazer quando regressássemos a casa.

A minha mãe lançou-me um outro olhar, um que sabia exatamente o tipo de perguntas que Penelope faria e às quais não queria responder. Mas, como a minha mãe sempre dizia ela valorizava a curiosidade feminina...

Bom, ficaria presa na sua própria armadilha.

Devo dizer que, armadilhas à parte, estou convencida de que tenho a melhor mãe da Inglaterra. E ao contrário de ser uma não gémea, realidade sobre a qual não tenho qualquer conhecimento, eu sei o que é ter uma mãe diferente, por isso estou totalmente qualificada, na minha opinião, para fazer julgamentos.

A minha mãe, Eloise Crane, é na verdade minha madrasta, embora eu só me refira a ela dessa maneira quando é indispensável para efeitos de clarificação. Ela casou-se com o meu pai quando o Oliver e eu tínhamos oito anos e estou convicta de que nos salvou a todos. É difícil explicar como eram as nossas vidas antes de ela entrar para a família. Poderia certamente descrever eventos, mas o *tom* de tudo, o ambiente da nossa casa...

Realmente não sei como o transmitir.

A minha mãe, a minha mãe original, suicidou-se. Durante grande parte da minha vida eu não o soube. Julgava que ela tinha morrido em consequência de uma febre, o que suponho seja verdade. O que ninguém me informou foi que a febre foi uma consequência de ela se ter tentado afogar num lago em pleno inverno.

Eu não faço tenção de acabar com a minha própria vida, mas devo dizer que este não seria o método que escolheria.

Eu sei que deveria sentir pesar e compaixão por ela. A minha mãe atual era prima distante dela e conta-me que toda a vida ela foi uma pessoa triste. Diz-me que algumas pessoas são assim, tal como outras são estranha e constantemente alegres. Mas eu não consigo deixar de pensar que, se a vontade dela era suicidar-se, poderia tê-lo feito muito antes. Talvez quando eu era ainda uma criança a aprender a andar. Ou melhor ainda, quando ainda era bebé. Certamente teria tornado a minha vida mais fácil.

Perguntei ao meu tio Hugh (que não é realmente meu tio; ele é casado com a meia-irmã da mulher do irmão da minha mãe atual *e* que vive muito perto daqui *e* que é vigário) se vou para o Inferno por ter tal pensamento. Ele disse que não e que sinceramente o meu pensamento fazia todo o sentido.

Acho que prefiro a paróquia dele à minha.

Mas o problema é que agora tenho lembranças dela. De Marina, a minha primeira mãe. Eu não *quero* memórias dela. As que tenho são nebulosas e confusas. Não consigo lembrar-me do som da voz dela. O Oliver diz que talvez seja porque ela mal falava. Não me lembro se ela falava ou não. Não consigo recordar-me da forma exata do seu rosto nem do seu cheiro.

Em vez disso, lembro-me de estar do lado de fora da porta do quarto dela, a sentir-me muito pequena e assustada. E lembro-me de andar muito na ponta dos pés, porque sabíamos que não devíamos fazer barulho. Lembro-me de me sentir constantemente ansiosa, como se soubesse que algo de ruim estava prestes a acontecer.

E de facto assim foi.

Não deveria uma memória ser mais específica? Não me importaria de ter a memória de um momento, ou de um rosto, ou de um som. Em vez disso, tenho sentimentos vagos, e nem sequer são propriamente felizes.

Uma vez perguntei ao Oliver se ele tinha as mesmas memórias, mas ele limitou-se a encolher os ombros e a responder que não pensava muito nela. Não sei se acredito. Talvez deva fazê-lo, pois ele não tem o hábito de pensar profundamente sobre tais coisas. Ou mais precisamente, ele não tem o hábito de pensar profundamente em nada. Esperemos que quando se casar (e a esperança das irmãs Brougham é que seja em breve) escolha uma noiva com a mesma ausência de reflexão e sensibilidade. Caso contrário, ela será infelicíssima. Ele não, é claro; ele nem se daria conta do sofrimento dela.

Os homens são assim, segundo me dizem.

O meu pai, por exemplo, é extremamente desatento. A menos, claro, que se trate de uma planta; nesse caso, repara em tudo. Ele é botânico e seria perfeitamente feliz a cirandar pela estufa durante todo o dia. Parece-me um companheiro extremamente improvável para a minha mãe, que é cheia de vida e extrovertida e nunca fica sem palavras, mas quando eles estão juntos, é óbvio que se amam muito. Na semana passada apanhei-os a beijarem-se no jardim.

Fiquei horrorizada. A minha mãe tem quase quarenta anos e o meu pai é ainda mais velho.

Mas já estou a divagar. Eu estava a falar da família Brougham, mais especificamente da pergunta estúpida de Mrs. Brougham sobre não ser uma irmã gémea. Como mencionei anteriormente, eu estava a sentir-me bastante satisfeita comigo mesma por não ter sido rude, quando Mrs. Brougham disse algo que tinha *realmente* interesse.

— O meu sobrinho chega esta tarde para uma visita.

Cada uma das filhas Brougham pareceu endireitar mais as costas no assento. Juro, pareciam aqueles brinquedos infantis com mola. Poing, poing, poing, poing... Todas esticadas, passando da postura perfeita para extraordinariamente eretas.

Desta reação deduzi imediatamente que o sobrinho de Mrs. Brougham devia estar em idade casadoira, provavelmente possuidor de uma boa fortuna e, talvez, de feições agradáveis.

— Não mencionou que o Ian vinha visitar-nos — disse uma das filhas.

— E não vem — respondeu Mrs. Brougham. — Ele ainda está em Oxford, como bem sabes. O Charles é que vem.

Puf! As filhas Brougham desanimaram, todas de uma só vez.

— Oh! — fez uma delas. — O Charlie.

— Hoje, diz a mãe — disse outra, com notável falta de entusiasmo.

E completou a terceira:

— Vou ter de esconder as minhas bonecas.

A quarta não disse nada. Dedicou-se a beber o chá, parecendo bastante entediada com tudo isto.

— Porque tens de esconder as bonecas? — perguntou Penelope.

Para dizer a verdade, eu estava a pensar o mesmo, mas parecia-me uma pergunta muito infantil para uma donzela de dezanove anos.

— Isso foi há doze anos, Dulcie — disse Mrs. Brougham. — Deus do céu, tens uma memória de elefante.

— Eu não me esqueço do que ele fez às minhas bonecas — comentou Dulcie sombriamente.

– O que é que ele fez? – perguntou Penelope.

Dulcie fez um movimento de cortar o pescoço. Penelope soltou um suspiro chocado e, devo confessar, havia algo de arrepiante na expressão de Dulcie.

– Ele é um monstro – disse uma das irmãs de Dulcie.

– Ele *não* é um monstro – insistiu Mrs. Brougham.

As filhas Brougham olharam todas para nós, meneando a cabeça em concordância silenciosa, como se dissessem: «Não lhe deem ouvidos.»

– Quantos anos tem o seu sobrinho agora? – perguntou a minha mãe.

– Vinte e dois – respondeu Mrs. Brougham, mostrando-se grata pela pergunta. – Terminou os estudos em Oxford no mês passado.

– Ele é um ano mais velho do que o Ian – explicou uma das meninas.

Anui, mesmo não podendo usar Ian, que eu nunca tinha conhecido, como ponto de referência.

– Ele não é tão bonito.

– Ou tão simpático.

Olhei para a última filha Brougham, aguardando a sua contribuição. Mas ela limitou-se a bocejar.

– Quanto tempo vai ficar? – perguntou a minha mãe educadamente.

– Duas semanas – respondeu Mrs. Brougham, mas só conseguiu chegar a «sema...» quando uma das filhas gritou de consternação.

– Duas semanas?! Uma quinzena inteira?!

– Tenho esperança de que ele possa acompanhar-nos ao baile da paróquia – disse Mrs. Brougham.

Esta declaração foi recebida por mais gemidos descontentes. Devo dizer que começava a ficar curiosa sobre esse tal Charles. Qualquer pessoa capaz de inspirar tal terror entre as filhas Brougham devia ter algo que o recomendasse.

Não, apresso-me a acrescentar, que eu não goste das filhas Brougham. Ao contrário do irmão delas, a nenhuma foi satisfeito cada desejo e capricho e, portanto, não são de todo insuportáveis.

Mas são, como direi, plácidas e dóceis e por isso mesmo não sendo a companhia natural para mim (acerca de quem nunca seriam aplicados tais adjetivos). Sinceramente, acho que nunca as vi a expressar uma opinião convicta sobre o que quer que seja. Se as quatro detestavam alguém assim tanto... bem, quanto mais não fosse, ele devia ser interessante.

– O seu sobrinho gosta de andar a cavalo? – perguntou a minha mãe.

A expressão de Mrs. Brougham assumiu um ar de astúcia.

– Acredito que sim.

– Talvez Amanda aceite mostrar-lhe a região.

Dizendo isto, a minha mãe dirigiu-me um sorriso inocente e doce muito atípico dela.

Talvez eu deva acrescentar que uma das razões por que estou convencida de que a minha mãe é a melhor da Inglaterra é pelo facto de ela raramente ser inocente e doce. Oh, não me interpretem mal, ela tem um coração de ouro e faria qualquer coisa pela família. Mas ela cresceu sendo a quinta filha de uma prole de oito e por isso mesmo é capaz de ser maravilhosamente diabólica e dissimulada.

Além disso, ninguém consegue vencê-la numa discussão. Confiem em mim, eu já tentei.

Portanto, quando ela me ofereceu como guia, eu não pude fazer mais nada, exceto dizer que sim, mesmo vendo que três das quatro irmãs Brougham começavam a rir dissimuladamente. (A quarta continuava a mostrar-se entediada e eu começava a perguntar-me se haveria algo de errado com ela.)

– Amanhã – sugeriu Mrs. Brougham, encantada, batendo palmas e abrindo um grande sorriso. – Mando-o a sua casa amanhã à tarde. Parece-lhe bem?

Mais uma vez, eu não pude dizer mais nada, exceto sim, e assim fiz, perguntando-me com o que exatamente acabara de concordar.

Na tarde seguinte, vestida com o meu melhor traje de montar, repimpei-me na sala de estar a imaginar se o misterioso Charles Brougham iria realmente aparecer. Se não o fizesse, pensei, estaria completamente no seu direito. Seria indelicado, é claro, pois estaria a quebrar um compromisso feito em seu nome pela tia, mas ao mesmo tempo, ele não tinha pedido para ser selado com a nobreza local.

Sem intenção no trocadilho.

A minha mãe nem tentara negar que estava a fazer de casamenteira, o que me surpreendeu, pois eu esperaria que ela tentasse, pelo menos, um débil protesto. Contudo, em vez disso, recordou-me que eu recusei uma temporada em Londres, passando em seguida a discorrer acerca da falta de homens elegíveis e com idades apropriadas aqui no nosso canto do Gloucestershire.

Recordei-lhe que ela não tinha encontrado o marido *dela* em Londres.

Ela então disse algo que começou com «Seja como for» e desviou a conversa tão rapidamente e com tantas voltas e reviravoltas que eu vi-me incapaz de apanhar o fio à meada.

O que estou bastante certa ter sido a sua intenção.

A minha mãe não estava precisamente aborrecida por eu ter dito não a uma temporada em Londres; ela gostava bastante da nossa vida no campo e Deus sabe que o meu pai não iria sobreviver na cidade por mais de uma semana. A mãe chamou-me indelicada por dizê-lo, mas eu acredito que ela secretamente concordou comigo; o meu pai iria distrair-se com uma planta no parque e nunca mais o encontraríamos. (Ele é um tanto distraído, o meu pai.)

Ou então, e confesso que seria o mais provável, ele diria algo completamente inconveniente numa festa. Ao contrário da minha mãe, o meu pai não tem o dom da conversa cortês e não vê nenhuma necessidade em usar expressões com duplo sentido ou volteios ardilosos de frase. Na sua maneira de ver as coisas, uma pessoa deve dizer exatamente o que quer dizer.

Eu amo o meu pai, mas é óbvio que ele deve ser mantido longe da cidade.

Eu poderia ter tido uma temporada em Londres, se quisesse. A família da minha mãe é extremamente bem relacionada. O irmão dela é um visconde, e as irmãs casaram-se com um duque, um conde e um barão, respetivamente. Eu seria admitida em todos os círculos mais exclusivos. Mas a verdade é que não queria ir. Não teria nenhuma liberdade. Aqui posso fazer caminhadas ou passear a cavalo sozinha, desde que diga a alguém aonde vou. Em Londres, uma donzela não pode sequer deixar a ponta do pé tocar o degrau da frente sem *chaperon*.

Parece horrível.

Mas voltemos à minha mãe. Ela não se importava que eu tivesse recusado a temporada, porque isso significava que ela não teria de ficar separada do meu pai durante vários meses. (Uma vez que, como já referi, ele teria de ser deixado em casa.) Porém, ela estava realmente preocupada com o meu futuro. Com esse objetivo em mente, dera início a uma espécie de cruzada. Se eu não ia até aos cavalheiros elegíveis, ela iria trazê-los até mim.

Daí Charles Brougham.

Às duas da tarde ele ainda não tinha chegado e, devo confessar, eu começava a ficar irritadiça. O dia estava quente, ou pelo menos tão quente quanto possível no Gloucestershire, e o meu traje verde-escuro, que me parecera tão elegante e vistoso quando o vesti, começava agora a fazer-me comichão.

*Eu* estava a começar a murchar.

De alguma forma, a minha mãe e Mrs. Brougham tinham-se esquecido de estabelecer uma hora para a chegada do sobrinho, por isso eu fora obrigada a vestir-me e a estar pronta exatamente ao meio-dia.

— Na sua opinião, que hora marca o final da tarde? — perguntei, abanando-me com um jornal dobrado.

— Hum?

A minha mãe estava a escrever uma carta, provavelmente para um dos seus muitos irmãos, e não me prestou atenção. Ela ficava linda, ali sentada junto à janela. Não faço ideia de qual seria a aparência da minha mãe biológica com o passar dos anos, uma vez que ela não se dignou a viver tanto tempo, mas Eloise não perdera nada da sua beleza. O cabelo ainda era de um castanho rico e a pele sem rugas. Os olhos dela são difíceis de descrever, pois possuem uma cor bastante variável, na verdade.

Ela diz-me que nunca foi considerada uma beldade quando era jovem. Ninguém a considerava pouco atraente, e ela era de facto bastante popular, mas nunca foi designada um diamante de primeira água. Ela diz-me que as mulheres inteligentes envelhecem melhor.

Acho isso interessante e espero que seja um bom presságio para o meu futuro.

Mas, de momento, eu não estava preocupada com qualquer futuro além dos próximos dez minutos, após os quais estava convencida de que pereceria de calor.

– A tarde – repeti. – Quando diria que termina? Às quatro horas? Cinco? Por favor, diga-me que não é às seis.

Ela finalmente ergueu o olhar.

– Do que estás a falar?

– De Mr. Brougham. Combinámos à tarde, não é assim?

Ela fixou os olhos em mim.

– Posso parar de esperar por ele assim que a tarde passa a noite, não posso?

A minha mãe fez uma pausa, com a pena suspensa no ar.

– Não devias ser tão impaciente, Amanda.

– Eu não sou – insisti. – Estou é a morrer de *calor*.

Ela ponderou a minha afirmação.

– Está calor aqui, não está?

Anuí.

– O meu traje é feito de lã.

Ela fez uma careta, mas notei que não sugeriu que fosse trocar de roupa. Ela não ia sacrificar um potencial pretendente por algo tão inconsequente como as condições climatéricas. Retomei a tarefa de me abanar.

– Acho que o nome dele não é Brougham – disse a minha mãe.

– Perdão?

– Acho que é parente de Mrs. Brougham, não do marido. Não sei qual é o nome de família dela.

Encolhi os ombros.

Ela voltou a dedicar atenção à carta. A minha mãe escreve uma quantidade exorbitante de cartas. Sobre o quê, não consigo nem imaginar. Eu não diria que a nossa família é desinteressante, mas somos certamente normais. Decerto que as irmãs dela já devem estar fartas de saber factos como «A Georgiana já domina a conjugação de verbos em francês» e «O Frederick esfolou o joelho».

Mas a mãe gosta de receber cartas e diz que é preciso enviar para receber, por isso lá está ela, à escrivaninha, quase todos os dias, a relatar os pormenores enfadonhos das nossas vidas.

– Está a chegar alguém – disse ela, assim que eu comecei a dormitar no sofá.

Sentei-me e olhei para a janela. Era verdade, uma carruagem aproximava-se da entrada.

– Pensei que íamos dar um passeio a cavalo – comentei, um pouco irritada.

Teria eu quase sufocado de calor dentro de um traje de montar para nada?

– Eu também – murmurou a minha mãe, o sobrolho carregando-se enquanto observava a aproximação da carruagem.

Não achei que Mr. Brougham, ou quem quer que viesse na carruagem, pudesse ver a sala através da janela aberta, mas, por via das dúvidas, mantive a minha posição solene no sofá, inclinando a cabeça levemente para poder observar os acontecimentos na frente da casa.

A carruagem parou e um cavalheiro saiu, mas ficou de costas para a casa e eu não conseguia ver nada dele exceto a altura (média) e o cabelo (escuro). Em seguida, ele estendeu a mão e ajudou uma senhora a sair.

Dulcie Brougham!

– O que está ela aqui a fazer? – protestei, indignada.

Assim que Dulcie assentou os dois pés no chão em segurança, o cavalheiro ajudou outra jovem a sair e depois outra. E depois mais outra.

– Ele trouxe todas as meninas Brougham? – perguntou a minha mãe.

– Aparentemente.

– Pensei que elas o odiassem.

Abanei a cabeça.

– Aparentemente, não.

A razão para a mudança radical de opinião das irmãs ficou clara alguns momentos mais tarde, quando Gunning anunciou a sua chegada.

Eu não sei qual terá sido a aparência do Primo Charles *antes*, mas agora... bem, basta dizer que qualquer donzela o acharia agradável à vista. O cabelo dele era espesso e ligeiramente ondulado, e mesmo do outro lado da sala eu conseguia ver como as pestanas eram ridiculamente compridas. A boca era daquelas que pareciam sempre prestes a sorrir, o que, na minha opinião, é o melhor tipo de boca para se ter.

Não estou a dizer que senti algo diferente além de interesse educado, mas as irmãs Brougham atropelavam-se umas às outras para conseguir um lugar no braço dele.

– Dulcie – disse a minha mãe, avançando com um sorriso acolhedor. – E Antonia. E Sarah. – Respirou fundo. – E Cordelia também. Que surpresa agradável ver-vos a todas.

Foi uma prova da habilidade da minha mãe como anfitriã o facto de ela realmente parecer agradada.

– Não podíamos deixar o querido primo Charles vir sozinho – explicou Dulcie.

– Ele não sabe o caminho – acrescentou Antonia.

Não podia ser uma viagem mais simples; bastava ir até à aldeia, virar à direita na igreja e depois era pouco mais de um quilómetro e meio até à entrada de nossa casa.

Mas eu não o disse. Preferi olhar de soslaio para o Primo Charles com uma certa comiseração. Não devia ter sido uma viagem nada divertida.

– Charles, querido – dizia Dulcie –, esta é Lady Crane e Miss Amanda Crane.

Fiz uma reverência, questionando-me se ia ter de subir para aquela carruagem com eles todos. Esperava que não. Se estava calor ali, seria impossível dentro da carruagem.

– Lady Crane, Amanda – continuou Dulcie as apresentações –, este é o meu querido primo Charles, Mr. Farraday.

Levantei a cabeça ao ouvi-lo. A minha mãe tinha razão, o nome dele não era Brougham. Céus, isso significava que ele era parente de *Mrs.* Brougham? Sempre achei Mr. Brougham o elemento mais sensato do casal.

Mr. Farraday fez uma vénia cortês e, por breves instantes, os seus olhos encontraram os meus.

Devo dizer neste momento que não sou romântica. Ou pelo menos não acho que seja. Se fosse, teria feito a minha temporada em Londres. Teria passado os dias a ler poesia e as noites a dançar, a namoriscar e a divertir-me.

Também não acredito no amor à primeira vista. Mesmo os meus pais, que são tão apaixonados um pelo outro, me dizem que não se apaixonaram instantaneamente.

Mas quando os meus olhos encontraram os de Mr. Farraday...

Como disse, não foi amor à primeira vista, pois não acredito nessas coisas. Não aconteceu nada à primeira vista, na verdade, mas houve algo... um entendimento partilhado... um sentido de humor, não sei bem como descrevê-lo.

Suponho que, se fosse obrigada a fazê-lo, eu diria que foi uma sensação de empatia. Que de alguma forma eu já o conhecia. O que, naturalmente, era ridículo.

Mas não tão ridículo quanto as primas, que, alvoroçadas, não cessavam de soltar trinados e arrebiques. Era óbvio que tinham decidido que o Primo Charles não era um monstro e que, se alguém ia casar com ele, seria uma delas.

– Mr. Farraday – cumprimentei, sentindo os cantos da boca apertarem-se numa tentativa de conter o sorriso.

– Miss Crane – respondeu ele ao cumprimento, usando mais ou menos a mesma expressão.

Inclinou-se sobre a minha mão e beijou-a, para grande consternação de Dulcie, que estava de pé ao meu lado.

Mais uma vez, *devo* salientar que não sou romântica. Mas o meu coração deu um pequeno salto quando os lábios dele tocaram a minha pele.

– Infelizmente estou vestida para um passeio a cavalo – disse-lhe eu, apontando para o meu traje de equitação.

– Vejo que sim.

Relanceei com pesar para as primas dele, que não estavam de todo vestidas para qualquer tipo de esforço atlético.

– Está um dia tão lindo – murmurei.

– Meninas – interveio a minha mãe, olhando diretamente para as irmãs Brougham –, porque não se juntam a mim, enquanto a Amanda e o vosso primo vão dar um passeio a cavalo? Eu prometi à vossa mãe que ela lhe mostraria a região.

Antonia abriu a boca para protestar, mas ela não chegava aos pés de Eloise Crane e, de facto, não teve oportunidade de emitir um som sequer, antes de a minha mãe acrescentar:

– O Oliver deve estar mesmo a descer.

Isso resolveu a questão. Sentaram-se todas, em linha no sofá, descendo uma a uma, com sorrisos plácidos idênticos estampados nos rostos.

Quase senti pena do Oliver.

– Eu não trouxe a minha montada – disse Mr. Farraday com pesar.

– Isso não é problema – respondi. – Temos excelentes cavalos. Estou certa de que encontraremos um apropriado.

E lá fomos nós, saindo da sala de estar, depois da casa, virando depois a esquina para a extensão relvada das traseiras e então...

Mr. Farraday encostou-se à parede e desatou a rir.

– Oh, obrigado – disse ele, com grande sentimento. – Obrigado. Muito obrigado.

Eu não sabia se devia fingir ignorância. Não podia reconhecer a atitude sem insultar as primas dele, o que não queria fazer. Como já mencionei, não desgosto das irmãs Brougham, mesmo tendo-as achado um pouco ridículas esta tarde.

– Diga-me que sabe cavalgar – disse ele.

– Claro.

Ele apontou para a casa.

– Nenhuma delas sabe.

– Isso não é verdade – respondi, perplexa.

Eu sabia que já as tinha visto montadas a cavalo em algum momento.

– Elas conseguem sentar-se numa sela – explicou ele, os olhos brilhando com o que só poderia ser desafio –, mas não sabem cavalgar.

– Compreendo – murmurei. Ponderei as minhas opções e disse: – Mas eu sei.

Ele olhou para mim, um canto da boca inclinado para cima. Os olhos eram de um agradável tom de verde, musgoso com pequenas pintas castanhas. E mais uma vez tive aquela estranha sensação de harmonia.

Espero não estar a ser imodesta quando digo que há algumas coisas que faço muito bem. Sei disparar uma pistola (embora não uma carabina, e não como a minha mãe, que é assustadoramente boa atiradora). Sou duas vezes mais rápida do que o Oliver a fazer somas, desde que tenha caneta e papel. Sei pescar, sei nadar e, acima de tudo, sei montar a cavalo.

– Venha comigo – disse eu, apontando para os estábulos.

Ele assim fez, caminhando ao meu lado.

– Diga-me, Miss Crane – começou ele, com a voz a denotar divertimento –, qual foi o suborno para assegurar a sua presença esta tarde?

– Acha que a sua companhia não era uma recompensa suficiente?

– Nem sequer me conhecia – observou ele.

– Verdade. – Viramos para o caminho que dá para as cavalariças e alegrou-me sentir a brisa aumentar. – Pois bem, eu fui manipulada pela minha mãe.

– Admite ter sido manipulada – murmurou ele. – Interessante.

– Não conhece minha mãe.

– Não – assegurou-me ele –, estou impressionado. A maioria das pessoas não o confessaria.

– Como disse, não conhece a minha mãe. – Virei-me para ele e sorri. – Ela é uma de oito irmãos. Superá-la em questões de estratagemas é nada menos do que um triunfo.

Chegámos aos estábulos, mas fiz uma pausa antes de entrarmos.

– E quanto a si, Mr. Farraday? – perguntei. – Qual foi o suborno para assegurar a sua presença esta tarde?

– Eu também fui contrariado – disse ele. – Tinham-me dito que iria escapar às minhas primas.

Deixei escapar uma risada. Uma reação imprópria, é certo, mas inevitável.

– Elas atacaram quando eu estava a sair – acrescentou ele em tom sombrio.

– São um grupo aguerrido – comentei eu, completamente impassível.

– Estava em desvantagem numérica.

– Eu pensei que elas não gostassem de si – disse eu.

– Eu também. – Ele pousou as mãos nas ancas. – Foi a única razão por que concordei com esta visita.

– O que lhes fez exatamente quando eram crianças? – perguntei.

– Devia antes perguntar o que me fizeram elas?

Eu sabia bem que a alegação de ele estar em vantagem por ser homem não era correta. Quatro raparigas podem facilmente trucidar um rapaz. Eu enfrentei o Oliver inúmeras vezes quando era criança e, embora ele nunca seja capaz de o admitir, foram mais as vezes que o venci do que as que perdi.

– Rãs? – perguntei, pensando nas minhas brincadeiras de infância.

– Isso fui eu – admitiu ele, cabisbaixo.

– Peixe morto?

Ele não falou, mas a expressão era claramente de culpa.

– Qual? – insisti, tentando imaginar o horror de Dulcie.

– Todas elas.

Prendi a respiração.

– Ao mesmo tempo?

Ele assentiu.

Fiquei impressionada. Imagino que a maioria das mulheres não considere tais coisas interessantes, mas eu sempre tive um senso de humor raro.

– Alguma vez fez um fantasma com farinha? – perguntei.

Ele ergueu as sobrancelhas e inclinou-se para a frente com ar interessado.

– Fale-me disso.

Contei-lhe da minha mãe, e de como o Oliver e eu tínhamos tentado assustá-la antes de ela se casar com o meu pai. Fomos uns perfeitos monstros. Verdadeiramente. Não apenas crianças travessas, mas um flagelo total e completo para a Humanidade. É de pasmar que o meu pai não nos tenha mandado para um reformatório. A nossa proeza mais memorável foi quando conseguimos colocar um balde de farinha por cima da porta do quarto dela para que, quando a abrisse para sair, levasse um banho de farinha.

O problema é que enchemos muito o balde, por isso foi mais uma camada do que uma chuva de farinha, na verdade, mais uma avalanche do que qualquer outra coisa.

Também não contávamos que o balde lhe acertasse na cabeça.

Quando eu disse que a entrada da minha atual mãe nas nossas vidas nos salvou a todos, foi no sentido literal. O Oliver e eu éramos sedentos de atenção e o nosso pai, por mais encantador que seja agora, não fazia ideia de como nos educar.

Contei tudo isto a Mr. Farraday. Foi muito estranho. Não faço ideia porque falei tanto tempo e disse tanta coisa. Primeiro pensei que fosse por ele ser um ouvinte extraordinário, mas mais tarde ele explicou-me que não, que, na verdade, é um ouvinte terrível e passa a vida a interromper os outros.

Mas não o fez comigo. Ele ouviu e eu falei, depois foi a vez de eu ouvir e de ele falar; contou-me do irmão, Ian, do seu charme angelical e costumes corteses. De como toda a gente o idolatra, apesar de Charles ser o mais velho. De como, apesar de tudo, Charles nunca ter conseguido odiá-lo porque, feitas as contas, Ian era um bom sujeito.

– Ainda quer ir passear a cavalo? – perguntei, quando notei que o sol começava a descer no horizonte.

Não fazia ideia de quanto tempo tínhamos estado ali, a falar e a ouvir, a ouvir e a falar.

Para minha grande surpresa, Charles disse que não, que preferia caminhar.

E assim fizemos.


Ao fim do dia, o tempo ainda se mantinha ameno, por isso, depois do jantar, decidi ir apanhar um pouco de ar. O sol já se encontrava abaixo do horizonte, mas ainda não estava completamente escuro. Sentei-me nas escadas do pátio das traseiras, virada para oeste, para poder ver os últimos indícios da luz do dia passarem de lavanda a púrpura e por fim a negro.

Adoro esta hora do dia.

Fiquei ali sentada um bom bocado, o tempo suficiente para as estrelas começarem a aparecer e para eu ter de cruzar os braços no peito para afastar o frio. Não tinha levado um xaile. Acho que não pensei que ia ficar sentada ao relento durante tanto tempo. Estava prestes a voltar para dentro quando ouvi alguém aproximar-se.

Era o meu pai, que regressava a casa vindo da estufa. Trazia uma lanterna e as mãos sujas de terra. Aquela imagem dele fez-me voltar a sentir criança. Ele era um homem corpulento, como um grande urso, e mesmo antes de se ter casado com Eloise, quando ainda parecia não saber o que dizer aos próprios filhos, sempre me fizera sentir segura. Era o meu pai e proteger-me-ia sempre. Não precisava de o dizer, eu simplesmente sabia.

– Ainda estás cá fora? – disse ele, sentando-se ao meu lado.

Pousou a lanterna e limpou as mãos nas calças de trabalho, sacudindo a terra.

– Estou só a pensar – respondi.

Ele anuiu, apoiou os cotovelos nas coxas e olhou para o céu.

– Há estrelas cadentes esta noite?

Eu abanei a cabeça, mesmo ele não estando a olhar para mim.

– Não.

– Precisas de uma?

Sorri para mim mesma. Ele estava a perguntar se eu tinha algum desejo que precisava de ser satisfeito. Nós costumávamos pedir desejos às estrelas quando eu era pequena, mas, de alguma forma, perdemos esse hábito.

– Não – respondi.

Sentia-me introspetiva, a pensar em Charles e a interrogar-me sobre o significado de ter passado toda a tarde com ele e de mal poder esperar para voltar a vê-lo no dia seguinte. Mas não me parecia que precisasse de ter algum desejo concedido. Pelo menos, ainda não.

– Eu tenho sempre desejos – comentou ele.

– Tem?

Virei-me para ele, a minha cabeça inclinando-se para o lado para lhe observar o perfil. Eu sei que ele era terrivelmente infeliz antes de conhecer a minha mãe atual, mas tudo isso foi no passado. Se havia homem com uma vida feliz e realizada, era ele.

– O que deseja? – perguntei.

– A saúde e a felicidade dos meus filhos, em primeiro lugar.

– Isso não conta – disse eu, sentindo-me sorrir.

– Achas que não? – Ele olhou para mim, e havia mais do que uma pontinha de divertimento nos seus olhos. – Pois asseguro-te de que é a primeira coisa que penso quando acordo e a última antes de me deitar para dormir.

– A sério?

– Eu tenho cinco filhos, Amanda, e cada um deles é saudável e forte. Tanto quanto sei, sois todos felizes. Provavelmente é pura sorte as coisas terem corrido tão bem com vocês, mas não pretendo tentar o destino desejando mais do que isso.

Refleti sobre aquilo um momento. Nunca me ocorrera desejar algo que já tinha.

– É muito assustador ser pai? – perguntei.

– A coisa mais assustadora do mundo.

Não sei o que pensei que ele poderia responder, mas não era aquilo. Foi então que percebi: ele estava a falar comigo como adulta. Parece-me que nunca antes o fizera. Ele continuava a ser o meu pai, e eu a filha dele, mas o facto é que eu cruzara algum limiar misterioso.

Foi emocionante e triste ao mesmo tempo.

Ficámos sentados alguns minutos mais, apontando as constelações, sem dizer nada de grande importância. Então, quando eu estava prestes a voltar para dentro, ele disse:

– A tua mãe disse-me que recebeste a visita de um cavalheiro esta tarde.

– E das quatro primas dele – brinquei.

Ele fitou-me de sobrancelhas arqueadas, uma repreensão silenciosa por ter brincado com um assunto sério.

– Sim, recebi – emendei.

– Gostaste dele?

– Sim. – Senti o corpo ficar mais leve, como se o meu interior se tivesse tornado efervescente. – Gostei.

Ele digeriu a minha resposta e, em seguida, fez a observação:

– Vou ter de arranjar um pau muito grande.

– O quê?

– Eu costumava dizer à tua mãe que quando chegasses à idade de seres cortejada, eu ia ter de afastar os homens à paulada.

Recebi aquela declaração do meu pai como um doce.

– A sério?

– Bem, não quando eras pequenina. Nessa altura eras um pesadelo tal que eu receava que um dia ninguém te ia querer.

– Pai!

Ele soltou uma risada.

– Não digas que não sabes que é verdade.

Eu não podia contradizê-lo.

– Mas quando começaste a crescer e eu comecei a ver os primeiros sinais da mulher em que te tornarias... – Ele suspirou. – Santo Deus, se há alturas em que ser pai é assustador...

– E agora?

Ele ponderou um momento.

– Acho que agora só posso esperar ter-te educado suficientemente bem para tomares decisões sensatas. – Fez uma pausa. – E, claro, se alguém pensar sequer em maltratar-te, eu vou ter sempre o pau.

Eu sorri e cheguei-me mais a ele, para poder descansar a minha cabeça no seu ombro.

– Eu amo-te muito, pai.

– Eu também te amo, Amanda. – Virou-se e deu-me um beijo no cimo da cabeça. – Eu também te amo muito.


A propósito, casei-me com o Charles, sim, e o meu pai nunca teve de brandir o tal pau. O casamento aconteceu seis meses depois, após um período de namoro respeitável e um período de noivado ligeiramente menos respeitável. Mas nem pensar em pôr por escrito qualquer um dos eventos que tornaram o noivado menos respeitável.

A minha mãe insistiu em ter uma conversa privada comigo antes do casamento, mas isso aconteceu na noite anterior ao casamento, altura em que a informação já não era exatamente oportuna, mas não deixei transparecer nada. Fiquei com a nítida impressão, contudo, de que ela e o meu pai também anteciparam os seus votos de casamento. Fiquei chocada. Chocadíssima. Não me parece nada típico deles. Agora que já experimentei os aspetos físicos do amor, o simples pensamento de que os meus pais...

É demasiado para suportar.

A casa de família de Charles é no Dorset, perto do mar, mas como o pai dele está bem vivo e recomenda-se, arrendámos uma casa no Somerset, a meio caminho entre a família dele e a minha. Tal como eu, ele não gosta da cidade. Ele está a pensar em iniciar um programa de criação de cavalos e o curioso disto é que, aparentemente, a criação de plantas e a criação de animais não diferem assim tanto. Ele e o meu pai tornaram-se grandes amigos, o que é bom, exceto que agora o meu pai visita-nos com bastante frequência.

A nossa nova casa não é grande e todos os quartos são muito próximos uns dos outros. O Charles criou um novo jogo a que chama «Descobrir o quão silenciosa consegue ser a Amanda».

Então começa a fazer-me as coisas mais perversas de que se lembra... tudo isto enquanto o meu pai dorme do outro lado do corredor!

É diabólico, mas eu adoro-o. Não consigo evitar. Especialmente quando ele...

Oh, espera, eu disse que não punha nada disto por escrito, não foi?

Basta dizer que estou com um sorriso de orelha a orelha só de me lembrar.

E que *não* fazia parte da conversa pré-nupcial da minha mãe.

Talvez deva admitir que, na noite passada, eu perdi o jogo. Não fui nada silenciosa.

O meu pai não disse uma palavra. Mas partiu inesperadamente naquela tarde, dizendo algo sobre uma qualquer emergência botânica.

Não faço ideia se as plantas *têm* emergências, mas, assim que ele saiu, o Charles insistiu em inspecionar as nossas rosas por causa de não sei quê que o meu pai afirmara não estar bem com elas.

Só que, por algum motivo, quis inspecionar as rosas que já tinham sido cortadas e colocadas numa jarra no nosso quarto.

– Vamos jogar um jogo novo – sussurrou-me ele ao ouvido. – Descobrir o quão ruidosa consegue ser a Amanda.

– O que faço para ganhar? – perguntei. – E qual é o prémio?

Consigo ser bastante competitiva, e ele também, mas julgo que se pode dizer que ambos ganhámos o jogo.

E o prémio foi realmente maravilhoso.

## A Bela e o Vilão

Confesso que quando eu escrevi as palavras finais de *A Bela e o Vilão*, nem sequer me ocorreu interrogar-me se Francesca e Michael teriam filhos. A história de amor de ambos fora tão comovente e tão completa que senti ter fechado esse livro, por assim dizer. Mas poucos dias depois da publicação do livro, comecei a receber os comentários dos leitores, e todos queriam saber a mesma coisa: a Francesca já tinha tido o bebé que tanto desejava? Quando me sentei para escrever o segundo epílogo, sabia que essa era a pergunta a que devia responder...

## A Bela e o Vilão:
## Segundo Epílogo

Estava outra vez a fazer contas.

Contas, sempre a fazer contas.

Sete dias desde a última menstruação.

Seis até chegar ao período fértil.

Entre vinte e quatro e trinta e um até eventualmente chegar mais um período menstrual, se não engravidasse.

O mais provável era isso não acontecer.

Estava casada com Michael há três anos. Três anos. Sofrera por cada uma das trinta e três vezes que lhe apareceram as regras. Contara-as todas, claro; fazia pequenos riscos deprimentes num pedaço de papel que mantinha escondido na escrivaninha, no canto de trás da gaveta do meio, longe da vista de Michael.

Se ele soubesse, só o faria sofrer também. Não porque ele não quisesse um filho, pois queria, mas principalmente porque *ela* queria um filho tão desesperadamente.

Ele queria que ela concretizasse esse desejo. Talvez até mais do que ele próprio desejava um filho.

Ela tentava esconder a tristeza. Tentava sorrir à mesa do pequeno-almoço e fingir que não se *importava* de ter um pedaço de pano entre as pernas, mas Michael via-lho sempre nos olhos e ao longo do dia parecia abraçá-la com mais força, beijá-la na testa com mais frequência.

Ela tentava convencer-se de que devia dar graças a Deus. E dava. Oh, como dava! Todos os dias. Ela era Francesca Bridgerton Stirling, condessa de Kilmartin, abençoada com duas famílias afetuosas: aquela em cujo seio nascera e a que adquirira, duas vezes, pelo casamento.

Tinha um marido com que a maioria das mulheres apenas podia sonhar. Bem-parecido, com senso de humor, inteligente e tão loucamente apaixonado por ela quanto ela por ele. Michael fazia-a rir. Alegrava-lhe os dias e transformava-lhe as noites numa aventura. Adorava conversar com ele, caminhar com ele ou simplesmente ficar sentada no mesmo espaço que ele e observá-lo de soslaio enquanto ambos fingiam ler um livro.

Ela era feliz. Era, sim. E se nunca viesse a ser abençoada com um bebé, pelo menos tinha aquele homem... um homem maravilhoso, incrível e miraculoso que a compreendia de uma forma que a deixava sem palavras.

Ele conhecia-a profundamente. Conhecia cada centímetro dela e mesmo assim nunca parava de a surpreender e de a desafiar.

Ela amava-o. Amava-o com cada sopro de ar no seu corpo.

E a maior parte do tempo, era o suficiente. A maior parte do tempo, era mais do que suficiente.

Mas à noite, depois de ele adormecer e ela continuar acordada, apesar de enroscada nele, sentia um vazio que temia nenhum dos dois jamais ser capaz de preencher. Tocava a sua barriga e lá estava ela, lisa como sempre, como se troçasse dela ao recusar-se a fazer a única coisa que ela desejava mais do que qualquer outra.

E era então que chorava.

Tinha de haver um nome para aquilo, pensou Michael junto à janela, observando Francesca desaparecer na encosta que conduzia ao jazigo da família Kilmartin. Tinha de haver um nome para aquele tipo particular de dor, de tortura, aliás. Tudo o que queria no mundo era fazê-la feliz. Oh, ele queria outras coisas também, como paz, saúde e prosperidade para os seus inquilinos ou para homens sensatos sentados na cadeira de primeiro-ministro durante os próximos cem anos. Mas no final de contas o que ele mais queria era a felicidade de Francesca.

Amava-a. Sempre a amara. Era, ou pelo menos deveria ser, a coisa mais simples do mundo. Ele amava-a. Ponto final. E teria movido Céus e Terra, se pudesse, para a fazer feliz.

Mas a única coisa que ela queria mais do que tudo, a única coisa que ela desejava tão desesperadamente, lutando com tanta coragem para esconder a sua dor por não a ter, parecia que ele não conseguia dar-lhe.

Uma criança.

E o curioso era que ele próprio começava a sentir a mesma dor.

A princípio, sentia-a apenas por ela. Ela queria um filho e, portanto, ele também. Ela queria ser mãe e, portanto, ele queria que ela o fosse. Ele queria vê-la com uma criança nos braços, não porque seria um filho dele, mas porque seria dela.

Ele queria que ela tivesse o que desejava. E por mais egoísta que parecesse, queria ser ele o homem a proporcionar-lho.

Mas, ultimamente, começara a sentir uma dor semelhante, especialmente quando visitavam um dos muitos irmãos ou irmãs dela e eram imediatamente cercados pela imensa prole que constituía a geração seguinte. Eles puxavam-lhe pelas calças e gritavam «Tio Michael!», dando gargalhadas de prazer quando ele os atirava ao ar, sempre a implorar por mais um minuto, mais um rodopio, mais um secreto rebuçado de hortelã-pimenta.

Os Bridgerton eram maravilhosamente férteis. Todos pareciam produzir exatamente o número de filhos que desejavam. E às vezes, mais um, pelo sim pelo não.

Exceto Francesca.

Quinhentos e oitenta e quatro dias depois, Francesca saiu da carruagem Kilmartin e respirou o ar fresco e limpo da região do Kent. A primavera estava bem encaminhada e o sol aquecia-lhe o rosto, mas quando o vento soprava, ainda trazia com ele os últimos resquícios de inverno. Contudo, Francesca não se importava. Ela sempre gostara do arrepio de uma brisa fresca na pele. Michael ficava louco, estava sempre a queixar-se de nunca se ter realmente adaptado à vida num clima frio, depois de tantos anos na Índia.

Ela lamentava que ele não tivesse podido acompanhá-la na longa viagem desde a Escócia para assistir ao batizado da filha de Hyacinth, Isabella. Ele estaria lá, é claro; Michael e ela nunca perdiam o batizado de nenhum dos sobrinhos e sobrinhas. Mas questões de negócios em Edimburgo tinham-no obrigado a atrasar a sua chegada. Francesca poderia ter adiado a viagem, mas há muitos meses que não via a família e tinha saudades de todos.

Era curioso. Quando era mais nova, estava sempre ansiosa por se ir embora, por ter a sua própria casa, a sua própria identidade. Mas agora, observando a prole de sobrinhos a crescer, dava por si a visitá-los com mais frequência. Não queria perder os marcos importantes das suas vidas. Por mero acaso, estava de visita quando a filha de Colin, Agatha, tinha dado os primeiros passos. Fora um momento emocionante. E embora tivesse chorado em silêncio na cama naquela noite, as lágrimas que lhe tinham vindo aos olhos quando vira Aggie dar os primeiros passos e rir, foram de pura alegria.

Se ela não ia ser mãe, então, por Deus, pelo menos teria esses momentos. Não podia suportar a ideia de uma vida sem eles.

Francesca sorriu ao entregar o manto a um lacaio e percorreu os corredores tão familiares de Aubrey Hall. Passara grande parte da sua infância ali e na Bridgerton House, em Londres. Anthony e a mulher tinham feito algumas modificações, mas grande parte da decoração mantinha-se como sempre tinha sido. As paredes ainda eram pintadas do mesmo branco cremoso, com um levíssimo toque de pêssego. A pintura de Fragonard que o pai tinha oferecido à mãe quando ela fizera trinta anos ainda se encontrava pendurada a presidir à mesa, perto da porta de acesso ao salão rosa.

– Francesca!

Virou-se. Era a mãe, que se levantava do seu lugar no salão.

– Há quanto tempo estás aí parada? – perguntou Violet, aproximando-se para a saudar.

Francesca abraçou a mãe.

– Não há muito tempo. Estava a admirar a pintura.

Violet estava ao seu lado e, juntas, admiraram o quadro de Fragonard.

– É maravilhoso, não é? – murmurou a mãe, com um sorriso de suave melancolia tocando-lhe o rosto.

– Eu adoro-o – disse Francesca. – Sempre adorei. Faz-me pensar no pai.

Violet virou-se para ela com surpresa.

– Faz?

Francesca compreendia a sua reação. A pintura era de uma jovem segurando um ramo de flores e respetivo cartão. Não era um tema propriamente masculino. A donzela olhava por cima do ombro, a expressão um pouco travessa, como se, instigada corretamente, pudesse rir. Francesca não se lembrava com clareza da relação dos pais; só tinha seis anos quando o pai morreu. Mas lembrava-se do seu riso, o som rico e profundo do riso do pai vivia dentro dela.

– Acho que o vosso casamento deve ter sido assim – comentou Francesca, apontando para a pintura.

Violet deu meio passo para trás e inclinou a cabeça para o lado.

– És capaz de ter razão – disse ela, parecendo encantada com a descoberta. – Nunca pensei nisso dessa forma.

– Devia levar o quadro consigo para Londres – sugeriu Francesca. – É seu, não é?

Violet corou e, por um breve momento, Francesca viu a jovem que ela fora um dia cintilar-lhe no olhar.

– É – respondeu ela –, mas ele pertence aqui. Foi exatamente neste lugar que ele mo deu. E foi aqui – ela apontou para o lugar de honra na parede – que o pendurámos juntos.

– A mãe era muito feliz – disse Francesca.

Não foi uma pergunta, apenas uma observação.

– Como tu és.

Francesca assentiu.

Violet estendeu a mão e pegou na mão dela, acarinhando-a, ficando ambas a observar a pintura. Francesca sabia exatamente o que a mãe estava a pensar: na sua infertilidade e no facto de parecerem ter o acordo tácito de nunca falarem sobre o assunto; e porque o fariam? O que poderia Violet dizer para melhorar a situação?

Francesca não podia dizer nada, porque isso só faria a mãe sentir-se ainda pior, por isso era melhor ficarem ali, como sempre faziam, a pensar o mesmo, mas nunca o pondo em palavras, e perguntando-se qual delas sofria mais.

Francesca julgava ser ela, afinal o ventre dela é que era estéril. Mas talvez a dor da mãe fosse mais aguda. Violet era a sua *mãe*, e sofria pelos sonhos perdidos da filha. Não seria isso doloroso? E a ironia era que Francesca nunca saberia. Nunca saberia o que era sofrer por uma filha que nunca seria capaz de ser mãe.

Ela tinha quase trinta e três anos. Não conhecia uma só mulher casada que tivesse atingido essa idade sem conceber uma criança. Aparentemente, os filhos ou começavam a aparecer de imediato ou não apareciam de todo.

– A Hyacinth já chegou? – perguntou Francesca, ainda a observar a pintura, ainda a fitar o brilho nos olhos da donzela.

– Ainda não. Mas a Eloise deve chegar esta tarde. Ela...

Francesca apercebeu-se da hesitação na voz da mãe antes de se interromper.

– Está grávida, é isso? – perguntou ela.

Houve um momento de silêncio e então a resposta:

– Sim.

– Isso é maravilhoso.

Era sincero. A alegria pela irmã era total, do fundo do seu coração. Ela só não sabia como a transmitir aos outros.

Não queria olhar para o rosto da mãe. Porque senão ia chorar.

Francesca aclarou a garganta, inclinando a cabeça para o lado como se ainda houvesse uns centímetros do quadro de Fragonard que ainda não perscrutara.

– Mais alguém? – perguntou.

Sentiu o corpo da mãe ficar ligeiramente tenso e perguntou-se se Violet estava a decidir se valeria a pena fingir que não sabia exatamente o que a filha queria dizer.

– A Lucy – respondeu a mãe em voz baixa.

Francesca virou-se finalmente e olhou para Violet, retirando a mão das da mãe.

– Outra vez? – perguntou.

Lucy e Gregory estavam casados há menos de dois anos e este já seria o segundo filho.

Violet anuiu.

– Lamento.

– Não diga isso – retorquiu Francesca, horrorizada com a rispidez da própria voz. – Não diga que lamenta. Não é algo que deva lamentar.

– Não – apressou-se a mãe a reagir. – Não foi isso que eu quis dizer.

– Deve ficar muito feliz por eles.

– Eu fico!

– Mais feliz por eles do que triste por mim – afirmou Francesca num tom sufocado.

– Francesca...

Violet tentou segurar-lhe a mão, mas Francesca afastou-se.

– Prometa-me – começou ela. – Tem de me prometer que vai sempre ficar mais feliz do que triste.

Violet fitou-a, impotente, e Francesca percebeu que a mãe não sabia o que dizer. Durante toda a sua vida, Violet Bridgerton fora a mais sensível e maravilhosa das mães. Parecia sempre saber o que os filhos precisavam, exatamente quando o precisavam, quer fosse uma palavra gentil, um empurrão suave ou até mesmo um gigantesco e proverbial pontapé no traseiro.

Mas agora, neste momento, Violet estava perdida. E fora Francesca a colocá-la naquela situação.

– Desculpe, mãe. – As palavras escaparam-lhe. – Desculpe-me, desculpe-me.

– Não. – Violet correu para a abraçar e, desta vez, Francesca não se afastou. – Não, minha querida – repetiu Violet, acariciando-lhe suavemente o cabelo. – Não digas isso, por favor, não digas isso.

A mãe acalmou-a com afagos e trauteios como se ela fosse uma criança e Francesca deixou-se abraçar. Quando as lágrimas quentes e silenciosas de Francesca caíram no ombro da mãe, nenhuma delas ousou dizer uma palavra.


Quando Michael chegou, dois dias depois, Francesca já tinha mergulhado nos preparativos para o batizado da pequena Isabella e a conversa com a mãe estava, se não esquecida, pelo menos não em primeiro plano na sua mente. Afinal de contas, nada daquilo era novo. Francesca era tão infecunda como de todas as outras vezes que viera a Inglaterra para ver a família. A única diferença era que desta vez falara com alguém sobre isso. Um bocadinho.

Tanto quanto fora capaz.

No entanto, de alguma forma, um certo peso parecera ter-lhe sido retirado dos ombros. Naquele momento no corredor, com os braços da mãe a embalá-la, algo tinha extravasado juntamente com as lágrimas.

Embora ainda lamentasse os bebés que nunca teria, pela primeira vez em muito tempo, sentia-se incondicionalmente feliz.

Era estranho e maravilhoso, e recusava-se terminantemente a questionar os porquês.

– Tia Francesca! Tia Francesca!

Francesca sorriu e enfiou o braço no da sobrinha. Charlotte era a filha mais nova de Anthony, que daí a um mês faria oito anos.

– O que é, boneca?

– A tia viu o vestido da bebé? É tão *comprido*.

– Eu sei.

– E com muitos folhos.

– Os vestidos de batizado costumam ter muitos folhos. Até os meninos são cobertos de rendas.

– Parece-me um desperdício – comentou Charlotte com um encolher de ombros. – A Isabella não *sabe* que está a vestir algo tão bonito.

– Ah, mas sabemos nós.

Charlotte ponderou um momento.

– Mas eu não me importo, e a tia importa-se?

Francesca riu.

– Não, não me importo. Eu amo-a, não importa o que ela vista.

As duas continuaram o passeio pelos jardins, escolhendo jacintos-das-searas para decorar a capela. Tinham quase enchido a cesta quando ouviram o som inconfundível de uma carruagem a aproximar-se da casa.

– Quem será agora? – interrogou-se Charlotte, pondo-se em bicos de pés como se isso pudesse realmente ajudá-la a ver melhor a carruagem.

– Não sei – respondeu Francesca, pois esperavam várias pessoas da família durante a tarde.

– O tio Michael, talvez.

Francesca sorriu.

– Espero que sim.

– Eu *adoro* o tio Michael – disse Charlotte com um suspiro, e Francesca quase soltou uma risada, pois aquele brilho nos olhos da sobrinha já o vira inúmeras vezes antes.

As mulheres adoravam Michael. Aparentemente, até meninas de sete anos não eram imunes ao seu charme.

– Bem, ele é muito elegante – disse Francesca em tom hesitante.

Charlotte encolheu os ombros.

– Suponho que sim.

– Supões? – respondeu Francesca, tentando com todas as forças não sorrir.

– *Eu* gosto dele porque ele atira-me ao ar quando o pai não está a ver.

– É verdade que ele gosta de quebrar as regras.

Charlotte sorriu.

– Eu sei. É por isso que eu não digo ao pai.

Francesca nunca tinha pensado em Anthony como alguém particularmente severo, mas ele era o chefe da família há mais de vinte anos, portanto imaginou que a experiência o tivesse dotado de um certo apreço pela ordem.

E tinha de ser dito... ele *adorava* comandar.

– Será o nosso segredo – sussurrou Francesca, inclinando-se para o ouvido da sobrinha. – E sempre que quiseres ir visitar-nos à Escócia, podes. Nós quebramos as regras constantemente.

Os olhos de Charlotte arregalaram-se.

– Quebram?

– Às vezes tomamos o pequeno-almoço ao jantar.

– Fantástico.

– E fazemos caminhadas à chuva.

Charlotte encolheu os ombros.

– Toda a gente anda à chuva.

– Sim, suponho que sim, mas às vezes nós *dançamos*.

Charlotte deu um passo atrás.

– Posso voltar com a tia *agora*?

– Isso depende dos teus pais, boneca. – Francesca riu e pegou na mão de Charlotte. – Mas podemos dançar agora.

– Aqui?

Francesca assentiu.

– À vista de todos?

Francesca olhou em volta.

– Não vejo ninguém a olhar para nós. E se houvesse, quem se importaria?

Os lábios de Charlotte contraíram-se e Francesca podia praticamente *ver* a sua cabecinha a trabalhar.

– Eu não! – anunciou ela, e passou o braço pelo de Francesca.

Juntas, dançaram uma jiga animada, seguida de uma ainda mais animada dança escocesa, rodopiando até ambas ficarem sem fôlego.

– Oh, quem me dera que chovesse! – exclamou Charlotte a rir.

– E que divertimento haveria nisso? – surgiu uma voz nova.

– Tio Michael! – esganiçou Charlotte, lançando-se para os braços dele.

– E fui imediatamente esquecida – disse Francesca com um sorriso trocista.

Michael fitou-a calorosamente por cima da cabeça de Charlotte.

– Não por mim – murmurou ele.

– A tia Francesca e eu estivemos a dançar – contou-lhe Charlotte.

– Eu sei. Eu vi-vos de dentro da casa. Gostei especialmente da nova.

– Que nova?

Michael fez de conta que não estava a perceber.

– A nova dança que estavam a criar.

– Nós não estávamos a criar nenhuma dança nova – respondeu Charlotte, carregando as sobrancelhas, confusa.

– Então o que era aquilo que implicava atirarem-se para a relva?

Francesca mordeu o lábio para não sorrir.

– Nós *caímos*, tio Michael.

– Não!

– Caímos, sim!

– Foi uma dança vigorosa – confirmou Francesca.

– Então devem ser excecionalmente graciosas, porque parecia *mesmo* que o tinham feito de propósito.

– Não fizemos! Não fizemos! – exclamou Charlotte, cheia de entusiasmo. – Nós simplesmente caímos. Foi por acaso!

– Vou acreditar em ti – disse ele com um suspiro –, mas só porque sei que és demasiado digna para mentir.

Ela fitou-o com uma expressão de derreter corações.

– Eu nunca lhe mentiria, tio Michael – declarou ela.

Ele beijou-lhe a face e pousou-a no chão.

– A tua mãe diz que é hora de ires almoçar.

– Mas o tio acabou de chegar!

– Eu não vou a lado nenhum e tu precisas de sustento depois de tanta dança.

– Não tenho fome – tentou ela.

– É pena, então – disse ele –, porque eu ia ensinar-te a dançar valsa esta tarde, mas não vais conseguir aprender de estômago vazio.

Os olhos de Charlotte arregalaram-se até ficarem dois círculos.

– A sério? O pai disse que eu só podia aprender quando fizesse dez anos.

Michael deu-lhe um daqueles meios sorrisos devastadores que ainda causavam formigueiro a Francesca.

– Não temos de lhe contar, pois não?

– Oh, tio Michael, eu *adoro-o*! – exclamou Charlotte com fervor e, depois de um abraço extremamente vigoroso, correu para Aubrey Hall.

– E cai mais uma – comentou Francesca abanando a cabeça, enquanto observava a sobrinha a atravessar os jardins a correr.

Michael pegou-lhe na mão e puxou-a para si.

– O que é que isso quer dizer?

Francesca abriu um leve sorriso, soltou um suspiro baixinho e disse:

– Eu *nunca* te mentiria.

Ele beijou-a profundamente.

– Espero sinceramente que não.

Ela fitou-lhe os olhos prateados e deixou-se encostar contra o calor do seu corpo.

– Parece que nenhuma mulher está imune.

– Que sortudo sou, então, por me deixar enfeitiçar por uma só.

– Sorte para *mim*.

– Bem, sim – disse ele com modéstia afetada –, mas eu não ia dizer isso.

Ela deu-lhe uma pancadinha afetuosa no braço.

A resposta dele foi um beijo.

– Tive saudades tuas.

– Eu também tive saudades tuas.

– E como está o clã Bridgerton? – perguntou ele, enfiando o braço no dela.

– Maravilhoso – respondeu Francesca. – Estou a divertir-me imenso, por acaso.

– Por acaso? – repetiu ele, com um ar vagamente divertido.

Francesca conduziu-o para longe da casa. Há mais de uma semana que não tinha a companhia dele e não queria partilhá-lo naquele momento.

– O que queres dizer? – perguntou ela.

– Tu disseste «por acaso». Como se fosse uma surpresa.

– Claro que não – respondeu ela. Mas, depois, pensou. – Eu divirto-me sempre quando visito a minha família – acrescentou ela, cautelosa.

– Mas...

– Mas desta vez é melhor. – Ela encolheu os ombros. – Não sei porquê.

O que não era exatamente verdade. Aquele momento com a mãe... tinha havido magia naquelas lágrimas.

Mas não podia dizer-lhe isso. Ele só daria ouvidos à parte das lágrimas e nada mais, e ficaria preocupado; ela, por sua vez, sentir-se-ia horrível por o ter preocupado e estava *cansada* de tudo isso.

Além disso, ele era homem. Nunca iria entender.

– Sinto-me feliz – anunciou ela. – Deve ser alguma coisa no ar.

– O sol *está* a brilhar – observou ele.

Ela ofereceu-lhe um alegre e simples encolher de um só ombro e encostou-se a uma árvore.

– Os pássaros cantam.

– As flores desabrocham?

– Apenas algumas – admitiu ela.

Ele observou a paisagem.

– Só falta um lindo e fofo coelhinho aos pulinhos pelo campo.

Ela sorriu alegremente e inclinou-se para um beijo.

– O esplendor bucólico é uma coisa maravilhosa.

– Verdade. – Os lábios encontraram os dela com um apetite familiar. – Tive saudades tuas – disse ele, a voz rouca de desejo.

Ela deixou escapar um pequeno gemido de prazer quando ele lhe mordiscou a orelha.

– Eu sei. Já disseste.

– Vale a pena repetir.

Francesca quis dizer algo espirituoso sobre nunca se cansar de o ouvir, mas naquele momento viu-se pressionada contra a árvore até perder o fôlego, uma das suas pernas erguida rodeando as ancas dele.

– Usas roupa a *mais* – resmungou ele.

– Estamos demasiado perto da casa – suspirou ela, o ventre contraindo-se de prazer quando ele se encostou mais intimamente a ela.

– Quão longe é – murmurou ele, uma das mãos deslizando-lhe sob as saias – «não muito perto»?

– Não muito longe.

Ele afastou-se ligeiramente e fitou-a.

– A sério?

– A sério.

Os lábios curvaram-se num meio sorriso, fazendo-a sentir-se diabólica. Poderosa. Com vontade de assumir o comando. Dele. Da própria vida. De tudo.

– Vem comigo – disse ela impulsivamente, agarrando na mão dele e desatando a correr.

Michael tinha sentido saudades da mulher. À noite, quando não a sentia ao seu lado, a cama ficava fria e o ar parecia vazio. Mesmo quando estava cansado e o corpo não ansiava pelo dela, ansiava-lhe a presença, o cheiro, o calor.

Sentia falta do som da sua respiração. Sentia falta de como o colchão se mexia de forma diferente quando lá havia um segundo corpo.

Ele sabia que ela sentia o mesmo, apesar de ser mais reticente do que ele e muito menos propensa a usar palavras tão fervorosas. Mas, ainda assim, ficava agradavelmente surpreendido por estar a correr pelos campos, deixando-a assumir a liderança, sabendo que daí a poucos minutos, estaria profundamente mergulhado dentro dela.

– Aqui – declarou ela, parando de repente no sopé de uma colina.

– Aqui? – perguntou ele com ar de dúvida, pois não havia cobertura de árvores, nada que impedisse a vista de alguém que passasse por ali.

Ela sentou-se.

– Ninguém vem para estes lados.

– Ninguém?

– A relva é muito macia – disse ela com ar sedutor, dando palmadinhas no lugar ao lado dela.

– Não vou nem perguntar como sabes isso – murmurou ele.

– Piqueniques com as minhas *bonecas* – explicou ela, com uma expressão deliciosamente indignada.

Ele tirou o casaco e estendeu-o na relva, fazendo as vezes de manta. O chão era ligeiramente inclinado, o que talvez fosse mais confortável para ela do que se fosse horizontal.

Olhou para ela. Olhou para o casaco. Ela não se mexeu.

– Tu – disse ela.

– Eu?

– Deita-te – ordenou ela.

Ele obedeceu. Com entusiasmo.

E então, antes de ter tempo para fazer qualquer comentário, para provocar ou persuadir, ou até mesmo para respirar, ela posicionou-se em cima dele.

– Oh, meu D... – começou ele de forma entrecortada, mas não conseguiu terminar.

Ela beijava-o, a boca quente, faminta e agressiva. Era tudo deliciosamente familiar; ele adorava conhecer cada pedacinho dela, desde o declive dos seus seios ao ritmo dos seus beijos, contudo, desta vez, sentia-a ligeiramente...

Diferente.

Renovada.

Deslizou uma das mãos até à nuca dela. Em casa, gostava de lhe tirar os ganchos um por um, admirando cada madeixa libertar-se do penteado. Mas hoje estava demasiado carente, sentia uma urgência desmesurada e não tinha paciência para...

– Porque fizeste isso? – perguntou ele, pois ela tinha-lhe tirado a mão.

Os olhos dela semicerraram-se com languidez.

– Sou eu que mando – sussurrou ela.

O corpo dele ficou mais tenso. Mais. Meu Deus, ela ia matá-lo.

– Não vás devagar – suspirou ele, sem fôlego.

Mas não lhe pareceu que ela o ouvisse. Os movimentos dela eram vagarosos ao abrir-lhe as calças, deixando as mãos deslizar ao de leve pelo abdómen até chegar ao objetivo.

– Frannie...

Um dedo. Foi tudo o que ela lhe deu. Um dedo deslizando leve como uma pena ao longo do seu membro.

Ela olhou para ele.

– Isto é divertido – comentou ela.

Ele concentrou-se em tentar respirar.

– Eu amo-te – disse ela suavemente, e ele sentiu-a erguer-se.

Ela puxou a saia até às coxas, posicionou-se e, num movimento magistralmente rápido, tomou-o todo, o corpo dela descansando em seguida contra o dele.

Ele quis mexer-se. Queria impulsionar-se ou inverter as posições e preenchê-la até ambos serem nada mais que pó, mas as mãos dela seguravam-lhe firmes as ancas; ele olhou para ela e viu-lhe os olhos fechados, como se estivesse a concentrar-se.

A respiração era lenta e constante, mas ruidosa, e a cada exalar ela parecia afundar-se nele cada vez mais pesada.

— Frannie — gemeu ele, pois não sabia mais o que fazer.

Ele queria que ela se mexesse mais depressa. Ou com mais força. Ou qualquer outra coisa, mas ela mantinha o mesmo movimento lânguido para trás e para frente, as ancas arqueando e curvando-se em delicioso tormento. Ele agarrou-lhe as ancas, com a intenção de a fazer subir e descer, mas ela abriu os olhos e abanou a cabeça com um sorriso suave e feliz.

— Eu gosto assim — disse ela.

Ele queria algo diferente. Ele *precisava* de algo diferente, mas quando ela olhou para ele, o seu ar era tão ditosamente feliz que ele não conseguiu negar-lhe nada. Logo depois, o corpo dela começou a estremecer, e foi estranho, porque ele conhecia a sensação do clímax dela tão bem, mas, desta vez, parecia mais suave... e mais forte, ao mesmo tempo.

Ela balançou e agitou-se, até por fim deixar escapar um pequeno grito e cair contra ele.

Nesse momento, para sua total e completa surpresa, ele explodiu. Não se julgara pronto. Não pensara estar remotamente perto do clímax, não que tivesse precisado de muito tempo se tivesse sido capaz de se mover por baixo dela. Mas então, sem aviso, simplesmente explodiu.

Ficaram assim deitados durante algum tempo, o sol banhando-os suavemente. Ela encaixou o rosto junto ao pescoço dele, e ele abraçou-a, perguntando-se como era possível que tais momentos existissem.

181

Porque era perfeito. Ele teria ficado ali para sempre, se pudesse. E mesmo não lhe tendo perguntado, sabia que ela sentia o mesmo.

Tinham a intenção de regressar a casa dois dias depois do batizado, pensou Francesca enquanto observava um dos sobrinhos a deitar outro ao chão numa luta, mas ali estavam eles, três semanas depois e ainda não tinham começado a fazer as malas.

— Não há ossos partidos, espero.

Francesca sorriu para a irmã, Eloise, que também tinha decidido prolongar a visita e ficar em Aubrey Hall.

— Não — respondeu ela, encolhendo-se ligeiramente quando o futuro duque de Hastings, também conhecido como Davey, de onze anos, soltou um grito de guerra ao saltar de uma árvore. — Mas não é por falta de tentativas.

Eloise sentou-se ao lado dela e inclinou o rosto para o sol.

— Ponho o chapéu daqui um minuto, prometo — disse ela.

— Não consigo perceber as regras do jogo — comentou Francesca.

Eloise não se incomodou em abrir os olhos.

— Isso é porque não há nenhuma.

Francesca observou o caos sob a nova perspetiva. Oliver, o enteado de Eloise, de doze anos, tinha agarrado numa bola... quando tinha aparecido aquela bola?... e corria pela extensão relvada. Ele pareceu ter alcançado o seu objetivo, não que Francesca soubesse qual era: se o tronco gigante do carvalho que ali existia desde que ela era criança ou Miles, o segundo filho de Anthony, que estava sentado com as pernas e braços cruzados desde que Francesca viera cá para fora dez minutos antes.

Mas qualquer que fosse o caso, Oliver devia ter ganhado um ponto, porque bateu com a bola no chão e desatou aos saltos com um grito de triunfo. Miles devia pertencer à equipa dele, e aquela era a primeira indicação que Francesca tinha de que havia equipas, porque de repente levantou-se e desatou a celebrar da mesma forma.

Eloise abriu um olho.

– O meu filho não matou ninguém, pois não?

– Não.

– Ninguém o matou?

Francesca sorriu.

– Não.

– Ainda bem.

Eloise bocejou e acomodou-se melhor na espreguiçadeira.

Francesca refletiu sobre as palavras dela.

– Eloise?

– Hum?

– Tu... – interrompeu-se, franzindo o sobrolho, pois não havia realmente uma maneira certa de fazer aquela pergunta. – Alguma vez sentiste que amas o Oliver e a Amanda...

– Menos? – ajudou Eloise.

– Sim.

Eloise endireitou-se e abriu os olhos.

– Não.

– Verdade?

Não que Francesca não acreditasse nela. Ela amava todos os sobrinhos com toda a sua alma; era capaz de dar a vida por qualquer um deles, sem um instante de hesitação, Oliver e Amanda incluídos. Mas ela nunca tinha dado à luz. Nunca tinha carregado uma criança no ventre, pelo menos, não por muito tempo, e não sabia se de alguma forma isso tornava tudo diferente. Se tornava o amor maior.

Se tivesse um bebé, um a que pudesse chamar seu, nascido dela e de Michael, será que de repente perceberia que o amor que sentia agora por Charlotte e Oliver e Miles e todos os outros... será que de repente esse amor lhe pareceria uma amostra débil comparado com o que sentiria pelo seu próprio filho?

Será que faria diferença?

Será que queria que fizesse diferença?

– Eu pensei que sim – admitiu Eloise. – Claro que eu amava o Oliver e a Amanda muito antes de ter a Penelope. Como não poderia? Eles fazem parte do Phillip. Além de que... – continuou ela, a sua expressão tornando-se pensativa, como se nunca o tivesse aprofundado antes – eles são... eles. E eu sou a mãe deles.

Francesca sorriu com melancolia.

– Mas, mesmo assim – continuou Eloise –, antes de ter a Penelope, e mesmo quando estava grávida dela, cheguei a pensar que seria diferente. – Fez uma pausa. – *É* diferente. – Parou novamente. – Mas não é menor. Não é uma questão de níveis ou de quantidades, ou até de... da natureza do sentimento. – Eloise encolheu os ombros. – Não sei explicar.

Francesca voltou a olhar para o jogo, que fora retomado com nova energia.

– Acho que explicaste – disse ela baixinho.

Seguiu-se um longo silêncio e então Eloise disse:

– Tu não... falas muito sobre isso.

Francesca abanou a cabeça suavemente.

– Não.

– E queres?

Ela pensou um momento.

– Não sei.

Virou-se para a irmã. Durante grande parte da infância, as duas tinham-se dado como cão e gato, mas em muitos aspetos, Eloise era como a outra face da sua moeda. Eram muito parecidas fisicamente, exceto na cor dos olhos, e até partilhavam o dia de aniversário, apenas com um ano de diferença.

Eloise observava-a com uma curiosidade ternurenta, uma compaixão que, poucas semanas antes, teria sido devastadora. Mas agora era simplesmente reconfortante. Francesca não sentia a pena dela, sentia-se amada.

– Estou feliz – disse Francesca.

E estava. Realmente estava. Pela primeira vez, não sentia aquele vazio doloroso fechado dentro dela. Até se esquecera de fazer contas. Não sabia quantos dias tinham passado desde a última menstruação e a sensação era simplesmente *maravilhosa*.

– Eu odeio números – murmurou ela.

– Perdão?

Ela conteve um sorriso.

– Nada.

O sol, que se escondera atrás de uma fina camada de nuvens, surgiu de repente em todo o seu esplendor. Eloise protegeu os olhos com a mão e recostou-se.

– Céus! Acho que o Oliver acabou de se *sentar* em cima do Miles – comentou.

Francesca soltou uma gargalhada e subitamente, sem pensar, levantou-se.

– Achas que eles me deixam jogar?

Eloise fitou-a como se ela tivesse enlouquecido, deixando Francesca a pensar, com um encolher de ombros, que talvez tivesse mesmo.

Eloise olhou para Francesca, depois para os meninos e novamente para Francesca. Então levantou-se também.

– Se o fizeres, eu também faço.

– Não podes – protestou Francesca. – Estás grávida.

– Ainda estou pouco grávida – escarneceu Eloise. – Além do mais, o Oliver não ousaria sentar-se em cima de mim. – Estendeu o braço. – Vamos?

– Vamos a isso.

Francesca deu o braço à irmã e juntas desceram a colina a correr, gritando como loucas e adorando cada minuto.


– Ouvi dizer que deste um belo espetáculo esta tarde – comentou Michael, sentando-se na beira da cama.

Francesca não se mexeu. Nem uma pálpebra.

– Estou exausta – foi a única resposta.

Ele pegou na bainha empoeirada do vestido dela.

– E suja, também.

– Estou demasiado cansada para me lavar.

– O Anthony disse que o Miles comentou ter ficado muito impressionado contigo. Aparentemente, apesar de seres rapariga jogas muito bem.

– Eu teria sido brilhante se tivesse sido informada de que não podia usar as mãos – respondeu ela.

Ele riu baixinho.

– Que jogo era, exatamente?

– Não faço ideia. – Ela deixou escapar um pequeno gemido exausto. – Massajas-me os pés?

Ele sentou-se melhor na cama e subiu-lhe ligeiramente o vestido. Os pés estavam imundos.

– Santo Deus! – exclamou ele. – Andaste a jogar descalça?

– Não dava para jogar de sapatos.

– Como se saiu a Eloise?

– Ela, aparentemente, atira a bola como um rapaz.

– Pensei que não podiam usar as mãos.

Ela soergueu-se com ar indignado, apoiando-se nos cotovelos.

– *Pois!* Dependia da extremidade do campo em que se estava. Quem é que já ouviu falar de uma coisa dessas?!

Ele pegou-lhe num pé, pensando que não podia esquecer-se de as lavar depois... dos pés que tratasse ela.

– Eu não fazia ideia de que eras tão competitiva – comentou ele.

– É de família – murmurou ela. – Não, não, aí. Sim, exatamente aí. Com mais força. Ai que bom...

– Porque é que acho que já ouvi isso antes? – brincou ele. – Só que nesse caso era muito mais divertido para mim.

– Cala-te e continua a massajar-me os pés.

– Ao vosso serviço, Vossa Majestade – murmurou ele, sorrindo quando percebeu que ela se mostrava perfeitamente feliz em ser tratada como tal. Depois de um minuto ou dois de silêncio, salvo o gemido ocasional de Francesca, ele perguntou: – Quanto tempo mais queres ficar?

– Estás ansioso por voltar para casa?

– Eu tenho assuntos a tratar – respondeu ele –, mas nada que não possa esperar. Na verdade, estou a gostar bastante deste tempo com a tua família.

Ela arqueou uma sobrancelha e sorriu.

– De verdade?

– De verdade. Embora tenha sido um pouco assustador quando a tua irmã me venceu no tiro ao alvo.

– Ela vence todos. Sempre o fez. Joga com o Gregory da próxima vez. Ele não consegue acertar nem numa árvore.

Michael passou para o outro pé. Francesca parecia tão feliz e descontraída. Não apenas agora, mas ao jantar e na sala de estar e quando brincava com os sobrinhos e até mesmo à noite, quando fazia amor com ela na enorme cama de dossel. Ele estava pronto para regressar a casa, a Kilmartin, que era antiga e cheia de correntes de ar, mas indelevelmente deles. Contudo, ficaria satisfeito em permanecer ali para sempre, se isso significava ver Francesca com aquele ar de constante felicidade.

– Acho que tens razão – disse ela.

– Claro que tenho – respondeu ele –, mas sobre o quê, exatamente?

– É hora de irmos para casa.

– Eu não disse que era. Simplesmente perguntei qual era a tua intenção.

– Não era preciso dizeres – contrapôs ela.

– Se quiseres ficar...

Ela abanou a cabeça.

– Não. Eu quero ir para casa. Para a nossa casa. – Com um gemido dorido, ela sentou-se, cruzando as pernas. – Foi adorável estar aqui e diverti-me imenso, mas sinto falta de Kilmartin.

– Tens a certeza?

– Sinto falta de ti.

Ele ergueu as sobrancelhas.

– Eu estou aqui.

Ela sorriu e inclinou-se para a frente.

– Sinto falta de te ter só para mim.

– Basta dizer, minha senhora. A qualquer hora e em qualquer lugar. Fujo contigo e deixo que te aproveites de mim.

Ela riu.

– Talvez agora seja um bom momento.

Ele achou uma excelente ideia, mas o cavalheirismo obrigou-o a dizer:

– Pensei que estavas dorida e cansada.

– Não tanto assim. Não se tu fizeres o trabalho todo.

– Isso, minha cara, não é problema. – Tirou a camisa pela cabeça e deitou-se ao lado dela, dando-lhe um longo e delicioso beijo. Afastou-se com um suspiro de satisfação e pôs-se a admirá-la. – És tão linda – sussurrou. – Mais do que nunca.

Ela sorriu, aquele seu sorriso preguiçoso de quem acabou de ser inteiramente satisfeita ou de quem sabe estar prestes a ser.

Ele adorava aquele sorriso.

Passou a desapertar-lhe os botões das costas do vestido e já ia a meio quando lhe surgiu um pensamento repentino.

– Espera – disse ele. – Podes?

– Posso o quê?

Ele parou, franzindo o sobrolho enquanto fazia contas de cabeça. Ela não deveria estar a menstruar?

– Não estás com as regras? – perguntou ele.

Os lábios dela entreabriram-se e ela pestanejou.

– Não – respondeu, parecendo um pouco sobressaltada, não pela pergunta, mas pela resposta. – Não, não estou.

Ele mudou de posição, recuando ligeiramente para poder observá-la melhor.

– Achas que...?

– Não sei. – Ela piscava rapidamente os olhos agora e ele ouvia-lhe a respiração mais acelerada. – Talvez. Eu posso...

Ele queria gritar de alegria, mas não se atreveu. Ainda não.

– Quando achas que...

– ... terei a certeza? Não sei. Talvez...

– ... daqui a um mês? Dois?

– Talvez dois. Talvez mais cedo. Não sei. – A mão dela voou para a barriga. – Pode ser falso alarme.

– Ou pode não ser – disse ele com cuidado.

– Mas existe essa possibilidade.

– Sim, existe.

Ele sentiu o riso borbulhar dentro de si, uma sensação de estranha vertigem na barriga, que crescia e titilava até lhe explodir nos lábios.

– Não temos a certeza – alertou ela, mas ele podia ver-lhe o entusiasmo também.

– Pois não – concordou ele, mas, de alguma forma, sabia que era verdade.

– Eu não quero começar a ter esperanças.

– Não, não, claro que não devemos.

Os olhos dela arregalaram-se e ela pousou as duas mãos na barriga, ainda absoluta e totalmente plana.

– Sentes alguma coisa? – sussurrou ele.

Ela abanou a cabeça.

– Seria muito cedo, de qualquer maneira.

Ele sabia isso. Ele sabia que sabia isso. Nem sabia porque perguntara.

Então Francesca disse a coisa mais estranha.

– Mas ele está aqui – sussurrou ela. – Eu sei que está.

– Frannie...

Se ela estivesse enganada, se o coração dela se partisse novamente... ele sabia que simplesmente não conseguiria suportar.

Mas ela abanava a cabeça, dizendo:

– É verdade – disse, mas não insistiu. Não tentou convencê-lo, ou a si mesma. Ele apercebeu-se disso na voz dela. De alguma forma, ela sabia.

– Tens sentido alguma má disposição? – perguntou ele.

Ela abanou a cabeça.

– Tens... Santo Deus, não devias ter estado a brincar com os meninos esta tarde.

– A Eloise brincou.

– A Eloise pode fazer o que bem entender. *Tu* não és ela.

Francesca sorriu. Ele poderia até jurar que ela sorriu como uma madona. Em seguida, disse:

– Eu não quebro.

Ele lembrou-se de quando ela abortara anos antes. Não era o filho dele, mas ele sentira-lhe a dor, escaldante e devastadora, como um punho a apertar o coração. O primo dele, o primeiro marido de Francesca, tinha morrido poucas semanas antes e ambos ainda estavam desnorteados pela perda. Quando ela perdera o bebé de John...

Nenhum dos dois seria capaz de sobreviver a mais uma perda como aquela.

– Francesca – disse ele com urgência –, tens de ter muito cuidado. *Por favor.*

– Não vai acontecer de novo – disse ela, abanando a cabeça.

– Como é que *sabes*?

Ela encolheu os ombros como quem também não entende.

– Não sei. Simplesmente sei.

Meu Deus, ele rezava para que ela não estivesse a iludir-se.

– Queres contar à tua família? – perguntou ele, baixinho.

Ela abanou a cabeça.

– Ainda não. Não porque tenha qualquer receio – apressou-se a acrescentar. – Eu só quero... – Os lábios contraíram-se no mais leve e adoravelmente tonto dos sorrisos. – Eu só quero que seja algo só meu durante algum tempo. Nosso.

Ele levou a mão dela aos lábios.

– Quanto tempo é «algum tempo»?

– Não tenho a certeza. – Mas os olhos começavam a brilhar de astúcia. – Ainda não tenho a certeza...

*Um ano depois...*

Violet Bridgerton amava todos os filhos por igual, mas amava-os de forma *diferente* também. E quando se tratava de sentir a falta deles, fazia-o da maneira que considerava mais lógica. O seu coração ansiava mais pelo que via menos. E era por essa razão que se encontrava inquieta e ansiosa, esperando na sala de estar de Aubrey Hall que a carruagem com o brasão dos Kilmartin chegasse, pulando a cada cinco minutos para ir espreitar à janela.

— Na carta, ela dizia que chegariam hoje – tranquilizou-a Kate.

— Eu sei – respondeu Violet com um sorriso tímido. – É só que não a vejo há um ano. Eu sei que a Escócia fica longe, mas nunca antes passei um ano inteiro sem ver um dos meus filhos.

— A sério? – perguntou Kate. – Isso é notável!

— Todos temos as nossas prioridades – disse Violet, achando que não fazia sentido tentar fingir que não estava ansiosa.

Pousou o bordado e mudou-se para a janela, esticando o pescoço quando julgou ver algo cintilar à luz do sol.

— Mesmo quando o Colin viajava tanto? – inquiriu Kate.

— A viagem mais longa que fez foi de trezentos e quarenta e dois dias – respondeu Violet. – Quando viajou para o Mediterrâneo.

— Contou os dias?

Violet encolheu os ombros.

— Não consigo evitar. Eu gosto de contar.

Lembrou-se de todas as contas que fazia quando os filhos estavam a crescer, certificando-se de que no final de um passeio tinha o mesmo número de descendentes que contara no início. – Ajuda a manter o controlo das coisas.

Kate sorriu, baixando-se para embalar o berço a seus pés.

— Nunca mais reclamo da logística de gerir quatro.

Violet atravessou a sala para espreitar o seu neto mais recente. A pequena Mary tinha chegado de surpresa, tantos anos depois de Charlotte. A própria Kate pensara já ter passado os anos de fertilidade, mas então um dia, há dez meses, levantara-se da cama, caminhara calmamente até ao bacio, esvaziara o conteúdo do estômago e anunciara a Anthony:

— Acho que vamos ter mais um filho.

Ou assim tinham contado a Violet. Ela fazia questão de não se meter nos assuntos de quarto dos seus filhos já adultos, exceto em caso de doença ou parto.

— Eu nunca reclamei — disse Violet baixinho.

Kate não ouviu, mas também não era intenção de Violet que ela ouvisse. Sorriu para Mary, que dormia docemente debaixo de um cobertor púrpura.

— Acho que a tua mãe teria ficado encantada — disse ela, olhando para Kate.

Kate concordou com a cabeça, os olhos marejados de lágrimas. A mãe dela, Mary Sheffield, que era, na verdade, a madrasta, criara Kate desde menina, mas falecera um mês antes de Kate saber que estava grávida.

— Eu sei que não faz sentido — disse Kate, inclinando-se para examinar o rostinho da filha mais de perto —, mas eu era capaz de jurar que esta pequenina se parece um pouco com ela.

Violet pestanejou e inclinou a cabeça para o lado, como quem observa.

— Acho que tens razão.

— Algo nos olhos dela.

— Não, é o nariz.

— Acha? Eu pensei... Oh, veja! — Kate apontou para a janela. — Não é a Francesca?

Violet endireitou-se e correu para a janela.

— É, sim! — exclamou. — E o sol brilha. Vou esperar lá fora.

Com um rápido olhar para trás, agarrou no xaile que estava pousado numa mesinha de apoio e correu para o corredor. Há tanto tempo que não via Frannie... mas essa não era a única razão pela qual ela estava tão ansiosa por vê-la. Francesca tinha mudado durante a sua última visita, quando viera para o batizado de Isabella. Era difícil de explicar, mas Violet apercebera-se de que algo mudara na filha.

De todos os filhos, Francesca sempre fora a mais calada, a mais reservada. Ela amava a família, mas também gostava de estar afastada deles, forjando a sua própria identidade, traçando sozinha o rumo da sua própria vida. Não era de admirar que nunca tivesse partilhado os seus sentimentos sobre o aspeto mais doloroso da sua vida: a infertilidade. Mas da última vez, mesmo não tendo falado sobre isso de forma explícita, algo perpassara dentro delas, e Violet quase sentira como se tivesse sido capaz de absorver um pouco da dor da filha.

Quando Francesca partira, as nuvens atrás dos seus olhos tinham desaparecido. Violet não sabia se finalmente aceitara o seu destino ou se simplesmente aprendera a regozijar-se com o que tinha, mas Francesca parecia, pela primeira vez na memória recente de Violet, exsudar uma felicidade sem reservas.

Violet atravessou o átrio a correr... francamente, na idade dela... e empurrou a porta da frente para ir esperar lá fora. A carruagem de Francesca estava perto, já a fazer a última curva, para que uma das portas ficasse diante da casa.

Violet viu Michael pela janela. Ele acenou. Ela sorriu.

– Oh, tive tantas saudades! – exclamou ela, apressando-se na sua direção, assim que ele saiu da carruagem. – Têm de me prometer que nunca mais esperam tanto tempo para me visitar.

– Como se eu fosse capaz de lhe recusar fosse o que fosse – disse ele, inclinando-se para lhe beijar a face.

Ele virou-se, estendendo o braço para ajudar Francesca a descer.

Violet abraçou a filha, depois deu um passo atrás para olhar para ela. Frannie estava...

Radiante.

Irradiava felicidade.

– Tive saudades suas, mãe – disse ela.

Violet teria respondido, mas viu-se inesperadamente engasgada. Sentiu os lábios contrair-se e tremelicar nos cantos enquanto lutava para conter as lágrimas. Não sabia porque estava tão emocionada. Sim, tinha passado mais de um ano, mas não tinha já estado sem a ver trezentos e quarenta e dois dias? Isto não era muito diferente.

– Trouxe-lhe uma coisa – anunciou Francesca, e Violet podia jurar que os olhos da filha chisparam de felicidade também.

Francesca voltou-se para a carruagem e estendeu os braços. Uma criada apareceu à porta, segurando uma espécie de trouxa, que entregou à sua senhora.

Violet suspirou de choque. Santo Deus, não podia ser...

– Mãe – disse Francesca baixinho, embalando a pequena trouxinha preciosa –, este é o John.

As lágrimas, que tinham esperado pacientemente nos olhos de Violet, começaram a rolar.

– Frannie – sussurrou ela, aceitando o bebé nos braços –, porque não me contaste?

E Francesca, a sua enlouquecedora e inescrutável terceira filha, respondeu:

– Não sei.

– Ele é lindo – disse Violet, não se importando por a informação lhe ter sido ocultada.

Não se importava com mais nada naquele momento, exceto com o pequeno menino nos seus braços, que a olhava com uma expressão incrivelmente sábia.

– Ele tem os teus olhos – disse Violet, olhando para Francesca.

Frannie concordou com a cabeça, um sorriso quase pateta nos lábios, como se ela própria não acreditasse.

– Eu sei.

– E a tua boca.

– Acho que é capaz de ter razão.

– E o teu... oh, acho que tem o teu nariz também.

– Já me disseram que eu também estive envolvido na sua criação – comentou Michael com uma voz divertida –, mas ainda não vi provas.

Francesca olhou-o com tanto amor que Violet quase ficou sem ar.

– Ele tem o teu charme – disse Francesca.

Violet soltou uma gargalhada e logo depois mais outra. Era tanta a felicidade dentro dela que era incapaz de a conter.

– Acho que está na hora de apresentarmos este pequenino à família – disse ela. – Não achas?

Francesca estendeu os braços para pegar no bebé, mas Violet desviou-se.

– Ainda não – pediu ela, pois queria abraçá-lo um pouco mais. Talvez até terça-feira.

– Mãe, acho que ele pode estar com fome.

Violet assumiu uma expressão altiva.

– Ele avisa-nos se assim for.

– Mas...

– Eu sei uma coisa ou outra sobre bebés, Francesca Bridgerton Stirling. – Violet sorriu para John. – Que eles adoram as avós, por exemplo.

Ele gorgolejou e arrulhou, e depois, ela teve a certeza, sorriu.

– Anda comigo, pequenino – sussurrou ela. – Tenho tanto para te contar.

Atrás dela, Francesca virou-se para Michael e disse:

– Achas que vamos conseguir tê-lo nos braços durante esta visita?

Ele abanou a cabeça e, em seguida, acrescentou:

– Dá-nos mais tempo para tratarmos de lhe arranjar uma irmã.

– Michael!

– Ouve o teu homem – disse Violet em voz alta, sem se preocupar em virar-se para trás.

– Céus! – murmurou Francesca.

Mas ela deu ouvidos à mãe.

E adorou fazê-lo.

E nove meses depois, disse bom dia a Janet Helen Stirling.

Que era a cara *chapada* do pai.

## Aquele Beijo

Se houve final de um dos meus livros a que os leitores reagiram efusivamente, foi ao de *Aquele Beijo*, quando a filha de Hyacinth encontra os diamantes que Hyacinth procurava há mais de uma década... e volta a escondê-los no mesmo sítio. Na altura pensei que era exatamente o que uma filha de Hyacinth e de Gareth faria, e convenhamos, não era justiça poética que Hyacinth (uma personagem a que só posso chamar «um osso duro de roer») tivesse uma filha que fosse exatamente como ela?

Mas acabei por concordar com os leitores: Hyacinth merecia encontrar os diamantes... finalmente.

## Aquele Beijo:
## Segundo Epílogo

*1847, e o círculo completou-se. Verdadeiramente.*

Pffpf!

Era oficial.

Tinha-se transformado na própria mãe.

Hyacinth St. Clair, sentada no banco almofadado de Mme. Langlois, a costureira mais elegante de toda a Londres, lutou contra o impulso de enterrar o rosto nas mãos.

Contou até dez, em três línguas, e depois, por via das dúvidas, engoliu em seco e soltou um suspiro. Porque, sinceramente, não podia perder as estribeiras num tal cenário público.

Não importava o quão desesperadamente quisesse *estrangular* a filha.

– Mamã.

Isabella espreitou por trás da cortina. Hyacinth reparou que a palavra fora uma afirmação, não uma pergunta.

– Sim? – respondeu, estampando no rosto uma expressão de tal serenidade plácida que podia pertencer a uma daquelas pinturas de *Pietà* que tinham visto da última vez que foram a Roma.

– O cor-de-rosa não.

Hyacinth fez um gesto com a mão. Qualquer coisa para se abster de falar.

– E o roxo muito menos.

– Parece-me que não sugeri roxo – murmurou Hyacinth.

– O azul não é do tom certo, nem o vermelho, e francamente eu não entendo a insistência que a sociedade parece ter com o branco e se posso dar a minha opinião...

Hyacinth sentiu-se afundar. Quem diria que a maternidade poderia ser tão cansativa? Mas não devia ela já estar *habituada*?

– ... uma rapariga devia usar a cor que mais lhe beneficia o tom de pele, e não o que alguma tontinha que tem a mania que é importante do Almack's considera ser moda.

– Concordo plenamente – disse Hyacinth.

– Concorda?

O rosto de Isabella iluminou-se e Hyacinth até susteve a respiração, pois ela estava tão parecida com a sua própria mãe naquele momento que era quase assustador.

– Sim – reiterou Hyacinth –, mas ainda vais ter de mandar fazer pelo menos um em branco.

– Mas...

– Não há mas, nem meio mas!

– Mas...

– Isabella.

Isabella resmoneou qualquer coisa em italiano.

– Eu ouvi – disse Hyacinth com rispidez.

Isabella sorriu, a curva dos lábios tão doce que só a mãe (certamente *não* o pai, que admitia claramente que a filha lhe puxava os cordelinhos) lhe reconheceria a tortuosidade subjacente.

– Mas percebeu? – perguntou ela, piscando os olhos três vezes em rápida sucessão.

Hyacinth sabia que ficaria presa pela mentira se dissesse que sim, por isso cerrou os dentes e respondeu a verdade.

– Não.

– Foi o que eu pensei – comentou Isabella. – Mas se estiver interessada, o que eu disse foi...

– Agora... – Hyacinth interrompeu-se, forçando-se a baixar a voz; o pânico do que Isabella poderia dizer era a causa da reação excessiva. Aclarou a garganta. – Agora não. Aqui não – acrescentou intencionalmente.

Deus do Céu, a filha não tinha nenhum sentido de decoro. Era uma pessoa de opiniões e embora Hyacinth fosse sempre a favor de uma mulher com opiniões, era ainda mais a favor de uma mulher que sabia *quando* partilhar tais opiniões.

Isabella saiu do gabinete de provas, trajando um lindo vestido branco com ornamentos verde-acinzentados, ao qual Hyacinth sabia que a filha ia torcer o nariz, e sentou-se ao lado dela no banco.

– O que estava a mãe a sussurrar? – perguntou ela.

– Eu não estava a sussurrar – disse Hyacinth.

– Os seus lábios estavam a mexer-se.

– Estavam?

– Estavam – confirmou Isabella.

– Se queres saber, eu estava a pedir desculpa à tua avó.

– À avó Violet? – perguntou Isabella, olhando em redor. – Ela está aqui?

– Não, mas, de qualquer forma, achei-a merecedora do meu arrependimento.

Isabella piscou os olhos e inclinou a cabeça para o lado, inter-rogativamente.

– Porquê?

– Todas as vezes – disse Hyacinth, odiando o tom cansado da própria voz. – Todas as vezes que ela me disse «Espero que tenhas uma filha *exatamente como tu...*»

– E tem – concluiu Isabella, surpreendendo-a com um leve beijo na face. – Não é simplesmente delicioso?

Hyacinth olhou para a filha. Isabella tinha dezanove anos. Fizera o debute no ano anterior, com grande sucesso. Ela era, pen-sou Hyacinth com bastante objetividade, muito mais bonita do que ela própria fora. O seu cabelo era de um deslumbrante ruivo claro, uma cor que fora resgatar a algum parente ancestral há muito esquecido de sabe-se lá que lado da família. E os caracóis... Céus, eles eram a cruz da existência de Isabella, mas Hyacinth adorava.

Quando Isabella era ainda criança, saltitavam em pequenos e perfeitos cachos, completamente indomáveis, mas sempre adoráveis.

E agora... Às vezes Hyacinth olhava para ela e via a mulher em que ela se tornara, e mal podia respirar de tão poderosa que era a emoção que lhe comprimia o peito. Era um amor que nunca poderia ter imaginado, tão feroz e tão terno, contudo, a filha possuía a simultânea capacidade de a levar à loucura.

Como neste momento, por exemplo.

Isabella sorria-lhe com inocência. Com demasiada inocência, verdade seja dita. Então ela olhou para a saia ligeiramente tufada do vestido de que Hyacinth gostava (e que Isabella certamente odiaria) e pôs-se a puxar distraidamente as fitas verdes que a ornamentavam.

– Mamã? – chamou ela.

Desta vez era uma pergunta, não uma afirmação, o que significava que Isabella queria algo e que (para variar) não sabia como começar.

– Acha que este ano...

– Não – cortou Hyacinth.

E desta vez enviou realmente um pedido de desculpas silencioso à sua mãe. Meu Deus, era isto por que Violet tinha passado? *Oito* vezes?

– A mãe nem sabe o que eu ia perguntar.

– Claro que eu sei o que ias perguntar. Quando é que vais aprender que eu sei *sempre*?

– Isso não é verdade.

– É mais vezes verdade do que mentira.

– A mãe consegue ser muito arrogante, sabia?

Hyacinth encolheu os ombros.

– Eu sou a tua mãe.

Os lábios de Isabella cerraram-se numa linha teimosa e Hyacinth gozou um total de quatro segundos de paz antes de ela perguntar:

– Mas este ano, acha que podemos...

– Não vamos viajar.

Os lábios de Isabella abriram-se de surpresa. Hyacinth lutou contra a vontade de deixar escapar um grito triunfal.

– Como é que sab...

Hyacinth deu umas palmadinhas afetuosas na mão da filha.

– Eu disse-te, eu sei sempre. Por mais que todos gostássemos de viajar um pouco, este ano vamos ficar em Londres a passar a temporada, e tu, minha menina, vais sorrir e dançar e procurar um marido.

Mais um indício de que estava a transformar-se na própria mãe.

Hyacinth suspirou. Violet Bridgerton estava provavelmente a rir-se neste exato instante. Na verdade, devia rir a bom rir há deza-nove anos. «Igualzinha a ti», gostava Violet de dizer, sorrindo para Hyacinth enquanto despenteava os cachos de Isabella. «Igualzinha a ti».

– Igualzinha a si, mãe – murmurou Hyacinth com um sorriso, imaginando o rosto de Violet. – E agora eu sou igualzinha a si.


*Uma hora mais tarde, mais ou menos. Também Gareth crescera e se transformara, embora, como logo se verá, não de nenhuma das maneiras que importam verdadeiramente...*


Gareth St. Clair recostou-se no cadeirão, fazendo uma pausa para saborear o *brandy* e passar os olhos pelo gabinete. Havia real-mente uma notável sensação de satisfação após um trabalho bem feito e concluído dentro do prazo. Não era uma sensação a que estivesse acostumado na sua juventude, mas era algo que agora apreciava quase diariamente.

Precisara de vários anos para restaurar a fortuna St. Clair e elevá-la a um nível respeitável. O seu pai – nunca chegara a conse-guir tratá-lo de outra forma – tinha parado a sua depredação siste-mática, passando a uma espécie de negligência vaga assim que descobrira a verdade sobre o nascimento de Gareth. Portanto ele supunha que poderia ter sido muito pior.

Mas quando Gareth assumira o título, descobrira que tinha herdado dívidas, hipotecas e casas paulatinamente esvaziadas de quase todos os objetos de valor. O dote de Hyacinth, que aumentara devido a investimentos prudentes depois de se terem casado, fora uma grande ajuda para consertar a situação, mas, ainda assim, Gareth tivera de trabalhar mais e com mais afinco do que jamais sonhara possível para arrancar a família das dívidas.

O curioso é que lhe ganhara o gosto.

Quem teria pensado que logo ele fosse retirar tanta satisfação do trabalho árduo? A sua secretária estava impecável, os livros-razão ordeiramente arrumados e era capaz de encontrar qualquer documento importante em menos de um minuto. As contas batiam sempre certo, as propriedades seguiam prósperas e os seus inquilinos eram saudáveis e bem-afortunados.

Tomou mais um gole da bebida, deixando a ardência aveludada descer-lhe devagar pela garganta. Era o Céu.

A vida era perfeita. Genuinamente perfeita.

George estava a terminar o curso em Cambridge, Isabella certamente escolheria um marido este ano e Hyacinth...

Riu-se baixinho. Hyacinth ainda era Hyacinth. Acalmara um pouco com a idade, ou talvez fosse apenas a maternidade que lhe limara as arestas, mas ainda era a mesma franca e deliciosa e perfeitamente maravilhosa Hyacinth.

Deixava-o louco metade do tempo, mas um género *bom* de loucura, e mesmo que por vezes se juntasse aos suspiros dos amigos e assentisse com ar cansado quando todos se queixavam das respetivas mulheres, secretamente sabia que era o homem mais afortunado de Londres. Que dizia? De Inglaterra! Do mundo!

Pousou a bebida e tamborilou os dedos na caixa elegantemente embrulhada que se encontrava no canto da secretária. Comprara-a naquela manhã na Mme. LaFleur, a loja de vestuário que sabia que Hyacinth não frequentava, a fim de lhe poupar o embaraço de ter de lidar com vendedores que conheciam todas as peças de *lingerie* existentes no seu guarda-roupa.

Seda francesa, renda belga.

Ele sorriu. Um pedacinho de seda francesa, debruado com uma quantidade minúscula de renda belga.

Assentar-lhe-ia divinamente.

Aquele paninho minúsculo.

Recostou-se no cadeirão, saboreando o devaneio. Ia ser uma noite longa e fascinante. Talvez até...

Ergueu as sobrancelhas ao tentar lembrar-se dos compromissos da mulher para aquele dia. Talvez até uma longa e fascinante tarde. Quando chegaria ela a casa? E teria algum dos filhos com ela?

Fechou os olhos, imaginando-a em vários estados de nudez, seguido de várias poses interessantes, seguido de várias atividades *fascinantes*.

Gemeu. Ela ia ter de voltar para casa *muito* em breve, porque a sua imaginação estava demasiado ativa para não ser satisfeita e...

– *Gareth!*

Não era o mais melífluo dos tons. A bela neblina erótica que lhe flutuava na mente desapareceu completamente. Bem, quase completamente. Ali à porta, Hyacinth podia não parecer nem um pouco inclinada para um pouco de desporto vespertino, com os olhos semicerrados e o maxilar contraído, mas estava *ali*, o que já era meia batalha ganha.

– Fecha a porta – murmurou ele, levantando-se.

– Sabes o que a tua filha fez?

– A tua filha, queres tu dizer?

– A nossa filha – rosnou ela, mas fechou a porta.

– Se quero saber?

– Gareth!

– Muito bem – suspirou ele, seguido de um respeitoso: – O que é que ela fez?

Já tinha tido aquela conversa antes, é claro. Inúmeras vezes. A resposta geralmente tinha algo a ver com alguma coisa que envolvesse casamento e os pontos de vista pouco convencionais de Isabella sobre o assunto. E, claro, a frustração de Hyacinth com toda a situação.

Raramente variava.

– Bem, não foi tanto o que ela fez – disse Hyacinth.

Ele escondeu o sorriso. Aquilo também não era inesperado.

– É mais o que ela se recusa a fazer.

– Obedecer ao teu comando?

– *Gareth*.

Ele reduziu a distância entre ambos.

– Eu não sou o suficiente?

– Perdão?

Ele estendeu a mão e puxou-a suavemente contra si.

– Eu obedeço sempre ao teu comando – murmurou ele.

Ela reconheceu-lhe o olhar.

– Agora? – Torceu-se até poder ver a porta fechada. – A Isabella está lá em cima.

– Ela não vai ouvir.

– Mas ela pode...

Os lábios dele deslizaram-lhe pelo pescoço.

– A porta tem fechadura.

– Mas ela vai saber...

Ele começou a desapertar-lhe os botões do vestido. Ele era *muito* bom com botões.

– Ela é uma moça inteligente – disse ele, dando um passo atrás para apreciar a sua obra, quando o tecido caiu. Ele *adorava* quando a mulher não usava combinação.

– Gareth!

Inclinou-se e tomou a ponta rosada de um seio com os lábios antes que ela pudesse protestar.

– Oh, Gareth!

Os joelhos dela amoleceram, apenas o suficiente para ele a pegar ao colo e a levar para o sofá. O que tinha as almofadas mais fofas.

– Mais?

– Céus, sim! – gemeu ela.

Ele deslizou a mão por baixo da saia para poder acariciá-la até à loucura.

– Tão pouca resistência – murmurou ele. – Admite. Tu queres-me sempre.

– Vinte anos de casamento não é admissão suficiente?

– Vinte e dois anos, e eu quero ouvi-lo da tua boca.

Ela gemeu quando ele deslizou um dedo para dentro dela.

– Quase sempre – admitiu ela. – Eu quero-te quase sempre.

Ele suspirou para dar um efeito dramático, embora sorrisse, os lábios encostados ao pescoço dela.

– Vou ter de me esforçar mais, então.

Ele ergueu ligeiramente a cabeça para a observar. Ela olhava-o com uma expressão irritada, claramente devida à tentativa fugaz de retidão e respeitabilidade.

– Muito mais – concordou ela. – E um pouco mais depressa, também, já agora.

Ele deu uma boa gargalhada.

– Gareth!

Hyacinth podia ser uma devassa em privado, mas tinha sempre cuidado com os criados.

– Não te preocupes – disse ele com um sorriso. – Eu vou ser silencioso. Vou ser muito, muito silencioso. – Com um movimento ágil, puxou-lhe as saias bem acima da cintura e desceu até a cabeça ficar entre as pernas dela. – Tu, minha querida, é que terás de controlar o volume.

– Oh, oh, oh...

– Mais?

– Muito mais.

Passou a usar a língua. O sabor dela era divinal. E quando ela se contorcia, era sempre uma delícia.

– Oh, Céus! Oh meu... meu...

Ele sorriu e, em seguida, passou a descrever círculos até ela soltar um gritinho baixo. Ele adorava fazer-lhe aquilo, adorava levá-la, levar a sua capaz e eloquente mulher ao insensato abandono.

Vinte e dois anos. Quem teria pensado que depois de vinte e dois anos ele ainda desejaria esta mulher, esta mulher apenas, tão intensamente?

– Oh, Gareth – ofegou ela. – Oh, Gareth... Mais, Gareth...

Ele redobrou os esforços. Ela estava perto. Conhecia-a tão bem, conhecia-lhe as curvas e as formas do corpo, a maneira como ela se mexia quando estava excitada, a maneira como respirava quando o desejava. Ela estava perto.

E então ela entregou-se totalmente, arqueando e ofegando até o corpo ceder e amolecer.

Ele riu para si mesmo quando ela o empurrou para longe. Fazia sempre isso quando terminava, dizendo que não era capaz de suportar mais um toque, que certamente morreria se não lhe fosse dada a oportunidade de flutuar de volta para a normalidade.

Ele mexeu-se, aninhando-se contra o corpo dela até poder ver-lhe o rosto.

– Isso foi agradável – disse ela.

Ele ergueu uma sobrancelha.

– Agradável?

– Muito agradável.

– Agradável o suficiente para retribuíres?

Os lábios dela curvaram-se num esgar.

– Oh, não sei se foi assim *tão* agradável.

A mão dele desceu até às calças.

– Vou ter de oferecer um *encore*, então.

Os lábios dela entreabriram-se de espanto.

– A variação de um tema, se preferires.

Ela virou o pescoço para olhar para baixo.

– O que estás a fazer?

Ele sorriu lascivamente.

– A apreciar os frutos do meu trabalho.

Nesse instante ela soltou um suspiro ofegante quando ele deslizou para dentro dela, e foi a vez dele de suspirar de puro prazer, pensando no quanto a amava.

A partir daí deixou de pensar no que quer que fosse.


*O dia seguinte. Não pensámos realmente que Hyacinth iria desistir, pois não?*

O final da tarde encontrou Hyacinth de regresso ao seu segundo passatempo favorito. Embora *favorito* não seja o adjetivo mais correto, nem *passatempo* seja o substantivo mais correto. *Compulsão* talvez se encaixe melhor na descrição, tal como *miserável* ou talvez *implacável. Maldito?*

*Inevitável.*

Ela suspirou. Sim, inevitável era a palavra. Uma compulsão inevitável.

Há quanto tempo vivia naquela casa? Quinze anos?

Quinze anos. Quinze anos e alguns meses, e ainda andava à procura daquelas malditas joias.

Seria de pensar que já tivesse desistido. Decerto qualquer outra pessoa já o teria feito. Tinha de admitir que ela era a pessoa mais ridiculamente teimosa que conhecia.

Exceto, talvez, a sua própria filha. Hyacinth nunca contara a Isabella das joias, talvez porque sabia que Isabella se lhe juntaria na busca com um fervor pouco saudável capaz de rivalizar com o dela. Também não contara ao filho, George, porque ele iria dizer a Isabella. E Hyacinth nunca conseguiria casar a filha se ela acreditasse existir uma fortuna em joias para ser encontrada em casa.

Não que Isabella quisesse as joias por causa da fortuna. Hyacinth conhecia a filha o suficiente para perceber que em algumas questões, possivelmente na maioria delas, Isabella era exatamente igual a ela. E a busca de Hyacinth pelas joias nunca fora por causa do dinheiro que isso poderia trazer. Bem, não tinha problemas em admitir que tanto a ela como a Gareth esse dinheiro viria mesmo a calhar (e teria dado ainda mais jeito há alguns anos). Mas não se tratava disso. Era uma questão de princípio. De honra.

Era a necessidade desesperada de finalmente ter na mão aquelas malditas pedras e sacudi-las diante do nariz do marido e dizer:

– Estás a ver? Estás? Eu não estava louca todos estes anos!

Gareth há muito havia desistido das joias. Provavelmente nem existiam, dissera-lhe ele. Alguém certamente já as tinha encontrado anos antes. Eles viviam em Clair House há *quinze anos*, santo Deus! Se fosse para Hyacinth as encontrar, já o teria feito, então porque é que ela continuava a torturar-se?

Uma excelente pergunta.

Hyacinth cerrou os dentes enquanto gatinhava pelo chão da casa de banho pela que era certamente a octocentésima vez na sua vida. Ela sabia tudo isso. Que o Senhor a ajudasse, ela sabia, mas não podia desistir agora. Se desistisse agora, que significado teriam os últimos quinze anos? Tempo perdido? Tudo aqueles anos, uma perda de tempo?

Não podia suportar a ideia.

Além disso, ela não era pessoa de desistir, pois não? Se o fizesse, estaria completamente em desacordo com tudo o que conhecia de si mesma. Será que isso queria dizer que estava a ficar velha?

Não estava preparada para ficar velha. Talvez fosse essa a maldição de ser a mais nova de oito irmãos. Nunca se estava completamente preparado para envelhecer.

Baixou-se ainda mais, encostando a face contra o mosaico frio do chão para poder espreitar por baixo da banheira. Uma senhora de idade não conseguiria fazer *isso*, pois não? Uma senhora idosa...

– Ah, aí estás tu, Hyacinth.

Era Gareth que espreitava à porta. Não parecia nem um pouco surpreendido por encontrar a mulher numa posição tão bizarra. Mas comentou:

– Passaram vários meses desde a tua última busca, não é?

Ela olhou para cima.

– Lembrei-me de uma coisa.

– Algo em que ainda não tinhas pensado?

– Sim – rosnou, mentindo com todos os dentes.

– Estás a procurar por trás dos azulejos? – inquiriu ele educadamente.

– Por baixo da banheira – respondeu ela, com relutância, passando para uma posição sentada.

Ele piscou os olhos, desviando o olhar para a grande banheira com pés.

– Tu arrastaste isso? – perguntou ele, incrédulo.

Ela assentiu com a cabeça. Era incrível a força que uma pessoa podia ter quando devidamente motivada.

Ele olhou para ela, depois para a banheira e novamente para ela.

– Não – disse ele. – Não é possível. Tu não...

– Arrastei, sim.

– Não conseguirias...

– Conseguiria, pois – afirmou ela, começando a divertir-se, pois atualmente já não conseguia surpreendê-lo tantas vezes quantas gostaria. – Só uns centímetros – admitiu.

Ele voltou a olhar para a banheira.

– Talvez apenas um – corrigiu ela.

Por um momento pensou que ele iria simplesmente encolher os ombros e deixá-la sozinha na sua busca, mas ele surpreendeu-a ao perguntar:

– Queres ajuda?

Precisou de alguns segundos para perceber o que ele queria dizer.

– Com a banheira? – perguntou ela.

Ele assentiu, cruzando a curta distância até à banheira.

– Se conseguiste movê-la um par de centímetros sozinha – disse ele –, certamente que os dois seremos capazes de triplicar isso. Ou mais.

Hyacinth levantou-se.

– Pensei que não acreditasses que as joias ainda estivessem aqui.

– E não acredito. – Ele apoiou as mãos nas ancas enquanto ins-pecionava a banheira, à procura do melhor sítio para a agarrar. – Mas tu acreditas e decerto isso deve estar no âmbito dos deveres de marido.

– Oh! – Hyacinth engoliu em seco, sentindo-se um pouco cul-pada por o julgar tão pouco solidário. – Obrigada.

Ele fez-lhe sinal para agarrar no lado oposto.

– Levantaste ou empurraste? – perguntou ele.

– Empurrei. Com o ombro, na verdade. – Ela apontou para um lugar estreito entre a banheira e a parede. – Enfiei-me ali, depois encaixei o ombro por baixo do rebordo e...

Mas Gareth já levantava a mão para a impedir de falar.

– Chega – disse ele. – Não me digas mais nada, imploro-te.

– Porquê?

Ele fitou-a demoradamente antes de responder:

– Sinceramente não sei. Mas não quero saber os detalhes.

– Muito bem. – Ela foi até ao sítio que ele indicou e agarrou o rebordo da banheira. – Obrigada, de qualquer maneira.

– É um... – Ele fez uma pausa e depois corrigiu: – Bem, não é um prazer. Mas é alguma coisa.

Ela sorriu para si mesma. Ele era realmente o melhor dos maridos.

Três tentativas depois, no entanto, tornou-se evidente que não iam conseguir deslocar a banheira daquela forma.

– Vamos ter de usar o método do empurrão – declarou Hya-cinth. – É a única hipótese.

Gareth concordou com um aceno resignado e ambos se enfia-ram no estreito espaço entre a banheira e a parede.

– Devo dizer que isto é tudo muito pouco dignificante – comentou ele, dobrando os joelhos e apoiando as solas das botas contra a parede.

Hyacinth não tinha comentários a fazer acerca disso, portanto limitou-se a soltar um resmungo. Ele poderia interpretar o ruído como desejasse.

— Isto deve contar para alguma coisa — murmurou ele.

— Perdão?

— Isto.

Ele fez um gesto com a mão que poderia significar qualquer coisa, e ela ficou sem saber se ele se referia à parede, ao chão, à banheira ou a alguma partícula de pó a pairar.

— No que trata a gestos — continuou ele —, não é assim nada de grandioso, mas acho que, por exemplo, se algum dia, por acaso, eu me esquecer do teu aniversário, este deve contar para ajudar a minimizar e voltar a cair nas tuas boas graças.

Hyacinth ergueu uma sobrancelha.

— Não és capaz de me ajudar apenas por bondade?

Ele anuiu com a cabeça de forma majestosa.

— Sou. Na verdade, sou. Mas nunca se sabe quando um...

— Oh, pelo amor de Deus — murmurou Hyacinth. — Tu vives para me torturar, não é?

— Mantém a mente perspicaz — disse ele em tom afável. — Muito bem. Vamos tentar?

Ela assentiu com a cabeça.

— Vou contar até três — disse ele, preparando os ombros para o peso. — Um, dois... *três*.

Com um impulso e um grunhido, ambos colocaram todo o seu esforço na tarefa e a banheira deslizou teimosamente pelo chão. O barulho foi horrível, a raspar e a ranger, e quando Hyacinth olhou para baixo, viu os riscos brancos e feios nos mosaicos.

— Oh, Céus! — murmurou ela.

Gareth torceu-se, o rosto marcado por rugas de expressão irritada quando viu que só tinham conseguido deslocar a banheira uns meros dez centímetros.

— Julguei que tivéssemos progredido um pouco mais do que isto — disse ele.

— É muito pesada — comentou ela, desnecessariamente.

Ele ficou ali um momento quieto, a olhar perplexo para o pedacinho de chão que ficara a descoberto.

– O que pretendes fazer agora? – perguntou ele.

A boca dela contorceu-se numa expressão igualmente perplexa.

– Não sei – admitiu ela. – Verificar o chão, talvez.

– Não fizeste já isso? – Ela não respondeu em, digamos, meio segundo e ele acrescentou: – Nos últimos quinze anos?

– Sim, já *tateei* ao longo do chão, obviamente – apressou-se ela a responder, pois era bastante óbvio que o braço dela cabia por baixo da banheira –, mas não é o mesmo que uma inspeção visual e...

– Boa sorte – interrompeu ele, levantando-se.

– Vais-te embora?

– Queres que fique?

Ela não esperava que ele ficasse, mas agora que estava ali...

– Sim – respondeu ela, surpreendida pela própria resposta. – Porque não?

Ele sorriu-lhe, e a sua expressão estava plena de carinho e amor, e, acima de tudo, era tão familiar.

– Eu posso comprar-te um colar de diamantes – disse ele suavemente, voltando a sentar-se.

Ela estendeu a mão, colocando-a na dele.

– Eu sei que podes.

Ficaram ali sentados em silêncio até que Hyacinth deslizou para perto do marido, deixando escapar um suspiro de satisfação quando se encostou a ele, repousando a cabeça no seu ombro.

– Sabes porque te amo? – disse ela baixinho.

Os dedos dele entrelaçaram-se nos dela.

– Porquê?

– Tu podias ter-me comprado um colar – explicou ela. – E podias tê-lo escondido. – Virou a cabeça para lhe beijar a curva do pescoço. – Podias tê-lo escondido só para que eu pudesse encontrá-lo. Mas não o fizeste.

– Eu...

– E não digas que nunca pensaste nisso – cortou ela.

Regressou à posição em que estava, virada para a parede que ficava a poucos centímetros. Contudo, a cabeça permanecia encostada ao ombro dele; ele estava de frente para a mesma parede, e mesmo que não estivessem a olhar um para o outro, as mãos continuavam entrelaçadas e, de alguma forma, aquela posição era tudo o que um casamento devia ser.

– Porque eu conheço-te – prosseguiu, sentindo um sorriso crescer dentro dela. – Eu conheço-te, tal como tu me conheces, e isso é simplesmente maravilhoso.

Ele apertou-lhe a mão e depois beijou-a no cimo da cabeça.

– Se ele estiver aqui, tu vais encontrá-lo.

Ela suspirou.

– Ou morrer a tentar.

Ele riu-se baixinho.

– Não era para ter piada – informou-o ela.

– Mas tem.

– Eu sei.

– Eu amo-te – disse ele.

– Eu sei.

O que mais poderia ela querer?


*Enquanto isso, a menos de dois metros de distância...*


Isabella estava bastante acostumada às travessuras dos pais. Aceitava o facto de eles se esconderem pelos recantos escuros da casa com muito mais frequência do que seria decente. Não dava importância ao facto de a mãe ser uma das mulheres mais francas de Londres ou de o pai ainda ser tão atraente que as próprias amigas suspiravam e gaguejavam na sua presença. Na verdade, ela até gostava de ser filha de um casal tão pouco convencional. Oh, em público eles eram absolutamente corretos e respeitáveis, mantendo apenas a melhor reputação, a de ser um casal exuberante.

Mas na intimidade de Clair House... Isabella sabia que as suas amigas não eram incentivadas a partilhar as suas próprias opiniões como ela era. A maioria das amigas não era sequer encorajada a ter opiniões. E, certamente, a maioria das jovens que conhecia não tinha sequer tido a oportunidade de estudar línguas modernas, nem de adiar o debute por um ano para poder viajar pelo Continente.

Portanto, contas feitas, Isabella achava-se muito afortunada no que respeitava a pais, e se isso significava fazer vista grossa aos ocasionais episódios de «Não Agir Consoante a Idade», bem, a verdade é que valia a pena e tinha aprendido a ignorar grande parte do comportamento deles.

Mas quando procurou a mãe, naquela tarde, decidida a aceitar a questão do vestido branco com os enfadonhos enfeites verdes, devia acrescentar, encontrou os pais no chão da casa de banho a empurrar uma *banheira*...

Francamente, também era um pouco de mais, mesmo para o casal St. Clair.

E quem a poderia criticar por ter ficado a ouvir às escondidas?

Não a mãe, decidiu Isabella ao inclinar-se para ouvir melhor. Hyacinth St. Clair nunca faria uma coisa dessas, pois não era pessoa de tomar a atitude acertada e se afastar. Não era possível viver com ela dezanove anos sem aprender *isso*. E quanto ao pai, bem, Isabella estava convencida de que ele também teria ficado a ouvir, especialmente porque eles lho tornavam tão *fácil*, virados para a parede, como estavam, de costas para a porta aberta, com uma banheira a tapar.

– O que pretendes fazer agora? – perguntava o pai, o tom marcado por aquela nuance de divertimento que parecia reservar apenas para a mãe.

– Não sei – respondeu a mãe, parecendo estranhamente... bem, não exatamente *incerta*, mas certamente menos certa do que de costume. – Verificar o chão, talvez.

Verificar o chão? De que diabo estavam eles a falar? Isabella inclinou-se para a frente para ouvir melhor, bem a tempo de ouvir o pai perguntar:

– Não fizeste já isso? Nos últimos quinze anos?

– Sim, já tateei ao longo do chão, obviamente – respondeu a mãe, agora já parecendo muito mais ela própria –, mas não é o mesmo que uma inspeção visual e...

– Boa sorte – disse o pai, e então... *Oh, não! Ele ia sair!*

Atrapalhada, Isabella começou a recuar, mas então algo deve ter acontecido porque ele voltou a sentar-se. Ela avançou lentamente em direção à porta aberta...

Cuidado, muito cuidado agora, ele podia levantar-se a qualquer momento. Prendendo a respiração, ela inclinou-se, incapaz de tirar os olhos das nucas dos pais.

– Eu posso comprar-te um colar de diamantes – disse o pai.

*Um colar de diamantes?*

Um diamante...

Quinze anos.

A arrastar uma banheira?

Numa casa de banho?

Quinze anos.

A mãe procurava há quinze anos.

Um colar de diamantes?

Um colar de diamantes.

Um diamante...

Oh. Meu. Deus.

O que ia fazer? O que ia fazer? Ela sabia o que devia fazer, mas... Céus, *como* deveria fazê-lo?

E o que poderia ela dizer? O que poderia ela dizer a...

O melhor era esquecer o assunto por agora, porque a mãe voltara a falar e dizia:

– Tu podias ter-me comprado um colar. E podias tê-lo escondido. Podias tê-lo escondido só para que eu pudesse encontrá-lo. Mas não o fizeste.

Havia tanto amor na sua voz que fez doer o coração a Isabella. E algo naquela declaração parecia resumir tudo o que os pais eram. Individualmente e um para o outro.

Para os filhos.

De repente, o momento tornou-se demasiado íntimo para ser espionado, até por ela. Afastou-se devagarinho e depois correu para o seu próprio quarto, deixando-se cair numa cadeira assim que fechou a porta.

Ela sabia o que a mãe procurava há tanto tempo.

Esse objeto estava guardado no fundo da gaveta da sua escrivaninha. E era mais do que um colar. Era um conjunto completo – colar, pulseira e anel – uma verdadeira chuva de diamantes, cada pedra rodeada por duas delicadas águas-marinhas. Isabella encontrara-o quando tinha dez anos, escondido numa pequena cavidade atrás de um dos azulejos turcos da casa de banho da ala infantil. *Devia* ter-lhes dito logo. Sabia que era o seu dever. Mas não o fizera e nem sequer sabia porquê.

Talvez fosse porque os tinha encontrado. Talvez porque adorava ter um segredo. Talvez porque não pensara que pertencessem a alguém, ou que, na verdade, alguém soubesse da sua existência. Mas certamente nunca lhe passara pela cabeça que a mãe andasse à procura há quinze anos.

A mãe dela!

A mãe dela era a última pessoa que se pudesse imaginar capaz de guardar um segredo. Ninguém pensaria mal de Isabella por não ter pensado, quando descobriu os diamantes, *Oh, é provável que a minha mãe ande à procura disto e decidiu, por razões tortuosas só suas, não me contar.*

Na verdade, pensando melhor, aquilo era culpa da mãe. Se Hyacinth lhe tivesse *contado* que andava à procura de joias, Isabella teria confessado imediatamente. Ou se não imediatamente, pelo menos o mais breve possível, de modo a satisfazer a consciência de todos.

A propósito de consciência, a dela incomodava-a neste momento com um tamborilar horrível no peito. Era uma sensação muito desagradável e... desconhecida.

Não que Isabella fosse uma alma de doçura e luz, toda ela sorrisos açucarados e banalidades piedosas. Céus, não, evitava essas raparigas como à peste. Mas, por isso mesmo, raramente fazia algo que pudesse ser suscetível de a fazer sentir-se culpada depois, até porque talvez, e só admitiria um talvez, as suas ideias de decoro e de moralidade eram ligeiramente flexíveis.

Mas agora sentia um nó no estômago, um nó com o talento peculiar de lhe fazer subir a bílis até à garganta. As mãos tremiam e ela sentia-se mal. Não febril, nem sequer com calafrios, apenas doente. Com ela própria.

Deixando escapar um suspiro irregular, Isabella levantou-se e atravessou o quarto até à escrivaninha, uma peça rococó delicada que a sua bisavó homónima tinha trazido de Itália. Guardara as joias ali há três anos, quando finalmente saíra da ala infantil no último piso. Tinha descoberto um compartimento secreto na parte de trás da gaveta. A descoberta não a devia ter surpreendido particularmente; parecia haver um número invulgar de compartimentos secretos no mobiliário de Clair House, muitas das peças tendo sido importadas de Itália. Mas *era* uma vantagem e bastante conveniente, por isso, um dia, quando a família se encontrava fora numa qualquer festa da sociedade à qual não deixaram Isabella ir por ser demasiado nova, ela subira sorrateiramente até à ala infantil, retirara as joias do esconderijo atrás do azulejo (que tinha engenhosamente voltado a tapar) e guardara-as na sua escrivaninha.

Elas permaneceram lá desde então, exceto nos raros momentos em que Isabella as tirava para as experimentar, pensando em como ficariam bem com seu vestido novo, mas *como* iria ela explicar a sua existência aos pais?

Agora, parecia que nenhuma explicação teria sido necessária. Ou talvez um tipo diferente de explicação.

Um tipo muito diferente.

Acomodando-se na cadeira, Isabella inclinou-se e tirou as joias do compartimento secreto. Ainda estavam no mesmo saquinho de veludo em que as encontrara. Abriu o cordão e deixou-as deslizar luxuosamente para o tampo da escrivaninha. Não percebia muito de joias, mas eram certamente da melhor qualidade. Captavam a luz do sol com uma magia indescritível, quase como se cada pedra pudesse, de alguma forma, captar a luz e espalhá-la em todas as direções.

Isabella não se achava gananciosa ou materialista, mas na presença de tal tesouro, compreendia por que razão os diamantes podiam enlouquecer um homem. Ou por que razão as mulheres ansiavam tão desesperadamente por mais uma peça, mais uma pedra que fosse maior, mais finamente lapidada do que anterior.

Mas estas joias não lhe pertenciam. Talvez não pertencessem a ninguém. Mas se alguém tinha direito a elas, essa pessoa era definitivamente a sua mãe. Isabella não sabia como ou porquê Hyacinth sabia da sua existência, mas isso não parecia ter importância. A mãe tinha alguma espécie de relação com as joias, algum conhecimento importante. E se elas pertenciam a alguém, esse alguém era ela.

Com relutância, Isabella fê-las deslizar novamente para dentro do saquinho e apertou o cordão dourado, para que nenhuma das peças pudesse escapar. Ela sabia o que tinha de fazer agora. Sabia exatamente o que tinha de fazer.

Mas depois disso...

A tortura seria a espera.


*Um ano depois*

Fazia dois meses que Hyacinth procurara as joias pela última vez, mas Gareth estava ocupado com algum assunto da propriedade, ela estava sem um bom livro para ler e, bom, sentia-se algo... inquieta.

Acontecia-lhe de tempos a tempos. Passava meses sem procurar, semanas e dias sem sequer pensar nos diamantes, mas então, alguma coisa acontecia que os trazia à sua lembrança, que a fazia voltar a questionar e lá ficava ela outra vez obcecada e frustrada, a esgueirar-se pela casa para que ninguém percebesse o que estava a fazer.

A verdade é que se sentia um pouco envergonhada. Qualquer que fosse a perspetiva sob a qual se olhasse para a questão, era sempre, pelo menos, algo parva. Ou as joias estavam escondidas em Clair House e ela ainda não as tinha encontrado, apesar dos dezasseis anos de busca, ou não estavam escondidas, e ela andava a perseguir uma ilusão. Nem se imaginava sequer a saber como explicar isso aos filhos; os criados certamente já a julgavam um bocadinho louca, pois todos, uma vez ou outra, já a tinham apanhado a bisbilhotar numa casa de banho, e Gareth... bem, ele era querido e fazia-lhe as vontades, mas mesmo assim, Hyacinth guardava as suas atividades para si mesma.

Era melhor assim.

Escolhera a casa de banho da ala infantil como zona de pesquisa para aquela tarde. Não por qualquer razão particular, é claro, mas porque terminara a busca sistemática de todas as casas de banho da criadagem (sempre uma diligência que exigia alguma sensibilidade e subtileza) e, antes disso, tinha procurado na sua própria casa de banho, por isso a da ala infantil parecia-lhe uma boa escolha. Depois passaria para alguma das casas de banho do segundo andar. George mudara-se para o seu próprio apartamento e se realmente houvesse um Deus misericordioso, Isabella casaria em breve, assim Hyacinth não teria de se preocupar com ninguém a tropeçar nela quando andasse a enfiar o nariz, a remexer e muito possivelmente a arrancar os azulejos das paredes.

Hyacinth pousou as mãos nas ancas e respirou fundo enquanto examinava o pequeno aposento. Sempre gostara daquele espaço. Os azulejos eram, ou pelo menos pareciam ser, turcos, e as suas cores de azul muito vivo e esplêndido verde-água, permeados com riscas amarelas e cor de laranja, levavam sempre Hyacinth a pensar que os povos orientais deviam desfrutar de uma vida muito menos monótona do que os britânicos, porque as cores deixavam-na invariavelmente de bom humor.

Hyacinth fora ao sul de Itália uma vez, numa visita à praia. Era exatamente como aquele aposento: soalheiro e luminoso, de uma forma que a costa de Inglaterra nunca parecia alcançar.

221

Semicerrou os olhos para analisar as sancas do teto, à procura de fissuras ou mossas, depois pôs-se de gatas para a inspeção habitual dos azulejos inferiores.

Não sabia o que esperava encontrar, o que poderia saltar-lhe subitamente aos olhos que ela não detetara durante as outras dezenas de buscas anteriores.

Mas tinha de continuar. Simplesmente não tinha outra escolha. Havia algo dentro dela que não a deixava esquecer. E...

Ela parou. Piscou os olhos. O que era aquilo?

Lentamente, pois não podia acreditar que tinha encontrado algo de novo – há mais de uma década que nenhuma das suas buscas sofrera qualquer alteração mensurável –, inclinou-se.

Uma fissura.

Era pequena. Quase impercetível. Mas definitivamente uma fissura, de cerca de quinze centímetros, que ia do chão ao cimo do primeiro azulejo. Não era o tipo de coisa de que a maioria das pessoas se apercebesse, mas Hyacinth não era a maioria das pessoas, e por mais triste que pudesse parecer, tinha praticamente feito carreira a inspecionar casas de banho.

Frustrada por não conseguir aproximar-se muito, pôs-se de joelhos, apoiando os antebraços e o rosto no chão. Deu uma pancadinha ligeira no azulejo, do lado direito da fissura e depois outra pancadinha do lado esquerdo.

Nada aconteceu.

Enfiou a unha na ponta da fissura e fez pressão. Um pedacinho de gesso ficou alojado debaixo da unha.

Uma estranha excitação começou a crescer-lhe no peito, apertando, vibrando, tornando-a quase incapaz de respirar.

– Acalma-te – sussurrou, e até a palavra lhe saiu trémula.

Pegou no pequeno cinzel que levava sempre consigo.

– Provavelmente não é nada. Provavelmente não é...

Enfiou o cinzel na fenda, talvez com mais força do que o necessário, e depois torceu. Se um dos azulejos estivesse solto, a força de torção fá-lo-ia saltar para fora e...

– Oh!

O azulejo saltou mesmo, caindo ao chão com ruído, deixando a descoberto uma pequena cavidade.

Hyacinth fechou os olhos. Esperara toda a sua vida como adulta por este momento e agora não conseguia reunir coragem para olhar.

– Por favor – sussurrou. – *Por favor.*

Estendeu a mão.

– Por favor. Oh, por favor.

Tocou em alguma coisa. Algo suave. Como veludo.

Com dedos trémulos, tirou o objeto. Era um pequeno saco, apertado no cimo com um cordão sedoso.

Hyacinth endireitou-se lentamente, cruzando as pernas e sentando-se ao estilo indiano. Deslizou um dedo para dentro do saco, alargando a abertura, que estava puxada e apertada.

Então, com a mão direita, despejou o conteúdo para a mão esquerda.

*Oh meu D...*

– Gareth! – gritou. – Gareth!

– Eu consegui – sussurrou, olhando para o montinho de joias que quase não lhe cabiam na mão esquerda. – Eu consegui.

E então voltou a dizê-lo mas bem alto:

– EU CONSEGUI!!!!

Colocou o colar em volta do pescoço, mantendo ainda a pulseira e o anel na mão.

– Eu consegui, eu consegui, eu consegui.

Ela cantava agora, aos pulinhos de felicidade, quase a dançar, quase a chorar.

– Eu consegui!

– Hyacinth! – surgiu a voz de Gareth, sem fôlego por ter subido a correr quatro lanços de escadas, dois degraus de cada vez.

Ela olhou para ele e podia jurar que sentia os próprios olhos a brilhar.

– Eu consegui! – exclamou com uma gargalhada quase louca. – Eu consegui!

Por um momento ele não foi capaz de fazer mais nada exceto olhá-la fixamente. A expressão no rosto foi perdendo o vigor e Hyacinth achou-o capaz de perder o equilíbrio.

– Eu consegui – repetiu ela. – Eu consegui.

E então ele pegou-lhe na mão, pegou no anel e colocou-lho no dedo.

– Pois conseguiste – disse ele, inclinando-se para lhe beijar os dedos. – É claro que conseguiste.

*Enquanto isso, um andar abaixo...*

– *Gareth!*

Isabella ergueu os olhos do livro que estava a ler e fitou o teto. O quarto dela ficava diretamente por baixo da ala infantil, quase alinhado com a casa de banho, na verdade.

– *Eu consegui!*

Isabella voltou a atenção para o livro.

E sorriu.

## A Caminho do Altar

Ao escrever estes segundos epílogos, tentei responder a perguntas persistentes dos leitores. No caso de *A Caminho do Altar*, a pergunta que mais ouvi após a publicação foi: «Que nomes deram Gregory e Lucy à sua extensa prole?» Devo admitir que nem eu sei criar uma história que gire em torno da nomeação de nove crianças (não todos de uma vez, graças a Deus), por isso decidi começar este segundo epílogo no ponto onde o primeiro termina: com Lucy a dar à luz pela última vez. E porque todos, até os Bridgerton, não escapam a ter de enfrentar dificuldades, não tornei a coisa fácil...

## A Caminho do Altar:
## Segundo Epílogo

*21 de junho de 1840*
*Cutbank Manor*
*Nr Winkfield, Berkshire*

*Meu querido Gareth,*

*Espero que esta carta te encontre bem. Mal posso acreditar que tenham passado quase duas semanas desde que parti de Clair House para o Berkshire. A Lucy está enorme; parece impossível ainda não ter dado à luz. Se eu tivesse ficado tão gigantesca com o George ou a Isabella, estou certa de que teria reclamado da vida sem cessar.*

*(Também estou certa de que não vais lembrar-me de quaisquer queixas que eu possa ter proferido enquanto num estado similar.)*

*A Lucy alega que sente esta gravidez de forma muito diferente das anteriores. Acho que devo acreditar nela. Vi-a mesmo antes de ela dar à luz o Ben e juro que ela estava em êxtase. Poderia confessar sentir uma intensa inveja, mas seria grosseiro e nada maternal da minha parte admitir tal*

*sentimento, e como sabemos, eu sou sempre sofisticada. E,*
*ocasionalmente, maternal.*

*Falando da nossa prole, a Isabella está a divertir-se*
*muito. Acredito que ficaria feliz em passar o verão inteiro*
*com os primos. Tem estado a ensiná-los a praguejar em ita-*
*liano. Tentei repreendê-la, mas o esforço foi parco e tenho a*
*certeza de que ela percebeu que fiquei secretamente deli-*
*ciada. Toda as mulheres devem saber praguejar noutro*
*idioma, já que a sociedade elegante considera o inglês indis-*
*ponível para nós.*

*Ainda não sei quando regressarei a casa. A este ritmo,*
*não me surpreenderia se a Lucy se aguentasse até julho.*
*E, claro, eu prometi ficar mais um tempo depois de o bebé*
*nascer. Talvez queiras mandar o George para aqui? Acho*
*que ninguém iria notar se mais uma criança fosse adicio-*
*nada à horda atual.*

*A tua devotada esposa,*
*Hyacinth*

*Post scriptum – ainda bem que não selei a carta.*
*A Lucy acabou de dar à luz gémeos. Gémeos! Deus do Céu,*
*o que é que eles vão fazer com mais duas crianças? A minha*
*alma está parva.*

– Não consigo fazer isto outra vez.

Lucy Bridgerton já tinha dito isto antes, sete vezes, para ser mais precisa, mas desta vez era realmente sincera. Não era tanto o facto de ter dado à luz pela nona vez há apenas trinta minutos, pois já se tornara uma especialista em partos e era capaz de ter um filho com o mínimo de desconforto. A questão era... Gémeos! Porque é que ninguém lhe dissera que havia a hipótese de ela estar a carregar gémeos? Não admira que os últimos meses tivessem sido tão horrivelmente desagradáveis. Tinha dois bebés na barriga, claramente envolvidos numa luta de boxe.

– Duas meninas – estava o marido a dizer. Gregory olhou para ela com um sorriso. – Bem, isto faz pender a balança para o lado contrário. Os rapazes vão ficar desapontados.

– Os rapazes vão ter direito a bens, ao voto e a usar calças – disse Hyacinth, a irmã de Gregory, que tinha vindo para ajudar Lucy no final da gravidez e parto. – Eles sobrevivem.

Lucy conseguiu soltar uma pequena risada. Só Hyacinth para ir logo ao cerne da questão.

– O teu marido sabe que te transformaste num cruzado? – perguntou Gregory.

– O meu marido apoia-me em tudo – respondeu Hyacinth num tom doce, sem tirar os olhos da bebé envolvida em cueiros que tinha nos braços. – Sempre.

– O teu marido é um santo – comentou Gregory, embalando a outra trouxinha. – Ou talvez seja simplesmente insano. Seja como for, estamos-lhe eternamente gratos por se ter casado contigo.

– *Como* é que o aturas? – questionou Hyacinth, inclinando-se para Lucy, que estava realmente a começar a sentir-se muito estranha.

Lucy abriu a boca para responder, mas Gregory interpôs-se.

– Eu torno a vida dela um prazer sem fim – disse ele. – Uma vida cheia de doçura e de luz, onde tudo é perfeito e maravilhoso.

Hyacinth fitou-o como se desejasse vomitar.

– Tu tens é inveja – disse-lhe Gregory.

– De quê? – reclamou Hyacinth.

Com um aceno de mão, ele dispensou a pergunta como inconsequente. Lucy fechou os olhos e sorriu, apreciando a interação. Gregory e Hyacinth estavam sempre a picar-se; mesmo agora que os dois já se aproximavam dos quarenta anos. Ainda assim, apesar da picardia constante, ou talvez por causa disso, os dois mantinham uma ligação inquebrável. Hyacinth, em particular, era uma pessoa ferozmente leal; precisara de dois anos para se habituar a Lucy depois do seu casamento com Gregory.

Lucy supunha que Hyacinth tivera decerto motivos válidos. Lucy estivera muito perto de se casar com o homem errado. Ou melhor, ela *tinha* casado com o homem errado, mas felizmente para ela, a influência combinada de um visconde e de um conde (juntamente com uma doação avultada à Igreja Anglicana) tornara possível a anulação quando, tecnicamente falando, não o deveria ter sido.

Mas tudo isso eram águas passadas. Hyacinth era agora como uma irmã, tal como eram todas as irmãs de Gregory. Fora maravilhoso entrar para esta grande família. Provavelmente era por isso que Lucy estava tão feliz por ela e Gregory terem conseguido uma tão grande prole.

— Nove — disse ela baixinho, abrindo os olhos para admirar as duas trouxinhas que ainda precisavam de nomes. E de cabelo. — Quem diria que teríamos nove?

— A minha mãe vai certamente dizer que qualquer pessoa sensata teria parado nos oito — disse Gregory, sorrindo para Lucy. — Queres segurar numa?

Ela sentiu-se inundar por aquela emoção familiar de felicidade materna.

— Sim.

A parteira ajudou-a a colocar-se numa posição mais ereta e Lucy estendeu os braços para segurar uma das suas novas filhas.

— Está muito cor-de-rosa — murmurou ela, aninhando o pequeno embrulho contra o peito.

A bebé gritava a plenos pulmões. Era um som maravilhoso, decidiu Lucy.

— Cor-de-rosa é uma cor excelente — declarou Gregory. — A minha cor da sorte.

— Esta aqui tem bastante força — observou Hyacinth, virando-se de lado para que todos pudessem ver o seu dedo mindinho, preso na pequena mão da bebé.

— São ambas muito saudáveis — afirmou a parteira. — Os gémeos muitas vezes não são, como sabem.

Gregory inclinou-se para beijar Lucy na testa.

– Eu sou um homem com muita sorte – murmurou ele.

Lucy sorriu fracamente. Ela também se sentia cheia de sorte, quase milagrosamente, mas estava simplesmente demasiado cansada para dizer outra coisa que não fosse:

– Acho que deve estar terminado. Por favor, diz-me que acabou.

Gregory sorriu amorosamente.

– Sim, está terminado – declarou ele. – Ou pelo menos tão acabado quanto eu posso garantir.

Lucy assentiu com gratidão. Ela também não estava disposta a abandonar o conforto do leito conjugal, mas, na verdade, tinha de haver algo que pudessem fazer para acabar com o fluxo constante de bebés.

– Que nomes lhes vamos dar? – perguntou Gregory, fazendo brincadeiras com os olhos à bebé nos braços de Hyacinth.

Lucy acenou para a parteira e entregou-lhe a bebé para que pudesse voltar a deitar-se. Sentia os braços trémulos e não confiava em si mesma para segurar a bebé devidamente, mesmo ali na cama.

– Não querias Eloise? – murmurou ela, fechando os olhos.

Eles tinham dado nomes aos filhos em homenagem aos respetivos irmãos: Katharine, Richard, Hermione, Daphne, Anthony, Benedict e Colin. Eloise era a próxima escolha óbvia para uma menina.

– Eu sei – respondeu Gregory, e ela ouviu-lhe o sorriso na voz –, mas eu não estava a contar com *duas*.

Hyacinth virou-se com um arquejo.

– Tu vais chamar à outra Francesca – acusou ela.

– Bem – começou Gregory, num tom ligeiramente presunçoso – ela *é* a irmã seguinte.

Hyacinth ficou de boca aberta, e Lucy não se teria surpreendido se lhe visse vapor a sair das orelhas.

– Eu não posso acreditar – enfureceu-se Hyacinth, agora fuzilando Gregory com o olhar. – Vais ter filhos com os nomes de todos os teus irmãos exceto com o meu.

– É uma feliz coincidência, garanto-te – provocou Gregory.
– Eu achava que a Francesca ficaria de fora também.

– Até a Kate tem uma homónima!

– A Kate teve um papel determinante na nossa paixão – lembrou Gregory. – Ao passo que tu atacaste a Lucy na igreja.

Lucy teria soltado uma boa risada, se tivesse energia.

Hyacinth, no entanto, não estava a achar piada nenhuma.

– Ela ia *casar* com outra pessoa.

– Tu guardas rancor, querida irmã. – Gregory virou-se para Lucy. – Ela simplesmente não consegue abrir mão, pois não?

Gregory estava novamente com uma das bebés ao colo, embora Lucy não soubesse qual. Ele provavelmente também não.

– Ela é linda – disse ele, erguendo a cabeça para sorrir a Lucy.
– Mas pequenina. Mais pequenina do que os outros, parece-me.

– Os gémeos são sempre pequenos – esclareceu a parteira.

– Sim, claro – murmurou ele.

– Não os senti pequenos – comentou Lucy. Tentou empurrar o corpo para se sentar e conseguir pegar na outra bebé, mas os braços cederam. – Estou tão cansada.

A parteira franziu o sobrolho.

– Não foi um trabalho de parto assim tão longo.

– Foram dois bebés – lembrou Gregory.

– Sim, mas ela já teve muitos antes – respondeu a parteira num tom mais assertivo. – Os partos vão-se tornando mais fáceis quanto mais filhos se tem.

– Não me sinto bem – disse Lucy.

Gregory entregou a bebé a uma criada e aproximou-se dela para a observar melhor.

– O que se passa?

– Ela parece pálida – Lucy ouviu Hyacinth dizer.

Mas a voz dela não soava como deveria. Era metálica, como se estivesse a falar através de um tubo longo e estreito.

– Lucy? Lucy?

Ela tentou responder. Achou que estava a responder. Mas se os seus lábios se mexiam ou não, não saberia dizer, e também não conseguia ouvir a sua própria voz.

– Passa-se algo de errado – disse Gregory, num tom ríspido. Parecia assustado. – Onde está o Dr. Jarvis?

– Foi-se embora – respondeu a parteira. – Tinha um outro parto... da mulher do advogado.

Lucy tentou abrir os olhos. Queria ver o rosto do marido, para lhe dizer que estava tudo bem. Só que ela não estava bem. Não lhe doía nada, exatamente; bem, não mais do que o normal de um corpo que acabou de expulsar um bebé. Não conseguia descrever. Simplesmente sentia que *não* estava bem.

– Lucy? – A voz de Gregory lutou para lhe rasgar a neblina. – Lucy!

Ele pegou-lhe na mão, apertou-a e depois sacudiu-a.

Ela queria tranquilizá-lo, mas sentia-se tão longe. E aquele sentimento de algo estar errado foi-se espalhando por todo o corpo, esgueirando-se da barriga até aos membros, e até à ponta dos dedos dos pés.

Não era tão mau, desde que se mantivesse perfeitamente imóvel. Talvez se dormisse...


– O que é que se passa com ela? – exigiu saber Gregory.

Atrás dele, as bebés berravam, mas pelo menos continuam vivaças e rosadas, enquanto Lucy...

– Lucy? – Ele tentou tornar a voz urgente, mas a ele soou-lhe aterrorizada. – Lucy?

O rosto dela estava pastoso; os lábios, lívidos. Não estava ainda inconsciente, mas também não reagia.

– O que é que se *passa* com ela?

A parteira correu para os pés da cama e espreitou por baixo das cobertas. Soltou um gemido aflito e, quando olhou para cima, o seu rosto estava quase tão pálido como o de Lucy.

Gregory olhou para baixo a tempo de ver uma mancha carmesim a alastrar no lençol.

– Arranjem-me mais toalhas – reagiu a parteira, e Gregory não pensou duas vezes para executar a ordem dela.

– Vou precisar de mais do que isto – disse ela severamente, começando a empurrar várias toalhas para debaixo das ancas de Lucy. – Vão, vão!

– Eu vou – declarou Hyacinth. – Tu ficas.

Ela precipitou-se para o corredor, deixando Gregory de pé, ao lado da parteira, sentindo-se impotente e incompetente. Que homem ficava parado a ver a mulher sangrar?

Mas ele não sabia o que fazer. Não sabia como fazer outra coisa que não fosse entregar as toalhas à parteira, que as empurrava contra o corpo de Lucy com força brutal.

Abriu a boca para dizer... alguma coisa. Talvez tenha conseguido que uma palavra saísse. Não sabia. Pode ter sido apenas um som, um som aterrorizado e terrível que lhe explodiu das entranhas.

– Onde estão as toalhas? – exigiu saber a parteira.

Gregory fez um aceno de cabeça e correu para o corredor, aliviado por lhe ser dada uma tarefa.

– Hyacinth! Hya...

Lucy gritou.

– Meu Deus.

Gregory vacilou, agarrando-se à ombreira da porta para se apoiar. Não era o sangue; ele aguentava o sangue. Era o grito. Ele nunca ouvira um ser humano emitir tal som.

– O que é que lhe está a fazer? – perguntou ele, com a voz trémula ao afastar-se da parede.

Era difícil de assistir, e ainda mais difícil de ouvir, mas talvez ele pudesse segurar a mão de Lucy.

– Estou a manipular-lhe a barriga – resmungou a parteira.

Ela apertou com força e depois espremeu. Lucy soltou outro grito, quase arrancando os dedos a Gregory.

– Não me parece que seja uma boa ideia – afirmou ele. – Está a empurrar-lhe o sangue para fora. Ela não pode perd...

– Vai ter de confiar em mim – disse a parteira secamente. – Eu já vi isto antes. Mais vezes do que gostaria.

Gregory sentiu os lábios a formar a pergunta «Elas sobreviveram?», mas não a fez. A expressão da parteira era demasiado sombria. Ele não queria saber a resposta.

Entretanto, os gritos de Lucy tinham-se desintegrado e transformado em gemidos, mas, de alguma forma, isso era ainda pior. A sua respiração era rápida e superficial, os olhos cerrados com força contra a dor dos golpes da parteira.

– Por favor, fá-la parar – choramingou Lucy.

Gregory olhou freneticamente para a parteira. Ela usava agora ambas as mãos, uma delas subindo mais para cima...

– Oh, meu Deus! – Ele virou-se para trás. Não conseguia olhar. – Tens de a deixar ajudar – disse para Lucy.

– Eu tenho as toalhas! – disse Hyacinth, irrompendo no quarto. Parou, olhando para Lucy. – Meu Deus. – A voz vacilou. – Gregory?

– *Cala-te!*

Ele não queria ouvir a irmã. Não queria falar com ela, não queria responder às suas perguntas. Ele não *sabia*. Pelo amor de Deus, será que ela não via que ele não sabia o que estava a acontecer?

Forçá-lo a admiti-lo em voz alta teria sido a mais cruel das torturas.

– Dói – choramingou Lucy. – Isso *dói*.

– Eu sei. Eu sei. Se pudesse fazê-lo por ti, eu faria. Juro que o faria.

Ele colocou a mão dela entre as suas, desejando que um pouco da própria força passasse para ela. O aperto dela estava a ficar mais fraco, apertando-lhe a mão apenas quando a parteira fazia um movimento mais vigoroso.

Então, a mão de Lucy ficou flácida.

Gregory parou de respirar. Olhou para a parteira horrorizado. Ela ainda estava de pé ao fundo da cama, o seu rosto exibia uma máscara de determinação sombria enquanto trabalhava. De repente parou, semicerrou os olhos quando deu um passo para trás, e não disse nada.

Hyacinth ficou ali petrificada, com a pilha de toalhas ainda nos braços.

– O que, o que... – Mas a voz não chegava sequer ao sussurro, sem forças para completar o pensamento.

A parteira estendeu a mão, tocando a cama ensanguentada perto do corpo de Lucy.

– Acho que... é tudo – anunciou ela.

Gregory olhou para a mulher, que se mantinha terrivelmente imóvel. Depois, voltou a olhar para a parteira. Via o peito dela subir e descer, enchendo-o de ar às golfadas, ar esse que não se permitira respirar enquanto trabalhava em Lucy.

– O que quer dizer com «é tudo»? – perguntou ele, mal conseguindo forçar as palavras a saírem-lhe dos lábios.

– O sangramento terminou.

Gregory virou-se lentamente para Lucy. O sangramento terminara. O que é que isso significava? Os sangramentos não acabavam todos por parar... por fim?

Porque estava a parteira ali parada? Não devia estar a fazer alguma coisa? Não devia *ele* estar a fazer alguma coisa? Ou será que Lucy...

Voltou-se para a parteira, numa angústia palpável.

– Ela não está morta – apressou-se a dizer a parteira. – Pelo menos eu acho que não.

– *Acha* que não? – repetiu ele, elevando o tom de voz.

A parteira cambaleou para a frente. Estava coberta de sangue e parecia exausta, mas Gregory não queria nem saber se ela estava prestes a desmaiar.

– *Ajude-a!* – ordenou ele.

A parteira pegou no pulso de Lucy e sentiu-lhe as pulsações. Dirigiu um aceno rápido a Gregory, quando encontrou a pulsação, mas então disse:

– Eu fiz tudo o que posso.

– Não – contrapôs Gregory, porque se recusava a acreditar que fosse verdade. Havia sempre algo mais a fazer. – Não – repetiu. – *Não!*

– Gregory – disse Hyacinth, tocando-lhe o braço.

Ele sacudiu-o.

– Faça alguma coisa – disse ele, dando um passo ameaçador em direção à parteira. – Tem de fazer alguma coisa.

– Ela perdeu muito sangue – explicou a parteira, encostando-se, sem energia, à parede. – Agora só podemos esperar. Eu não tenho maneira de saber que caminho vai ela seguir. Algumas mulheres recuperam. Outras...

A voz dela sumiu-se. Talvez porque ela não o quisesse dizer. Ou talvez por causa da expressão no rosto de Gregory.

Gregory engoliu em seco. Nunca fora pessoa de perder as estribeiras; pelo contrário, sempre fora um homem sensato. Mas a vontade de atacar, de gritar ou de bater nas paredes, de encontrar alguma maneira de reunir todo aquele sangue e de o empurrar de volta para dentro dela...

Mal podia respirar contra a força dessa vontade.

Hyacinth moveu-se silenciosamente para o lado do irmão. A mão encontrou a dele e, sem pensar, ele entrelaçou os dedos nos dela. Esperou que ela dissesse algo como, «Ela vai ficar bem», ou «Tudo vai ficar bem, basta ter fé».

Mas ela não o fez. Era Hyacinth, e ela nunca mentia. Mas estava ali. Graças a Deus que estava ali.

Ela apertou-lhe a mão e o gesto disse-lhe que ficaria o tempo que ele precisasse.

Ele piscou os olhos e olhou para a parteira, tentando encontrar a voz.

– E se... – *Não.* – E *quando*... – começou ele, hesitante. – O que fazemos *quando* ela acordar?

A parteira olhou primeiro para Hyacinth, o que por algum motivo só o irritou.

– Ela vai estar muito fraca – respondeu.

– Mas vai ficar bem? – perguntou ele, praticamente atropelando a resposta da parteira.

A parteira fitou-o com uma expressão horrível. Era algo que beirava a pena. Com tristeza. E resignação.

– É difícil dizer – declarou ela finalmente.

Gregory perscrutou-lhe o rosto, desesperado por algo que não fosse uma platitude ou uma meia resposta.

– O que raio significa isso?

A parteira desviou o olhar.

– Pode haver uma infeção. Acontece com frequência em casos como este.

– Porquê?

A parteira pestanejou, confusa.

– Porquê? – quase rugiu ele.

A mão de Hyacinth apertou mais a dele.

– Eu não sei. – A parteira recuou um passo. – Simplesmente acontece.

Gregory voltou-se para Lucy, incapaz de olhar mais para a parteira. Ela estava coberta de sangue, o sangue de Lucy, e talvez não fosse culpa dela, talvez a culpa não fosse de ninguém, mas ele não era capaz de suportar olhar para ela mais um momento.

– O doutor Jarvis tem de voltar – disse ele em voz baixa, pegando na mão inerte de Lucy.

– Eu trato disso – declarou Hyacinth. – E vou mandar alguém trocar os lençóis.

Gregory não ergueu o olhar.

– Eu também vou indo – disse a parteira.

Ele não respondeu. Ouviu pés a deslocar-se pelo chão, seguido de um clique suave da porta ao fechar, mas manteve sempre o olhar no rosto de Lucy.

– Lucy – sussurrou, tentando forçar a voz para um tom de brincadeira. – La, la, la, Lucy. – Era um refrão parvo, que a filha, Hermione, tinha feito quando tinha quatro anos. – La, la, la, Lucy.

Ele perscrutou-lhe o rosto. Teria ela sorrido? Ele julgou ter visto a expressão dela mudar ligeiramente.

– La, la, la, Lucy. – A voz tremeu, mas continuou: – La, la, la, Lucy.

Sentia-se um idiota. *Parecia* um idiota, mas não sabia mais o que dizer. Normalmente, nunca ficava sem palavras. Muito menos com Lucy. Mas agora... o que dizer num momento como este?

Por isso ficou ali. Ficou ali sentado o que lhe pareceram horas. Ficou ali sentado e tentou lembrar-se de respirar. Ficou ali sentado e cobriu a boca de todas as vezes que sentiu um enorme soluço asfixiante querer escapar, pois não queria que ela o ouvisse. Ficou ali sentado e tentou desesperadamente não pensar sobre o que seria a sua vida sem ela.

Ela tinha sido o mundo inteiro para ele. Depois tiveram filhos, e ela passara a não ser tudo para ele, mas ainda assim, estava no centro de tudo. O sol. O seu sol, em torno do qual tudo o que era importante girava.

Lucy. A mulher que ele não tinha percebido que adorava até ser quase tarde de mais. Ela era tão perfeita, tão completamente a outra metade de si que quase a descurara. Ele estava à espera de um amor cheio de paixão e drama; nunca lhe ocorrera que o verdadeiro amor pudesse ser algo de inteiramente agradável e fácil.

Com Lucy, ele podia ficar sentado horas e não dizer uma palavra. Ou podiam ambos tagarelar como gralhas. Ele podia dizer algo estúpido sem se importar. Podia fazer amor com ela a noite inteira ou passar várias semanas simplesmente a dormir aconchegado a ela.

Não importava. Nada disso importava porque ambos *sabiam*.

– Eu não consigo viver sem ti – deixou ele escapar. Caramba, passara uma hora sem falar e *esta* era a primeira coisa que dizia? – Quero dizer, eu consigo, porque seria obrigado a fazê-lo, mas vai ser horrível e, honestamente, sei que não vou fazer um bom trabalho. Eu sou um bom pai, mas apenas porque tu és uma excelente mãe.

*Se morresse...*

Fechou os olhos com força, tentando banir o pensamento. Estava a esforçar-se tanto para manter essas duas palavras afastadas da sua mente.

Duas palavras. «Duas palavras» deviam significar «Eu amo-te». Não...

Respirou fundo, estremecendo. Tinha de parar de pensar daquela maneira.

A janela tinha sido aberta ligeiramente para deixar entrar a brisa e Gregory ouviu um grito alegre vindo do exterior. Um dos filhos, um dos rapazes pelo som que lhe chegava. Estava sol e imaginou que estariam a brincar às corridas no relvado.

Lucy gostava de vê-los a correr lá fora. Ela gostava de correr *com* eles, também, mesmo quando estava tão grávida que os seus movimentos pareciam os de um pato.

– Lucy – sussurrou ele, tentando manter a voz firme. – Não me deixes. Por favor, não me deixes.

«Eles precisam mais de ti – continuou ele com a voz embargada, mudando de posição para poder segurar a mão dela entre as suas. – As crianças. Elas precisam *mais* de ti. Eu sei que sabes isso. Nunca o dirias, mas sabes que é verdade. E *eu* preciso de ti. Acho que também sabes isso.»

Mas ela não respondeu. Ela não se mexeu.

Mas respirava. Pelo menos, graças a Deus, respirava.

– Pai?

Gregory sobressaltou-se ao ouvir a voz da filha mais velha e desviou o rosto rapidamente, desesperado por um momento para se recompor.

– Eu fui ver as bebés – disse Katharine, entrando no quarto. – A tia Hyacinth disse que eu podia.

Ele assentiu com a cabeça, não confiando ser capaz de falar.

– Elas são muito fofas – continuou Katharine. – As bebés, quero dizer. Não a tia Hyacinth.

Gregory sentiu um sorriso e ficou estarrecido pela reação.

– Não – respondeu ele – ninguém diria que a tia Hyacinth é fofa.

– Mas eu adoro-a – apressou-se Katharine a acrescentar.

– Eu sei – respondeu ele, finalmente virando-se para olhar para ela. Sempre leal, a sua Katharine. – Eu também.

Katharine avançou alguns passos, parando perto dos pés da cama.

– Porque é que a mamá ainda está a dormir?

Ele engoliu em seco.

– Bem, ela está muito cansada, minha linda. É preciso uma grande quantidade de energia para ter um bebé. O dobro para ter dois.

Katharine assentiu solenemente, mas ele não ficou certo se ela acreditara nele. Ela olhava para a mãe com o sobrolho franzido, não exatamente de preocupação, mas de muita curiosidade.

– Ela está pálida – disse por fim.

– Parece-te? – respondeu Gregory.

– Está branca como um lençol.

Exatamente a opinião dele, mas como estava a tentar não parecer preocupado, declarou simplesmente:

– Talvez um pouco mais pálida do que o habitual.

Katharine olhou-o por um momento e depois sentou-se na cadeira ao lado dele. Sentou-se muito direita, as mãos ordeiramente cruzadas no colo, e Gregory não pôde deixar de se maravilhar com aquele milagre. Há quase doze anos, Katharine Hazel Bridgerton tinha entrado neste mundo e feito dele pai. Era a sua única verdadeira vocação, percebeu ele no instante em que ela havia sido colocada nos seus braços. Ele era o filho mais novo; não ia herdar um título, e também não tinha vocação para militar ou para entrar para o clero. O seu lugar na vida era ser fidalgo rural.

E pai.

Quando olhara para a bebé Katharine, para os olhos ainda cinzento-escuros de bebé que todos os seus filhos tinham ao nascer, soube. Porque estava ali, o que lhe estava destinado... foi então que soube. Ele existia para orientar aquela pequena criatura milagrosa até à vida adulta, para a proteger e zelar pelo seu bem-estar.

Ele adorava todos os filhos, mas sempre tivera uma ligação especial com Katharine, pois fora ela a pessoa que lhe ensinara qual era o seu destino.

– Os outros querem vê-la – disse ela.

Ela tinha os olhos baixos e postos no pé direito enquanto o chutava para trás e para a frente.

– A vossa mãe ainda precisa de descanso, minha linda.

– Eu sei.

Gregory esperou por mais. Ela não estava a dizer o que pensava realmente. Tinha a impressão de que era Katharine que queria ver a mãe. Ela queria sentar-se ao lado da cama e rir e rir e, em seguida, explicar cada nuance da caminhada na Natureza que fizera com a precetora.

Os outros, os mais pequenos, provavelmente nem se tinham apercebido da situação.

Mas Katharine sempre fora incrivelmente próxima de Lucy. Eram como unha e carne. Fisicamente, não eram nada parecidas; por incrível que pareça, Katharine era mais parecida com a sua homónima, a cunhada de Gregory, a atual viscondessa Bridgerton. Não fazia sentido nenhum, pois não havia entre elas uma ligação de sangue, mas ambas as Katharine tinham o mesmo cabelo escuro e o rosto oval. Os olhos não eram da mesma cor, mas a forma era idêntica.

Contudo, no interior, Katharine, a *sua* Katharine, era igualzinha a Lucy. Gostava de ordem. Precisava de ver o padrão nas coisas. Se pudesse contar à mãe sobre o passeio de ontem na Natureza, teria começado com as flores que vira. Não se teria lembrado de todas, mas com certeza saberia quantas havia de cada cor.

E Gregory não ficaria surpreso se a precetora viesse mais tarde dizer-lhe que Katharine insistira em andar mais um quilómetro ou dois só para que as «cor-de-rosa» apanhassem as «amarelas».

Equidade em todas as coisas, aquela era a sua Katharine.

— A Mimsy diz que as bebés devem ter os nomes da tia Eloise e da tia Francesca – disse Katharine, depois de abanar o pé para trás e para a frente trinta e duas vezes.

(Ele contara. Gregory não podia acreditar que contara. Estava a ficar mais parecido com Lucy a cada dia.)

— Como de costume – respondeu ele –, a Mimsy tem razão.

Mimsy era a ama e enfermeira das crianças, e uma candidata à santidade, certamente.

— Ela não sabia que nomes do meio elas vão ter.

Gregory franziu o sobrolho.

— Acho que ainda não tivemos tempo para decidir sobre isso.

Katharine fitou-o com um olhar direto e inquietante.

— Antes de a mamã precisar de dormir?

— Há, sim – respondeu Gregory, desviando o olhar.

Não sentia orgulho por ter desviado o olhar, mas era a única opção se queria não chorar à frente da filha.

— Acho que uma delas devia chamar-se Hyacinth – anunciou Katharine.

Ele assentiu.

— Eloise Hyacinth ou Francesca Hyacinth?

Os lábios de Katharine comprimiram-se enquanto pensava e, em seguida, disse em voz firme:

— Francesca Hyacinth. Parece-me bem. Apesar de...

Gregory esperou que ela terminasse o pensamento, e quando ela não o fez, insistiu:

— Apesar de...?

— *Ser* um pouco florido.

— Não sei como o evitaremos, com um nome como Hyacinth.

— É verdade – respondeu Katharine, pensativa –, mas e se ela não vier a ser doce e delicada?

— Como a tua tia Hyacinth? — murmurou ele, pois algumas coisas realmente imploravam para serem ditas.

— Ela *é* bastante feroz — disse Katharine, sem um pingo de sarcasmo.

— Feroz ou temível?

— Oh, apenas feroz. A tia Hyacinth não é de todo temível.

— Não *lhe* digas isso.

Katharine pestanejou, sem compreender.

— O pai acha que ela quer ser temível?

— *E* feroz.

— Que estranho — murmurou ela. Depois, ergueu um olhar especialmente brilhante. — Acho que a tia Hyacinth vai adorar ter uma bebé com o nome dela.

Gregory sentiu-se sorrir. Um sorriso verdadeiro, não algo invocado para fazer a filha sentir-se segura.

— Sim — disse ele calmamente —, pois vai.

— Ela provavelmente pensou que não ia ter um — continuou Katharine —, uma vez que era para seguir a ordem. Todos nós sabíamos que seria Eloise, se fosse uma menina.

— E quem esperaria gémeos?

— Mesmo assim — prosseguiu Katharine —, ainda há a tia Francesca a considerar. A mamã teria de ter tido trigémeas para que uma pudesse ter o nome da tia Hyacinth.

Trigémeas. Gregory não era católico, mas era difícil suprimir o desejo de se benzer.

— E teriam de ser todas meninas — acrescentou Katharine —, o que me parece ser uma improbabilidade matemática.

— Concordo — murmurou ele.

Ela sorriu. Ele sorriu. E deram as mãos.

— Eu estava aqui a pensar... — começou Katharine.

— Sim, minha linda?

— Se a Francesca vai ser Francesca Hyacinth, então a Eloise devia ser Eloise Lucy. Porque a mamã é a melhor mãe do mundo.

Gregory lutou contra o nó que se lhe formou na garganta.

– Sim – respondeu com voz rouca –, ela é.

– Acho que a mamã ia gostar, não lhe parece? – perguntou Katharine.

Sem saber como, ele conseguiu assentir com a cabeça e responder:

– Ela provavelmente diria que devíamos dar outro nome à bebé, que não o dela. Ela é muito generosa.

– Eu sei. É por isso que devemos fazê-lo, enquanto ela ainda está a dormir. Antes que ela tenha a possibilidade de dizer que não. Porque ela vai fazê-lo, tenho a certeza.

Gregory riu baixinho.

– Ela vai dizer que não devíamos tê-lo feito – continuou Katharine –, mas secretamente vai ficar contente.

Gregory engoliu outro nó na garganta, mas este, felizmente, era proveniente do amor paterno. – Acho que tens razão.

Katharine abriu um enorme sorriso.

Ele despenteou-lhe o cabelo. Em breve ela seria demasiado crescida para tais demonstrações de afeto; dir-lhe-ia para não lhe estragar o penteado. Mas, por agora, ia aproveitar todas as vezes possíveis para lhe despentear o cabelo. Sorriu para ela.

– Como é que conheces tão bem a tua mãe?

Ela fitou-o com uma expressão indulgente. Já tinham tido esta conversa antes.

– Porque eu sou exatamente como ela.

– Exatamente – concordou ele.

Ficaram de mãos dadas mais alguns momentos até que algo lhe ocorreu.

– Lucy ou Lucinda?

– Oh, Lucy – disse Katharine, sabendo instantaneamente do que ele falava. – Ela não é *realmente* uma Lucinda.

Gregory suspirou e olhou para a mulher, ainda a dormir na cama.

– Não – concordou ele em voz baixa –, não é.

Sentiu a filha deslizar a mão pequena e quente para a sua.

– La, la, la, Lucy – disse Katharine, e ele ouviu-lhe o sorriso tranquilo na voz.

– La, la, la, Lucy – repetiu ele.

Surpreendentemente, ouviu um sorriso na própria voz, também.


Poucas horas depois, o Dr. Jarvis regressou, cansado e amarrotado depois de fazer o parto de um outro bebé da aldeia. Gregory conhecia bem o médico. Peter Jarvis acabara de terminar os estudos quando Gregory e Lucy decidiram passar a residir perto de Winkfield, e ele era o médico da família desde então. Ele e Gregory eram da mesma idade e tinham partilhado muitas ceias ao longo dos anos. Mrs. Jarvis também era uma boa amiga de Lucy e os filhos de ambos os casais brincavam juntos muitas vezes.

Mas, em todos os anos de amizade, Gregory nunca vira tal expressão no rosto de Peter. Os lábios dele contraíam-se nos cantos e ele não tentou sequer fazer a conversa amena habitual antes de examinar Lucy.

Hyacinth estava lá também, tendo insistido que Lucy precisava do apoio de outra mulher no quarto.

– Como se qualquer um de vós fosse capaz de entender os rigores do parto – disse ela, com certo desdém.

Gregory não dissera uma palavra. Acabara de dar um passo para o lado, para permitir que a irmã entrasse. Havia algo reconfortante na sua presença feroz. Ou talvez inspirador. Hyacinth era uma força da Natureza; dava quase para acreditar que seria capaz de *mandar* Lucy curar-se.

Mantiveram-se ambos afastados, deixando o médico medir a pulsação de Lucy e escutar-lhe o coração. E então, Peter agarrou-a bruscamente pelos ombros e desatou a abaná-la, deixando Gregory completamente em choque.

– O que está a fazer?! – gritou Gregory, avançando para intervir.

– A acordá-la – respondeu Peter de forma resoluta.

– Mas ela não precisa de descansar?

– Ela precisa mais de acordar.

– Mas...

Gregory não sabia exatamente porque estava a protestar e a verdade é que não importava, porque quando Peter o interrompeu, foi para dizer:

– Pelo amor de Deus, Bridgerton, precisamos de saber que ela *consegue* acordar. – Voltou a abaná-la e, desta vez, disse em voz alta: – Lady Lucinda! Lady Lucinda!

– Ela não é uma Lucinda. – Gregory ouviu-se a dizer, e depois aproximou-se e gritou: – Lucy? Lucy?

Ela mudou de posição, resmungando algo no sono.

Gregory olhou bruscamente para Peter, um olhar que continha todas as perguntas do mundo.

– Veja se consegue que ela lhe responda – disse Peter.

– Deixe-me tentar – interveio Hyacinth, decidida.

Gregory observou-a a inclinar-se e a segredar algo ao ouvido de Lucy.

– O que estás a dizer? – perguntou ele.

Hyacinth abanou a cabeça.

– Não queres saber.

– Oh, pelo amor de Deus – murmurou ele, empurrando-a para o lado. Pegou na mão de Lucy e apertou-a com mais força do que fizera anteriormente. – Lucy! Quantos degraus tem a escada que vai da cozinha para o primeiro andar?

Ela não abriu os olhos, mas fez um som que lhe pareceu ser...

– Disseste quinze? – perguntou-lhe.

Ela bufou e desta vez ele ouviu-a claramente.

– Dezasseis.

– Oh, graças a Deus! – Gregory soltou-lhe a mão e deixou-se afundar na cadeira ao lado da cama. – Pronto. Ela está bem. Ela vai ficar bem.

– Gregory...

O tom de Peter não era animador.

– Disse-me que eu tinha de a acordar.

– Assim foi – confirmou Peter em tom seco. – E é muito bom sinal termos sido capazes de o fazer, mas isso não quer dizer...

– Não diga isso – interrompeu Gregory, em voz baixa.

– Mas deve...

– *Não diga isso!*

Peter calou-se, ficando ali a observá-lo com uma expressão terrível. Era piedade, compaixão e pesar, nada que ele quisesse ver no rosto de um médico.

Gregory deixou-se abater. Fizera o que lhe tinha sido pedido. Acordara Lucy, mesmo se apenas por um momento. Ela dormia novamente, agora enrolada de lado, virada de costas para ele.

– Eu fiz o que me pediu – disse ele baixinho. Ergueu os olhos para Peter. – Eu fiz o que me pediu – repetiu mais acentuadamente desta vez.

– Eu sei – respondeu Peter gentilmente – e nem consigo dizer-lhe como é tranquilizador o facto de ela ter falado. Mas não podemos contar com isso como garantia.

Gregory tentou falar, mas a garganta fechou-se-lhe. Aquela terrível sensação de asfixia voltara a invadi-lo e apenas conseguiu respirar. Se pudesse respirar e não fazer mais nada, talvez fosse capaz de evitar chorar na frente do amigo.

– O corpo precisa de recuperar forças depois de uma perda de sangue – explicou Peter. – Ela pode dormir algum tempo ainda. E pode... – Ele pigarreou. – Ela pode não voltar a acordar.

– É claro que vai acordar – protestou Hyacinth bruscamente. – Já o fez uma vez, pode voltar a fazê-lo.

O médico atirou-lhe um olhar fugaz antes de voltar a atenção para Gregory.

– Se tudo correr bem, podemos esperar uma recuperação bastante normal. Pode levar algum tempo – alertou. – Não consigo saber ao certo a quantidade de sangue que ela perdeu. Pode levar meses para que o corpo recupere os fluidos necessários.

Gregory assentiu lentamente.

– Ela vai estar fraca. Calculo que deva precisar de ficar de cama pelo menos um mês.

– Ela não vai gostar disso.

Peter pigarreou, com certo constrangimento.

– Manda alguém chamar-me se houver alterações?

Gregory assentiu silenciosamente.

– Não – disse Hyacinth, dando um passo para trás para lhe impedir a saída. – Eu tenho mais perguntas.

– Sinto muito – disse o médico em voz baixa. – Eu não tenho mais respostas.

Nem Hyacinth podia refutar.


Quando o dia amanheceu, esplendoroso e incompreensivelmente animador, Gregory acordou no quarto de Lucy, ainda sentado na cadeira ao lado da cama. Ela dormia, mas estava inquieta, fazendo aqueles sons sonolentos habituais quando mudava de posição. E então, inesperadamente, abriu os olhos.

– Lucy?

Gregory apertou-lhe a mão com tanta força que teve de se obrigar a afrouxá-la.

– Tenho sede – disse ela com a voz fraca.

Ele anuiu e correu a buscar-lhe um copo de água.

– Deixaste-me tão... Eu não...

Mas não conseguiu dizer mais nada. A voz quebrou-se em mil pedaços e tudo o que saiu foi um soluço doloroso. Parou, de costas para ela, tentando recuperar a compostura. A mão tremia-lhe; a água salpicou-lhe a manga.

Ouviu Lucy tentar dizer o nome dele e sabia que tinha de se recompor. *Ela* era a pessoa que quase morrera; ele não tinha o direito de se deixar ir abaixo, quando ela precisava dele.

Respirou fundo, e depois novamente.

– Aqui está – disse ele, tentando manter a voz animada ao virar-se.

Levou-lhe o copo, mas imediatamente percebeu o seu erro. Ela estava demasiado fraca para segurar no copo, muito menos para conseguir sentar-se na cama.

Pousou o copo numa mesa próxima e depois colocou os braços em torno dela num abraço gentil para poder ajudá-la.

– Deixa-me arranjar-te as almofadas – murmurou, mudando-as de posição e arranjando-as até estar convencido de que ela tinha o apoio adequado.

Levou-lhe o copo aos lábios e inclinou-o muito ligeiramente. Lucy bebeu um pouco e, em seguida, recostou-se, respirando de modo ofegante devido ao esforço de beber.

Gregory observou-a em silêncio. Supunha que ela bebera apenas umas gotas.

– Tens de beber mais – aconselhou ele.

Ela assentiu com a cabeça, quase impercetivelmente, e disse:

– Daqui a nada.

– Seria mais fácil com uma colher?

Ela fechou os olhos e deu outro aceno fraco.

Ele olhou em redor. Alguém lhe trouxera chá na noite anterior e não tinham vindo buscar a bandeja. Provavelmente para não o perturbar. Gregory decidiu que a celeridade era mais importante do que a limpeza, por isso pegou na colher do açucareiro. Depois pensou que seria bom se ela consumisse um pouco de açúcar e levou tudo.

– Aqui está – murmurou ele, dando-lhe uma colher de água. – Queres açúcar, também?

Ela assentiu com a cabeça e ele colocou-lhe um pouco na língua.

– O que aconteceu? – perguntou ela.

Ele fitou-a surpreendido.

– Não sabes?

Ela pestanejou algumas vezes.

– Eu sangrei?

– Bastante – respondeu ele em voz embargada.

Não conseguiria desenvolver mais o assunto. Não queria descrever o fluxo de sangue que testemunhara. Não queria que ela soubesse e, para ser franco, ele próprio queria esquecer.

A testa dela franziu-se e a cabeça inclinou-se para o lado. Uns momentos depois, Gregory percebeu que ela estava a tentar olhar para os pés da cama.

– Nós limpámos tudo – explicou ele, conseguindo esboçar um pequeno sorriso.

Era tão típico de Lucy, certificar-se de que tudo estava em ordem.

Ela fez um pequeno aceno e disse:

– Estou cansada.

– O doutor Jarvis disse que te sentirás fraca durante vários meses. Imagino que terás de ficar de cama durante algum tempo.

Ela soltou um gemido, mas mesmo isso lhe saiu fraco.

– Eu odeio repouso na cama.

Ele sorriu. Lucy era uma pessoa dinâmica; sempre fora. Gostava de consertar e fazer coisas, de tornar todos felizes. A inatividade matava-a.

Uma péssima metáfora. Mas uma verdade.

Ele debruçou-se sobre ela com uma expressão severa.

– Vais ficar na cama nem que eu tenha de te amarrar.

– Não és desse tipo – disse ela, movendo levemente o queixo.

Calculou que ela estava a tentar uma expressão despreocupada, mas aparentemente era preciso energia para se ser insolente. Ela fechou os olhos novamente, deixando escapar um suspiro suave.

– Fi-lo uma vez – disse ele.

Ela emitiu um som estranho que ele achou poder ser, na verdade, uma risada.

– Pois fizeste.

Ele inclinou-a e beijou-a suavemente nos lábios.

– Eu salvei o dia.

– Tu salvas sempre o dia.

– Não. – Ele engoliu em seco. – Isso és tu.

Os olhos de ambos encontraram-se, uma troca de olhares forte e profunda. Gregory sentiu algo devastador dentro dele e, por instantes, teve a certeza de que ia chorar novamente. Mas no momento em que se sentiu prestes a desmoronar, ela encolheu os ombros e disse:

– Eu também não ia conseguir mexer-me, de qualquer maneira.

Com o equilíbrio mais ou menos restaurado, ele levantou-se para ir buscar à bandeja de chá um biscoito que restava.

– Lembra-te disso daqui a uma semana.

Ele não tinha dúvidas de que ela tentaria sair da cama muito antes do recomendado.

– Onde estão as bebés?

Gregory fez uma pausa e virou-se.

– Não sei – respondeu ele lentamente. Deus do Céu, tinha-se esquecido completamente. – No berçário, imagino. São ambas perfeitas. Rosadas e a gritar bem alto, tudo o que devem ser.

Lucy sorriu fracamente e soltou outro suspiro exausto.

– Posso vê-las?

– Claro. Vou pedir a alguém que as traga imediatamente.

– Os outros não – pediu Lucy, os olhos turvando-se. – Não quero que eles me vejam assim.

– Eu acho que estás linda – argumentou ele, vindo sentar-se na beira da cama. – Acho que deves ser a coisa mais linda que já vi.

– Para – protestou ela.

Lucy nunca fora muito boa a receber elogios, mas ele viu-lhe os lábios tremelicar um pouco, pairando entre um sorriso e um soluço.

– A Katharine esteve aqui ontem – contou-lhe.

Os olhos dela arregalaram-se.

– Não, não te preocupes – apressou-se ele a explicar. – Eu disse-lhe que estavas apenas a dormir. O que era verdade. Ela não está preocupada.

– Tens a certeza?

Ele assentiu.

– Ela chamou-te La, la, la, Lucy.

Lucy sorriu.

– Ela é maravilhosa.

– É igualzinha a ti.

– Não é por isso que ela é marav...

– É exatamente por isso – interrompeu ele com um sorriso. – E quase me esquecia de te contar. Ela deu nomes às bebés.

– Eu pensei que tu tinhas dado os nomes às bebés.

– E dei. Bebe mais um pouco de água. – Ele fez uma pausa para conseguir que ela ingerisse mais líquidos. A distração ia ser a chave, decidiu. Um pouco aqui e um pouco ali, até conseguir que ela bebesse um copo inteiro de água. – A Katharine pensou nos segundos nomes. Francesca Hyacinth e Eloise Lucy.

– Eloise...?

– Lucy – terminou ele por ela. – Eloise Lucy. Não é lindo?

Para sua surpresa, ela não protestou, apenas assentiu com a cabeça, um movimento quase impercetível, os olhos marejados de lágrimas.

– Ela disse que era porque tu és a melhor mãe do mundo – acrescentou ele suavemente.

Ela chorou então, grandes lágrimas silenciosas rolaram-lhe dos olhos.

– Queres que te traga as bebés agora? – perguntou ele.

Ela assentiu com a cabeça.

– Por favor. E... – Fez uma pausa e Gregory apercebeu-se do estrangulamento na sua voz. – E traz os outros, também.

– Tens a certeza?

Ela assentiu com a cabeça novamente.

– Se puderes ajudar-me a sentar mais direita, acho que consigo aguentar os abraços e os beijos.

As lágrimas dele, as que se esforçara tanto por suprimir, deslizaram-lhe dos olhos.

– Eu não consigo pensar em nada melhor para te ajudar a recuperar mais depressa. – Ele caminhou até à porta; então virou-se com a mão na maçaneta. – Eu amo-te, La, la, la, Lucy.

– Eu também te amo.

Gregory deve ter dito às crianças para se comportarem com especial compostura, concluiu Lucy, porque quando entraram no quarto (adoravelmente em fila, do mais velho ao mais novo, os topos das suas cabeças fazendo uma pequena e encantadora escada), fizeram-no muito calmamente, encostando-se ordeiramente à parede, com as mãos entrelaçadas docemente à frente.

Lucy não fazia ideia de quem eram *aquelas* crianças. Nunca vira os *seus* filhos tão quietos.

– Estou muito sozinha aqui – disse ela, e teria havido uma queda em massa em cima da cama, se Gregory não tivesse intervindo e interrompido o motim com um contundente:

– Com cuidado!

Embora, pensando melhor, não tivesse sido tanto a ordem verbal que manteve o caos ao largo, mas os braços, que impediram pelo menos três crianças de se atirarem com toda a força para o colchão.

– A Mimsy não me deixa ver as bebés – resmungou Ben, o de quatro anos.

– Isso é porque não tomas banho há um mês – retorquiu Anthony, quase dois anos mais velho.

– Como é isso possível? – inquiriu Gregory em voz alta.

– Ele é muito sorrateiro – informou Daphne, que tentava furar disfarçadamente para chegar perto de Lucy, e por isso as palavras saíram abafadas.

– Como se pode ser sorrateiro com um fedor destes? – perguntou Hermione.

– Eu rebolo-me nas flores todos os dias – respondeu Ben em tom altivo.

Lucy parou um momento e acabou por decidir ser melhor não refletir minuciosamente sobre o que o filho acabara de dizer.

– Há... e que flores são essas?

– Bem, não é a roseira – respondeu ele, com ar incrédulo, como se não pudesse acreditar que ela ainda perguntasse.

Daphne inclinou-se para ele e inalou delicadamente.

– Peónias – anunciou ela.

– Não podes saber isso só por cheirar – protestou Hermione, indignada.

As duas meninas faziam diferença de apenas um ano e meio e quando não estavam aos segredinhos estavam a peguilhar como...

Bem, a peguilhar como Bridgertons, na verdade.

– Eu tenho muito bom nariz – explicou Daphne, erguendo o olhar à espera de que alguém o confirmasse.

– O cheiro a peónias é inconfundível – confirmou Katharine.

Ela estava sentada aos pés da cama com Richard. Lucy perguntou-se quando teriam os dois decidido que já não tinham idade para se amontoarem com os outros nas almofadas. Estavam a ficar tão crescidos, todos eles. Até o pequeno Colin já perdera o ar de bebé.

– Mamã? – disse ele tristemente.

– Vem cá, docinho – murmurou ela, estendendo-lhe a mão.

Ele era ainda uma bolinha fofa, de bochechas rechonchudas e joelhos cambaleantes. Ela pensara realmente que ele ia ser o último. Mas agora tinha mais duas, aconchegadas nos respetivos berços, preparando-se para crescer.

Eloise Lucy e Francesca Hyacinth. Tinham homónimas poderosas.

– Eu amo-a muito, mamã – disse Colin, o rostinho caloroso encostado à curva do seu pescoço.

– Eu também te amo – respondeu Lucy com a voz embargada. – Amo-vos a todos.

– Quando vai sair da cama? – perguntou Ben.

– Não sei. Eu ainda estou muito cansada. Pode demorar algumas semanas.

– Algumas *semanas*? – repetiu ele, claramente horrorizado.

– Vamos ver – murmurou ela. Então sorriu. – Já estou a sentir-me muito melhor.

Era verdade, sentia. Ainda estava cansada, mais do que jamais estivera. Sentia os braços pesados e as pernas como troncos, mas o coração estava leve e cheio de música.

– Amo-vos a todos – declarou ela de repente. A ti – disse ela a Katharine – e a ti e a ti e a ti e a ti e a ti e a ti. E às duas bebés no berçário, também.

– Ainda nem as conhece – salientou Hermione.

– Mas já sei que as amo. – Ela olhou para Gregory. Ele estava de pé à porta, onde nenhuma das crianças podia vê-lo. As lágrimas escorriam-lhe pelo rosto. – E também sei que te amo – concluiu ela suavemente.

Ele anuiu e enxugou o rosto com as costas da mão.

– A vossa mãe precisa de descansar – anunciou ele, e Lucy perguntou-se se as crianças se teriam apercebido do estrangulamento na voz dele.

Mas se se aperceberam, não o demonstraram. Resmungaram um pouco, mas saíram com quase tanta compostura como tinham mostrado à entrada. Gregory foi o último, espreitando outra vez para dentro do quarto antes de fechar a porta.

– Eu já volto – avisou ele.

A resposta dela foi um aceno de cabeça, deixando-se depois afundar na cama.

– Eu amo-vos a todos – voltou ela a dizer, gostando da forma como as palavras a faziam sorrir. – Amo-vos a todos.

E era verdade. Amava.

*23 de junho de 1840*
*Cutbank Manor*
*Nr Winkfield, Berkshire*

*Querido Gareth,*

*Ainda estou no Berkshire. A chegada das gémeas foi bastante dramática e a Lucy tem de permanecer de cama durante pelo menos um mês. O meu irmão diz que consegue arranjar-se sem mim, mas isso é tão falso que se torna risível. A própria Lucy pediu-me para ficar, longe dos ouvidos*

256

*dele, é claro; é preciso sempre considerar as sensibilidades delicadas dos homens da nossa espécie. (Eu sei que vais permitir-me este sentimento, pois até tu tens de confessar que as mulheres são muito mais úteis num quarto de doente.)*

*Ainda bem que eu estava aqui. Não sei se ela teria sobrevivido ao parto sem mim. Perdeu muito sangue e houve momentos em que não tínhamos a certeza se iria voltar a acordar. Tomei a iniciativa de lhe dizer algumas palavras duras e pessoais. Não me lembro das palavras exatas, mas posso ter ameaçado estropiá-la. Também posso ter dado ênfase à ameaça ao acrescentar: «Sabes bem que sou capaz de o fazer».*

*Obviamente que o disse baseada na premissa de que ela estaria fraca de mais para descobrir a contradição essencial de tal declaração, pois se ela não acordasse, seria de muito pouca utilidade estropiá-la.*

*Sei que estás a rir-te de mim neste momento. Mas, quando ela acordou, lançou-me um olhar cauteloso e sussurrou-me um muito sincero «Obrigada».*

*Por isso aqui vou estar durante mais algum tempo. Sinto terrivelmente a tua falta. É em momentos como estes que nos lembramos do que é verdadeiramente importante. A Lucy anunciou recentemente que ama toda a gente. Acredito que nós os dois sabemos que eu nunca terei paciência para isso, mas é verdade que te amo. E que a amo a ela. E a Isabella e o George. E o Gregory. Na verdade, uma quantidade bastante grande de pessoas.*

*Sou, de facto, uma mulher de sorte.*

*A tua adorada mulher,
Hyacinth*

## O Amor Perfeito de Violet

Os romances, por definição, costumam terminar com tudo bem definido. O herói e a heroína prometeram o seu amor e é óbvio que aquele final feliz será para sempre. Isto significa, contudo, que um autor não pode escrever uma verdadeira sequela; se eu trouxesse de volta o mesmo herói e a mesma heroína de um livro anterior, teria de colocar o final feliz anterior em risco antes de lhes assegurar um outro.

Por isso, as séries de romances são antes coleções de *spin-offs*, com personagens secundárias a regressar para protagonizar os seus próprios romances, e os protagonistas anteriores aparecendo ocasionalmente, sempre que necessário. Raramente um autor tem a oportunidade de pegar numa personagem e vê-la crescer ao longo de vários livros.

É exatamente isso que torna Violet Bridgerton tão especial. Quando ela apareceu pela primeira vez em *Crónica de Paixões e Caprichos*, era uma personagem bastante bidimensional, uma típica mãe do período da Regência. Mas ao longo de oito livros, ela tornou-se muito mais. A cada nova história dos Bridgerton, algo de novo era revelado, e quando terminei *A Caminho do Altar*, ela tinha-se tornado a minha personagem preferida da série. Os leitores clamavam para que eu escrevesse um final feliz para Violet, mas eu não podia. Acreditem, não podia; realmente acho que nunca seria capaz de escrever um herói à altura dela. Mas também eu queria conhecer melhor Violet e foi um trabalho de amor escrever «O Amor Perfeito de Violet». Espero que gostem.

## O Amor Perfeito de Violet: Uma novela

*Surrey, Inglaterra*
*1774*

— Violet Elizabeth! O que pensa a menina que está a fazer?

Ao som da voz indignada da precetora, Violet Ledger fez uma pausa, considerando as suas opções. Parecia haver poucas hipóteses de alegar total inocência; afinal de contas, tinha sido apanhada com a mão na massa.

Ou melhor, com a mão na tarte, pois agarrava uma tarte de amora incrivelmente aromática e o recheio, ainda quente, começara a escorrer pelo rebordo da forma.

— Violet... — ouviu-se a voz severa de Miss Fernburst.

Ela *podia* dizer que estava com fome. Miss Fernburst sabia bem que Violet era louca por doces. Não era totalmente descabida a possibilidade de ela surripiar uma tarte inteira, para depois a comer...

Onde? Violet pensou rapidamente. Para onde é que uma pessoa *leva* uma tarte de amora inteira? Não para o quarto, pois nunca seria capaz de esconder as provas. Miss Fernburst jamais acreditaria que Violet fosse burra o suficiente para o fazer.

Não, se ela roubasse uma torta, com o propósito de a comer, levá-la-ia lá para fora. Precisamente para onde tinha ido. Embora não exatamente para comer uma tarte.

Ainda ia a tempo de transformar uma mentira em verdade.

– Gostaria de um pouco de tarte, Miss Fernburst? – perguntou Violet docemente.

Ela sorriu e pestanejou, bem ciente de que, apesar dos seus oito anos e meio, não parecia ter mais de seis. A maioria das vezes considerava esse facto irritante; afinal de contas, ninguém gostava de ser visto como um bebé. Mas ela não via nenhum inconveniente em usar a sua estatura *petite* para ganhar vantagem quando a situação o justificava.

– Vou fazer um piquenique – acrescentou Violet como esclarecimento.

– Com quem? – quis saber Miss Fernburst, desconfiada.

– Oh, com as minhas bonecas. A Mette, a Sonia, a Francesca, a Fiona Marie e...

Violet desfiou toda uma lista de nomes, inventando-os à medida que falava. Era verdade que possuía um número bastante absurdo de bonecas. Sendo a única criança da sua geração, apesar de ter uma série de tias e tios, era inundada com presentes com grande regularidade. Alguém estava sempre a aparecer de visita no Surrey, pois a proximidade a Londres era demasiado atrativa para resistir, e aparentemente as bonecas eram o presente *du jour*.

Violet sorriu. Miss Fernburst teria ficado orgulhosa dela, por pensar em francês. Era realmente uma pena que não houvesse maneira de lho mostrar.

– Miss Violet – disse Miss Fernburst, inflexível –, a menina vá devolver essa tarte à cozinha imediatamente.

– Toda?

– Claro que deve devolver toda – respondeu Miss Fernburst numa voz exasperada. – A menina não tem sequer um utensílio para cortar às fatias. Ou para a consumir.

Verdade. Mas as ambições de Violet para a tarte não requeriam utensílios de qualquer tipo. Porém, já estava metida no sarilho, por isso cavou ainda mais fundo ao responder:

– Eu não podia trazer tudo. Estava a pensar em voltar para ir buscar uma colher.

– E deixar a tarte no jardim para os corvos a comerem?

– Bem, eu não pensei nisso.

– Não pensaste nisso? – disse uma voz profunda e retumbante que só poderia pertencer ao pai. Mr. Ledger aproximou-se. – Violet, o que estás a fazer na sala de visitas com uma tarte?

– Precisamente o que estou a tentar apurar – disse Miss Fernburst rigidamente.

– Bem...

Violet parou, tentando não olhar ansiosamente para as portas envidraçadas que abriam para o relvado. Atingira o fundo. Nunca fora capaz de mentir ao pai. Ele sabia sempre a verdade. Não sabia como é que ele conseguia; devia ser alguma coisa nos olhos dela.

– Ela disse que estava a planear fazer um piquenique no jardim com as bonecas – relatou Miss Fernburst.

– Deveras.

Não era uma pergunta, mas uma afirmação. O pai conhecia-a bem de mais para fazer a pergunta.

Violet assentiu. Bem, um aceno subtil. Ou talvez mais um descer do queixo.

– Isto porque alimentas sempre os teus brinquedos com comida verdadeira – disse o pai.

Ela não reagiu.

– Violet, o que estavas a planear fazer com a tarte? – perguntou o pai com severidade.

– Hum...

Os olhos dela pareciam não conseguir deixar de fixar uma mancha no chão a cerca de dois metros para a esquerda.

– *Violet?*

– Ia ser só uma pequena armadilha – murmurou ela.

– Uma pequena quê?

– Uma armadilha. Para aquele rapaz Bridgerton.

– Para...

O pai riu baixinho. Ela percebeu que ele não tivera a intenção de o fazer, e depois que ele cobriu a boca com a mão e tossiu, o rosto voltou a ficar severo.

– Ele é horrível – queixou-se ela, antes que ele a pudesse repreender.

– Oh, ele não é assim tão mau.

– Ele é terrível, pai. O pai sabe que sim. E ele nem sequer vive aqui em Upper Smedley. Só está de visita. Seria de pensar que saberia portar-se devidamente, sendo o pai dele um visconde, mas...

– Violet...

– Ele não é um cavalheiro – fungou ela.

– Ele tem nove anos.

– Dez – corrigiu ela, muito empertigada. – Na minha opinião, uma criança de dez anos de idade deve saber ser um bom hóspede.

– Ele não é nosso hóspede – lembrou o pai. – Ele é convidado dos Millerton.

– Seja como for – redarguiu Violet, pensando no quanto gostaria de cruzar os braços, mas o problema é que ainda segurava a maldita tarte.

O pai esperou que ela completasse a frase, mas ela não o fez.

– Entrega a tarte a Miss Fernburst – ordenou o pai.

– Ser um bom hóspede significa não se comportar horrivelmente com os vizinhos – protestou Violet.

– A tarte, Violet.

Ela entregou-a a Miss Fernburst, que, em abono da verdade, não parecia querer pegar nela.

– Devo levá-la de volta para a cozinha? – perguntou a precetora.

– Por favor, faça-o – respondeu o pai de Violet.

Violet esperou até que Miss Fernburst desaparecesse, depois olhou para o pai com uma expressão descontente.

– Ele pôs farinha no meu cabelo, pai.

– Flores? – repetiu ele. – As meninas não gostam desse tipo de coisa?

– Farinha, pai! Farinha! Aquilo que se usa para fazer bolos! Miss Fernburst teve de me lavar o cabelo durante vinte minutos só para conseguir tirá-la. E não se atreva a rir!

– Eu não estou a rir.

– Está, sim – acusou ela. – Está com vontade de rir. Consigo vê-lo no seu rosto.

– Estou apenas curioso por saber como é que o rapaz conseguiu.

– Eu não sei – resmungou Violet entre dentes.

O que era o pior insulto. Ele conseguira cobri-la de farinha finamente moída e ela ainda não descobrira como ele o fizera. Ela andava a passear no jardim, quando de repente tropeçou e...

Puf! Farinha por toda a parte.

– Bom – disse o pai com naturalidade –, pelo que sei, ele vai-se embora no final da semana. Por isso não terás de lhe suportar a presença por muito mais tempo. Se é que a terás de suportar de todo – acrescentou. – Não temos planeada nenhuma visita aos Millerton esta semana, pois não?

– Também não tínhamos planeado visitá-los ontem – respondeu Violet – e mesmo assim ele conseguiu encher-me de farinha.

– Como sabes que foi ele?

– Oh, eu sei – respondeu ela sombriamente.

Quando estava ocupada a cuspir e a tossir e a sacudir a nuvem de farinha, ouvira-lhe as gargalhadas de triunfo. Se não tivesse tanta farinha nos olhos, provavelmente também o teria visto, sorrindo daquela maneira horrível de *rapaz*.

– Pareceu-me um rapaz perfeitamente aprazível, quando ele e Georgie Millerton vieram para o chá na segunda-feira.

– Não quando o *pai* não estava na sala.

– Ah, bem... – O pai fez uma pausa, franzindo os lábios, pensativo. – Sinto muito ter de te dizer isto, mas é uma lição de vida que terás de aprender. Os rapazes são horríveis.

Violet pestanejou.

– Mas, mas...

Mr. Ledger encolheu os ombros.

– Estou certo de que a tua mãe irá concordar.

– Mas o *pai* também é um rapaz.

– E garanto que devo ter sido horrível. Pergunta à tua mãe.

Violet fitou-o, incrédula. Era verdade que os pais se conheciam desde crianças, mas ela não podia acreditar que o pai alguma vez se tivesse portado mal com a mãe. Ele era tão gentil e atencioso com ela agora. Estava sempre a beijar-lhe a mão e sorrir-lhe com o olhar.

– Ele provavelmente gosta de ti – afirmou Mr. Ledger. – O rapaz Bridgerton – esclareceu, como se fosse necessário.

Violet soltou um suspiro horrorizado.

– Não gosta nada.

– Talvez não – aceitou o pai com ar prazenteiro. – Talvez ele seja simplesmente horrível. Mas provavelmente acha que és bonita. Isso é o que os rapazes fazem quando pensam que uma menina é bonita. E tu sabes que eu te acho extraordinariamente bonita.

– O senhor é meu pai – protestou ela, atirando-lhe um olhar mais ríspido.

Toda a gente sabia que os pais eram obrigados a achar as filhas lindas.

– Vou fazer um acordo contigo – disse ele, inclinando-se e tocando-a suavemente no queixo. – Se esse rapaz Bridgerton... como disseste que ele se chamava?

– Edmund.

– Edmund, certo. Se o Edmund Bridgerton voltar a incomodar-te, irei pessoalmente enfrentá-lo e defender a tua honra.

– Num duelo? – suspirou Violet, cada centímetro do seu ser estremecendo de prazer horrorizado.

– Até à morte – confirmou o pai. – Ou talvez apenas uma conversa dura. Eu realmente prefiro não ir para a forca por matar um rapaz de nove anos.

– Dez – corrigiu Violet.

– Dez. Pareces saber muito acerca desse jovem Bridgerton.

Violet abriu a boca para se defender, porque, afinal, era inevitável que soubesse algumas coisas sobre Edmund Bridgerton; fora forçada a ficar sentada na mesma sala de visitas com ele durante duas horas, na segunda-feira. Mas percebeu que o pai estava a brincar. Se dissesse mais alguma coisa, ele não a deixaria em paz.

– Posso voltar para o meu quarto agora? – perguntou ela com ar afetado.

O pai assentiu com a cabeça.

– Mas não terás direito a tarte para sobremesa ao jantar.

Violet ficou de boca aberta.

– Mas...

– Sem argumentos, se faz favor. Estavas preparada para sacrificar a tarte esta tarde. Não me parece justo que devas ter direito a um pedaço agora que o teu plano saiu frustrado.

Violet apertou os lábios numa linha teimosa. Fez um aceno de cabeça rígido e, em seguida, marchou em direção às escadas.

– Eu odeio o Edmund Bridgerton – murmurou ela.

– O que disseste? – perguntou o pai em voz alta.

– Eu odeio Edmund Bridgerton! – exclamou ela. – E não me importo que o saibam!

O pai soltou uma risada, o que só a fez ficar mais furiosa.

Os meninos eram realmente horríveis. Mas especialmente Edmund Bridgerton.


*Londres*
*Nove anos mais tarde*


– Digo-te uma coisa, Violet – começou Miss Mary Filloby com uma certeza muito pouco convincente –, ainda bem que não somos nenhumas belezas estonteantes. Tornaria tudo muito mais complicado.

*Complicado, como?* queria Violet perguntar. Porque de onde estava sentada (junto à parede, com as outras invisíveis, observando as raparigas que *não eram* invisíveis), beleza estonteante não lhe parecia uma coisa nada má.

Mas não se preocupou em perguntar. Não precisava. Mary levaria apenas um fôlego para implorar:

– Olha para ela. Olha para ela!

Violet já estava a olhar para ela.

– Ela tem oito homens à sua volta – disse Mary, numa estranha combinação de espanto e indignação.

– Eu conto nove – murmurou Violet.

Mary cruzou os braços.

– Eu recuso-me a incluir o meu próprio irmão.

Suspiraram as duas em simultâneo, os quatro olhos postos em Lady Begonia Dixon, que, com a sua boca de botão de rosa, os olhos azul-céu e os ombros perfeitamente inclinados, tinha encantado metade da população masculina da sociedade londrina numa questão de dias, após a sua chegada à cidade. O cabelo era provavelmente glorioso, também, pensou Violet com desagrado. Dava graças a Deus pelas perucas. Na verdade, eram as grandes niveladoras, permitindo que as jovens com cabelo de um loiro desbotado pudessem competir com as que possuíam cabelo de um loiro dourado resplandecente e cheio de caracóis.

Não que Violet se importasse por ter o cabelo loiro desbotado. Era perfeitamente aceitável. E sedoso, até. Só não era dourado nem tinha caracóis.

– Há quanto tempo estamos aqui sentadas? – perguntou Mary em voz alta.

– Três quartos de hora – estimou Violet.

– Há tanto tempo?

Violet assentiu tristemente.

– Temo que sim.

– Não há homens suficientes – concluiu Mary.

A voz tinha perdido o tom de irritação, parecendo agora um pouco desalentada. Mas era verdade. Não havia homens suficientes. Muitos tinham ido lutar para as colónias, e um grande número deles não tinha voltado. Acrescentar a isso a complicação que era Lady Begonia Dixon (nove homens perdidos para o resto das donzelas, pensou Violet, taciturna) e a escassez era terrível, de facto.

– Dancei apenas uma vez durante toda a noite – disse Mary. Seguiu-se uma pausa e depois: – E tu?

– Duas vezes – admitiu Violet. – Mas uma das vezes foi com o teu irmão.

– Oh! Bem, então isso não conta.

– Conta, sim – refutou Violet.

Thomas Filloby era um cavalheiro com as duas pernas e todos os dentes, e, no seu ponto de vista, contava.

– Tu nem sequer *gostas* do meu irmão.

Não havia nada a dizer que não fosse rude ou mentira, por isso Violet acabou por fazer um ligeiro e peculiar movimento com a cabeça que poderia ser interpretado de qualquer uma das formas.

– Quem me dera que tivesses um irmão – disse Mary.

– Para ele poder convidar-te para dançar?

Mary assentiu.

– Desculpa.

Violet fez uma pausa, esperando que Mary dissesse «A culpa não é tua», mas a atenção de Mary tinha sido finalmente arrancada de Lady Begonia Dixon e estava de momento a semicerrar os olhos para alguém junto à mesa de limonada.

– Quem é *aquele*? – perguntou Mary.

Violet inclinou a cabeça para o lado.

– O duque de Ashbourne, parece-me.

– Não, esse não – respondeu Mary com impaciência. – O outro ao lado dele.

Violet abanou a cabeça.

– Não sei.

Não conseguia ter uma boa visão do cavalheiro em questão, mas tinha a certeza de que não o conhecia. Era alto, embora não excessivamente, e possuía a graça atlética de um homem que se sentia perfeitamente à vontade no seu próprio corpo. Não precisava de lhe ver o rosto para saber que era atraente. Porque mesmo que ele não fosse elegante, mesmo que o rosto dele não fosse nenhum sonho de Miguel Ângelo, ainda assim seria atraente.

Ele era confiante, e os homens com autoconfiança eram sempre atraentes.

– Ele é novo – avaliou Mary.

– Dá-lhe uns minutos – disse Violet em tom seco. – Ele já encontra Lady Begonia.

Mas o cavalheiro em questão não pareceu reparar em Lady Begonia, por mais incrível que parecesse. Deixou-se ficar junto à mesa de limonada, bebendo seis copos, e, em seguida, caminhou até à mesa do *buffet*, onde engoliu uma quantidade surpreendente de comida. Violet não sabia porque lhe seguia o progresso pelo salão, exceto pelo facto de ele ser novo e ela estar entediada.

Ele era jovem. E atraente.

Mas, principalmente, porque estava entediada. Mary tinha sido convidada para dançar por um primo de terceiro grau, por isso Violet ficara sozinha, sentada na sua cadeira de invisível, sem mais nada para fazer além de contar o número de canapés que o novo cavalheiro comia.

Onde estava a sua mãe? Decerto já era hora de se irem embora. O ar estava pesado, ela estava cheia de calor e não lhe parecia provável ser convidada para uma terceira dança, além de...

– Olá! – surgiu uma voz. – Eu conheço-a.

Violet piscou os olhos, olhando para cima. Era ele! O cavalheiro faminto que devorara doze canapés.

Ela não fazia ideia de quem ele era.

– É Miss Violet Ledger – disse ele.

*Miss Ledger*, na verdade, uma vez que não tinha uma irmã mais velha, mas não o corrigiu. O facto de ele ter usado o seu nome completo parecia indicar que a conhecera durante algum tempo ou que talvez a tivesse conhecido há muito tempo.

– Lamento – murmurou ela, pois nunca fora boa a fingir que conhecia alguém –, mas eu...

– Edmund Bridgerton – apresentou-se ele com um sorriso agradável. – Conheci-a há muitos anos. Quando estive de visita a George Millerton. – Ele relanceou pela sala. – Diga-me, por acaso viu-o? Ele deveria cá estar.

– Há, sim – respondeu Violet, um pouco desconcertada pela sociabilidade gregária de Mr. Bridgerton.

As pessoas em Londres não eram, em geral, tão amigáveis. Não que ela se importasse que as pessoas fossem amigáveis. Só se tinha desacostumado.

– Combinámos encontrar-nos aqui – explicou Mr. Bridgerton distraidamente, ainda a passear os olhos pela sala.

Violet aclarou a garganta.

– Ele está cá. Eu dancei com ele mais cedo.

Mr. Bridgerton considerou a resposta um instante e depois sentou-se na cadeira ao lado dela.

– Julgo que não a vejo desde que eu tinha dez anos.

Violet ainda estava a tentar lembrar-se.

Ele dirigiu-lhe um sorriso meio torto.

– Eu atingi-a com a minha bomba de farinha.

Ela engasgou-se.

– Foi o *senhor*?

Ele sorriu novamente.

– Agora já se lembra.

– Tinha-me esquecido do seu nome – confessou ela.

– Estou destroçado.

Violet contorceu-se no assento, sorrindo involuntariamente.

– Eu fiquei com tanta raiva...

Ele começou a rir.

– Devia ter visto a sua cara.

– Eu não podia *ver* nada. Tinha farinha nos olhos.

– Fiquei surpreendido por não se ter vingado.

– Eu tentei – assegurou ela. – O meu pai apanhou-me.

Ele assentiu, como se tivesse experiência com esse tipo particular de frustração.

– Espero que fosse algo magnífico.

– Acho que envolvia uma tarte.

Ele anuiu em aprovação.

– Teria sido genial – acrescentou ela.

Ele arqueou uma sobrancelha.

– De morango?

– De amora – esclareceu ela, o tom seu tornando-se diabólico ao recordar.

– Melhor ainda.

Ele recostou-se, pondo-se mais confortável. Possuía um ar solto e relaxado, como se encaixasse perfeitamente em qualquer situação. A postura dele era tão correta como a de qualquer cavalheiro, e ainda assim...

Ele era diferente.

Violet não tinha a certeza de como descrevê-lo, mas havia algo nele que a deixava à vontade. Ele fazia-a sentir-se feliz. Livre.

Porque ele o era. Precisou de apenas um minuto ao seu lado para perceber que ele era a pessoa mais feliz e livre que conhecia.

– Alguma vez teve a oportunidade de usar a sua arma? – perguntou ele.

Ela olhou-o com curiosidade.

– A tarte – lembrou ele.

– Oh! Não. O meu pai ter-me-ia feito em picadinho. Além disso, não havia ninguém para atacar.

– Poderia decerto ter encontrado uma razão para ir atrás do Georgie – disse Mr. Bridgerton.

– Eu não ataco sem provocação – refutou Violet com o que esperava ser um sorriso altivo e provocador – e o Georgie Millerton nunca me enfarinhou.

– Uma mulher justa – concluiu Mr. Bridgerton. – O melhor tipo.

Violet sentiu o rosto tornar-se ridiculamente quente. Graças a Deus o sol já praticamente se tinha posto e não entrava muita luz pelas janelas. Apenas com as velas tremeluzentes a iluminar a sala, ele não se aperceberia de como ela enrubescera.

— Nenhum irmão ou irmã para merecer a sua ira? – perguntou Mr. Bridgerton. – Parece uma pena deixar uma tarte perfeitamente boa ir para o lixo.

— Se bem me lembro – respondeu Violet –, não foi para o lixo. Todos a comeram à sobremesa naquela noite, exceto eu. E de qualquer maneira, eu não tenho irmãos ou irmãs.

— A sério? – O sobrolho franziu-se. – Estranho eu não me lembrar disso sobre si.

— Lembra-se de muito? – perguntou ela, duvidando. – Porque eu...

— Não? – terminou ele por ela e riu-se. – Não se preocupe. Não tomo como um insulto. Eu nunca me esqueço de uma cara. É um dom e uma maldição.

Violet pensou em todas as vezes, inclusive agora, que não se lembrara do nome da pessoa que estava à sua frente.

— Como pode isso ser uma maldição?

Ele aproximou-se dela inclinando a cabeça de forma namoradeira.

— Ficamos de coração partido, sabe, quando as lindas donzelas não se lembram do nosso nome.

— Oh! – Ela sentiu o rosto corar. – Eu sinto muito, mas entenda, foi há muito tempo e...

— Pare – interrompeu ele, rindo. – Estou a brincar.

— Ah, claro.

Ela cerrou os dentes. Claro que ele estava a brincar. Como podia ter sido tão tola e não perceber. Embora...

Ele acabara de dizer que ela era linda?

— Estava a dizer que não tem irmãos – incitou ele, voltando habilmente a conversa para o ponto anterior.

Pela primeira vez, ela sentiu ter absorvido a sua total atenção. Ele deixara de relancear para a multidão, à procura de George Millerton. Estava a olhar para ela, a fitá-la nos olhos, e era terrivelmente espetacular.

Ela engoliu em seco, lembrando-se da pergunta dois segundos mais tarde do que seria normal numa conversa.

– Não tenho irmãos – confirmou ela, a voz saindo muito rápida para compensar o atraso. – Eu fui uma criança difícil.

Os olhos dele arregalaram-se, de forma empolgante.

– A sério?

– Não, quero dizer, eu fui um bebé difícil. Para nascer. – Deus do Céu, para onde tinham ido as suas capacidades verbais? – O médico aconselhou a minha mãe a não ter mais. – Engoliu atrapalhada, determinada a reencontrar o próprio cérebro. – E o senhor?

– Eu? – provocou ele.

– Tem irmãos?

– Três. Duas irmãs e um irmão.

O pensamento de três pessoas a mais na sua infância muitas vezes solitária pareceu-lhe repentinamente maravilhoso.

– São próximos? – perguntou ela.

Ele pensou um momento.

– Suponho que sim. Nunca pensei sobre isso. O Hugo é muito diferente de mim, mas ainda o considero o meu melhor amigo.

– E as suas irmãs? São mais novas ou mais velhas?

– Uma de cada. A Billie tem mais sete anos do que eu. Finalmente casou, por isso não a vejo muito, mas a Georgiana é pouco mais nova do que eu. Deve ter provavelmente a sua idade.

– Ela não está aqui em Londres, então?

– Estará no próximo ano. Os meus pais afirmam que ainda estão a recuperar do debute da Billie.

Violet sentiu as sobrancelhas erguerem-se, mas sabia que não devia...

– Pode perguntar – ajudou ele.

– O que é que ela fez? – perguntou ela imediatamente.

Ele inclinou-se com um brilho conspiratório no olhar.

– Eu nunca soube todos os detalhes, mas ouvi algo sobre um incêndio.

Violet prendeu a respiração... de choque *e* de admiração.

– E um osso partido – acrescentou ele.

– Oh, coitadinha.

– Não um osso partido *dela*.

Violet sufocou uma risada.

– Oh, não. Eu não devia...

– Pode rir à vontade – disse-lhe ele.

Ela assim fez. Escapou-lhe da garganta um riso alto e encantador, e quando se apercebeu de que as pessoas a observavam, não se importou.

Ficaram ali sentados mais alguns momentos, o silêncio entre eles tão agradável como um nascer do sol. Violet manteve o olhar fixo nos lordes e senhoras que dançavam à sua frente; dentro dela sabia que se se atrevesse a virar a cabeça e a olhar para Mr. Bridgerton, nunca mais seria capaz de desviar o olhar.

A música chegou ao fim, mas quando olhou para baixo, os seus pés ainda sapateavam. Os dele também, e então...

– Miss Ledger, gostaria de dançar?

Ela virou-se então e *olhou* para ele. E era verdade, percebeu; não ia ser capaz de desviar o olhar. Não do rosto, nem da vida que se estendia à sua frente, tão perfeita e encantadora como aquela tarte de amora de tantos anos antes.

Aceitou a mão dele e sentiu-o como uma promessa.

– Nada me daria mais prazer.


*Algures no Sussex*
*Seis meses depois*


– Aonde vamos?

Violet Bridgerton era Violet Bridgerton há precisamente oito horas e até ao momento estava a gostar muito do seu novo sobrenome.

– Oh, é uma surpresa – respondeu Edmund, com um sorriso voraz do outro lado da carruagem.

Bem, não exatamente do outro lado da carruagem. Ela estava praticamente no colo dele.

E... agora *estava* no colo dele.

– Eu amo-te – disse ele, rindo do grito de surpresa dela.

– Não tanto quanto eu te amo.

Ele dirigiu-lhe o seu melhor olhar de condescendência.

– Só *pensas* que sabes do que estás a falar.

Ela sorriu. Não era a primeira vez que tinham aquela conversa.

– Muito bem – concedeu. – Podes amar-me mais, mas eu vou amar-te *melhor*. – Ele esperou um momento. – Não vais perguntar o que isso significa?

Violet pensou em todas as formas como ele já a amara. Não se tinham antecipado aos votos de casamento, mas também não tinham sido exatamente castos.

Decidiu que era melhor não perguntar.

– Diz-me só aonde vamos – preferiu ela dizer.

Ele soltou uma gargalhada, colocando um dos braços à volta dela.

– Para a nossa lua de mel – murmurou ele, as palavras deslizando macias e deliciosas na pele dela.

– Mas *onde*?

– Tudo a seu tempo, minha querida Mrs. Bridgerton. Tudo a seu tempo.

Ela tentou chegar-se novamente para o seu lado da carruagem, pois afinal era o que exigia o decoro, mas ele não deixou e abraçou-a com mais vigor.

– Aonde pensas que vamos? – resmungou ele.

– Esse é o problema. Não sei!

Edmund soltou uma gargalhada volumosa e saudável, tão perfeita e esplendidamente reconfortante. Ele estava tão feliz. Ele fazia-a feliz. A mãe dela afirmara que ele era demasiado jovem, que Violet devia escolher um cavalheiro mais maduro, de preferência um que já estivesse de posse do título. Mas desde aquele primeiro momento luminoso na pista de dança, quando a sua mão encontrara a dele e o seu primeiro olhar verdadeiro se fixara no dele, Violet não pudera imaginar uma vida com outro, senão Edmund Bridgerton.

Ele era a sua outra metade, a colher onde ela se aconchegava na perfeição. Seriam jovens juntos e depois envelheceriam juntos. Dariam as mãos e mudar-se-iam para o campo, e teriam muitos, muitos filhos.

Não queria um lar solitário para os filhos. Queria um monte deles. Um bando. Queria barulho e risadas, e tudo o que Edmund a fazia sentir, com ar fresco e tartes de morango e...

Bem, e uma ou outra viagem a Londres. Ela não era assim tão rústica para não desejar os vestidos feitos pela Madame Lamontaine. E é claro que não poderia passar um ano inteiro sem uma visita à ópera. Mas, para além disso, e de uma festa aqui e ali, pois gostava de socializar, queria ser mãe.

Ansiava por isso.

Não se tinha apercebido da força com que o desejava até conhecer Edmund. Era como se algo dentro dela tivesse estado reprimido, não permitindo que ela desejasse ter filhos até encontrar o único homem com quem poderia imaginar-se a fazê-los.

— Estamos quase lá — disse ele, espreitando pela janela.

— E isso é...?

A carruagem já tinha abrandado; parou finalmente e Edmund olhou-a com um sorriso malandro.

— Aqui — terminou ele a frase.

A porta abriu-se e ele desceu, estendendo a mão para a ajudar a sair. Ela desceu com cuidado, pois a última coisa que queria era cair de cara no chão na sua noite de núpcias, e depois olhou para cima.

— A Hare and Hounds? — perguntou ela sem entender.

— A própria — disse ele com orgulho, como se não houvesse uma centena de pousadas espalhadas por toda a Inglaterra exatamente iguais.

Ela pestanejou. Várias vezes.

– Uma pousada?

– Sim. – Ele inclinou-se para lhe sussurrar ao ouvido: – Suponho que estejas curiosa por saber porque escolhi este lugar.

– Bem, sim.

Não que tivesse algo *contra* uma pousada. Por fora, parecia devidamente arranjada. E se ele a tinha trazido para ali, é porque devia ser limpa e confortável.

– O problema é este – começou ele, levando-lhe a mão aos lábios. – Se formos para casa, terei de te apresentar a todos os criados. Claro que são apenas seis, mas ainda assim... ficarão terrivelmente ofendidos se não lhes dermos a quantidade adequada de atenção que esperam.

– Claro – concordou Violet, ainda impressionada com o facto de em breve ser dona da sua própria casa.

O pai de Edmund oferecera-lhe uma pequena e confortável casa senhorial, um mês antes. Não era grande, mas era deles.

– Já para não falar – acrescentou Edmund – que quando não descermos para o pequeno-almoço amanhã, ou no dia seguinte... – Parou um momento, como se ponderasse algo terrivelmente importante, antes de terminar com: – ou no seguinte...

– Não vamos descer para o pequeno-almoço?

Ele fitou-a nos olhos.

– Não.

Violet corou. Até à raiz dos cabelos.

– Por uma semana, pelo menos.

Ela engoliu em seco, tentando ignorar as ondas inebriantes de excitação que se enrolavam dentro dela.

– Como podes ver – disse ele com um sorriso lento –, se passássemos uma semana, ou quem sabe, talvez duas...

– Duas semanas? – chiou ela.

Ele encolheu os ombros de forma cativante.

– É possível.

– Céus!

– Sentir-te-ias terrivelmente constrangida na frente dos criados.

– Mas tu não – concluiu ela.

– Não é o tipo de coisa que os homens considerem constrangedor – disse ele com modéstia.

– Mas numa pousada... – alegou ela.

– Podemos permanecer no nosso quarto um mês inteiro, se quisermos, e depois nunca mais cá vimos!

– Um mês? – repetiu ela, sem saber se corara ou se empalidecera.

– Sou capaz, se tu também fores – provocou ele com ar diabólico.

– Edmund!

– Oh, muito bem, imagino que deva haver uma coisa ou outra para a qual tenhamos de estar presentes antes da Páscoa.

– Edmund...

– Mr. Bridgerton para ti.

– Tão formal?

– Só porque isso significa que posso começar a chamar-te Mrs. Bridgerton.

Era notável a capacidade que ele tinha de a fazer tão ridiculamente feliz com uma única frase.

– Vamos entrar? – convidou ele, erguendo-lhe a mão como incentivo. – Tens fome?

– Há, não – respondeu ela, mesmo tendo um bocadinho.

– Graças a *Deus*!

– Edmund! – riu ela, porque agora ele caminhava tão depressa que ela era obrigada a segui-lo aos saltinhos para conseguir acompanhá-lo.

– O teu marido – disse ele, estacando de repente com o propósito expresso (ela tinha a certeza) de a fazer colidir com ele – é um homem muito impaciente.

– Ai sim? – murmurou ela, começando a sentir-se feminina e poderosa.

Ele não respondeu; já tinham alcançado o balcão da receção e Edmund estava a confirmar a reserva.

– Não te importas se eu não subir as escadas contigo ao colo? – perguntou ele assim que ficou tudo tratado. – Tu és leve como uma pena, é claro, e eu sou suficientemente viril para...

– Edmund!

– É só que estou com um pouco de pressa.

E os olhos dele... oh, aqueles olhos... encheram-se de mil promessas, e ela queria conhecer cada uma delas.

– Eu também – respondeu ela baixinho, colocando a mão na dele. – Muita.

– Ah, quero lá saber – disse ele com voz rouca, pegando-a ao colo –, não consigo resistir.

– A passagem do limiar da porta teria sido suficiente – disse ela, rindo todo o caminho enquanto subiam as escadas.

– Não para mim.

Ele abriu a porta do quarto com o pé e, em seguida, atirou-a para a cama para poder fechar e trancar a porta.

Logo desceu sobre ela, movendo-se com uma graça felina que ela nunca lhe vira antes.

– Eu amo-te – disse ele, os lábios tocando os dela enquanto as mãos se esgueiravam para debaixo da saia.

– Eu amo-te mais – respondeu ela sem fôlego, porque as coisas que ele fazia... deviam decerto ser proibidas.

– Mas eu... – murmurou ele, descendo com beijos até à perna e em seguida... céus!... subindo novamente – vou amar-te *melhor*.

As roupas pareceram voar, mas ela não sentiu nenhum pudor. Era assombroso que pudesse estar deitada com aquele homem, que pudesse vê-lo a admirá-la, a vê-la... *toda*... e não sentir nenhuma vergonha, nenhum desconforto.

– Oh, meu Deus, Violet – gemeu ele, posicionando-se desajeitadamente entre as pernas dela. – Devo dizer-te que não tenho assim tanta experiência nisto.

– Eu também não – ofegou ela.

– Eu nunca...

Isso chamou-lhe a atenção.

– Nunca?

Ele abanou a cabeça.

– Acho que estava à tua espera.

Ela prendeu a respiração e, logo, com um sorriso de lento derretimento, disse:

– Para alguém que nunca o fez, és bastante bom.

Por um momento ela julgou ter visto lágrimas nos olhos dele, que logo desapareceram, sendo substituídas por um brilho malandro, muito malandro.

– Eu pretendo melhorar com a idade – prometeu-lhe ele.

– Eu também – devolveu ela, com igual malícia.

Ele riu, e ela riu, unindo os seus corpos em amor.

E embora fosse verdade que ambos tivessem melhorado com a idade, aquela primeira vez na melhor cama de penas da pousada Hare and Hounds...

Foi devastadoramente maravilhosa.


*Aubrey Hall, Kent*
*Vinte anos depois*


No instante em que Violet ouviu Eloise gritar, soube que algo de terrivelmente errado se passava.

Não que os seus filhos nunca gritassem, aliás eles passavam a vida a gritar, geralmente uns com os outros. Mas aquele não era um simples grito; era um grito de desespero. E não nascera da raiva ou da frustração ou de um sentimento equivocado de injustiça.

Aquele era um grito de terror.

Violet atravessou a casa a correr, com uma velocidade que deveria ter sido impossível para quem estava de oito meses na sua oitava gravidez. Desceu as escadas e atravessou o grande átrio. Saiu da casa a correr, descendo as escadas do pórtico...

O tempo todo, Eloise não parou de gritar.

– O que foi? – perguntou sem fôlego, quando finalmente vislumbrou o rostinho da filha de sete anos.

Ela estava de pé no extremo da extensão relvada a oeste, perto da entrada para o labirinto de sebes, e ainda gritava.

– Eloise – implorou Violet, tomando o rosto da filha entre as mãos. – Eloise, por favor, diz-me o que se passa.

Os gritos de Eloise deram lugar aos soluços e ela colocou as mãos nos ouvidos, abanando a cabeça sem parar.

– Eloise, tens de...

As palavras de Violet interromperam-se bruscamente. O bebé que ela carregava era pesado e estava já muito descido e a dor que lhe atravessou o abdómen por causa da correria atingiu-a como uma rocha. Respirou fundo, tentando acalmar a pulsação, e colocou as mãos sob a barriga, tentando apoiá-la pelo lado de fora.

– O papá! – gemeu Eloise.

Era a única palavra que parecia capaz de formar por entre os gritos.

Um nó gélido de medo introduziu-se no peito de Violet.

– O que queres dizer?

– O papá – engasgou-se Eloise. – Paaapááá...

Violet deu-lhe uma sapatada. Seria a única vez que bateria num dos filhos.

Os olhos de Eloise arregalaram-se e ela aspirou uma enorme lufada de ar. Não disse nada, mas virou a cabeça em direção à entrada do labirinto. Foi quando Violet viu.

Um pé.

– Edmund? – sussurrou ela. E então gritou o nome dele.

Correu em direção ao labirinto, para a bota que espreitava da entrada, ligada a uma perna, que devia estar presa a um corpo, que estava deitado no chão.

Imóvel.

– Edmund, oh Edmund, oh Edmund – disse ela, sem parar, algo entre um queixume e um grito.

Quando chegou junto dele, já sabia. Ele fora-se. Estava deitado de costas, os olhos ainda abertos, mas nada restava dele. Fora-se. Trinta e nove anos de idade e fora-se.

– O que aconteceu? – sussurrou ela, tocando-o freneticamente, apertando-lhe o braço, o pulso, a face.

A sua mente sabia que não podia trazê-lo de volta, até o seu coração o sabia, mas, de alguma forma, as mãos pareciam não querer aceitar a evidência. Não conseguia parar de lhe tocar... mexendo-o, incitando-o, abanando-o, sem parar de soluçar.

– Mamã?

Era Eloise, que se aproximava por trás dela.

– Mamã?

Ela não podia virar-se. Não podia. Não conseguia olhar para o rosto da filha, sabendo que agora era a sua única progenitora.

– Foi uma abelha, mamã. Ele foi picado por uma abelha.

Violet ficou muito quieta. Uma abelha? O que queria ela dizer, uma abelha? Toda a gente era picada por abelhas em algum momento das suas vidas. Inchava, ficava vermelho e doía.

Mas não matava.

– Ele disse que não era nada – continuou Eloise, com a voz trémula. – Ele disse que nem sequer doeu.

Violet olhou para o marido, a cabeça movendo-se de um lado para o outro em negação. Como poderia não ter doído? Tinha-o *matado*. Ela juntou os lábios, tentando formar uma pergunta, tentando fazer um maldito som, mas tudo o que saiu foi:

– O... o... o... – Nem sequer sabia o que estava a tentar perguntar. – *Quando* é que aconteceu? *O que* mais disse ele? *Onde* é que estavam?

Teria importância? Será que algo daquilo importava?

– Ele não conseguia respirar – disse Eloise.

Violet podia sentir a presença da filha mais perto, e então, em silêncio, a mão de Eloise deslizou para a dela.

Violet apertou-a.

– Ele começou a fazer assim um som – Eloise tentou imitar e soou horrível – como se estivesse a sufocar. E depois... Oh, mamã. Oh, mamã!

Ela atirou-se contra Violet, enterrando o rosto onde antes havia a curva de uma anca, mas onde agora havia apenas uma barriga, uma enorme barriga, com uma criança que nunca iria conhecer o pai.

– Preciso de me sentar – sussurrou Violet. – Eu preciso de...

Ela desmaiou. Eloise amparou-lhe a queda.


Quando Violet voltou a si, estava rodeada de criados. As expressões de todos eles eram de choque e de dor. Alguns nem sequer conseguiam encará-la.

– Precisamos de levá-la para a cama – disse a governanta, expedita. Erguendo o olhar, perguntou: – Temos uma padiola?

Violet abanou a cabeça enquanto permitia que um criado a ajudasse a sentar.

– Não, eu posso andar.

– Eu realmente acho...

– *Eu disse que posso andar* – redarguiu ela.

E então sentiu algo rachar e explodir dentro dela. Respirou profundamente, de forma involuntária.

– Deixe-me ajudá-la – disse o mordomo gentilmente, deslizando o braço para as costas dela e ajudando-a a levantar-se.

– Eu não posso, mas o Edmund...

Ela virou-se para olhar de novo, mas não teve coragem de o fazer. *Não era ele*, disse a si mesma. *Aquele não é ele.*

Aquele não *era* ele.

Ela engoliu em seco.

– A Eloise? – perguntou.

– A ama já a levou para dentro – respondeu a governanta, colocando-se do outro lado de Violet.

Violet assentiu.

— Minha senhora, temos de a levar para a cama. Não é bom para o bebé.

Violet pousou a mão na barriga. O bebé chutava como louco. O que não era nada de novo. Aquele bebé chutava e dava socos e rolava e soluçava e nunca, nunca parava. Era bastante diferente dos outros. E era uma coisa boa, supôs. Este iria ter de ser forte.

Sufocou um soluço. Iam ambos ter de ser fortes.

— Disse alguma coisa? – perguntou a governanta, dirigindo-a para a casa.

Violet abanou a cabeça.

— Preciso de me deitar – sussurrou ela.

A governanta assentiu e, em seguida, virou-se para um lacaio com um olhar urgente.

— Vá chamar a parteira.


Ela não precisou da parteira. Ninguém conseguia acreditar, dado o choque que tivera e o estado final da sua gravidez, mas o bebé recusou-se a sair. Violet passou mais três semanas de cama, a comer porque era obrigada, a tentar lembrar-se de que devia ser forte. Edmund já não existia, mas ela tinha sete crianças que precisavam dela, oito incluindo a teimosa na sua barriga.

E então, finalmente, após um parto rápido e fácil, a parteira anunciou:

— É uma menina – e colocou uma trouxinha minúscula e silenciosa nos braços de Violet.

Uma menina. Violet não conseguia acreditar. Convencera-se de que seria um menino. Iria chamar-lhe Edmund e que se danassem os nomes por ordem alfabética dos primeiros sete filhos. Ele chamar-se-ia Edmund, e seria *parecido* com Edmund, porque certamente essa seria a única maneira de encontrar algum sentido naquilo tudo.

Mas era uma menina, uma coisinha rosada que não fizera um som desde o grito inicial.

– Bom dia – disse-lhe Violet, pois não sabia mais o que dizer.

Olhou para baixo e viu o seu próprio rosto, mais pequeno, mais redondo, mas definitivamente não o de Edmund.

A bebé fitou-a diretamente nos olhos, embora Violet soubesse que não podia ser verdade. Os bebés não faziam isso tão cedo após o nascimento. Violet devia saber; aquele era o seu oitavo.

Mas este... Ela parecia não perceber que não era suposto olhar para a mãe daquela maneira. E então piscou os olhos. Duas vezes. O ato foi surpreendentemente deliberado, como se dissesse: «Eu estou aqui. E sei *exatamente* o que estou a fazer».

Violet prendeu a respiração, apaixonando-se por ela de forma tão total e imediata que mal podia suportar. E então a bebé soltou um grito diferente de tudo o que já ouvira. Gritou de tal forma que a parteira deu um salto. Gritou e gritou e gritou, enquanto a parteira se atarefava para a acalmar, enquanto os criados entraram a correr, e Violet não conseguiu fazer mais nada além de rir.

– Ela é perfeita – declarou, tentando calar a pequena gritadeira dando-lhe o peito. – É absolutamente perfeita.

– Que nome lhe vai dar? – perguntou a parteira, assim que a bebé se ocupou a tentar descobrir como mamar.

– Hyacinth – decidiu Violet.

Era a flor preferida de Edmund, especialmente os pequenos jacintos-das-searas que apareciam todos os anos para saudar a primavera. Eles marcavam o renascimento da paisagem, e este seu jacinto... a sua Hyacinth... seria o renascimento de Violet.

O facto de começar com um H, seguiria perfeitamente após Anthony, Benedict, Colin, Daphne, Eloise, Francesca, e Gregory... Bem, tornava tudo ainda mais perfeito.

Ouviu-se uma batida na porta, e a ama Pickens espreitou.

– As meninas gostariam de ver Sua Senhoria – disse ela à parteira. – Se ela estiver pronta.

A parteira olhou para Violet, que assentiu. A ama fez as três meninas a seu cargo entrar com um severo:

– Lembrem-se do que conversámos lá fora. Não cansem a vossa mãe.

Daphne aproximou-se da cama, seguida de Eloise e Francesca. Todas elas possuíam o cabelo castanho espesso de Edmund, aliás todos os filhos o tinham herdado, e Violet perguntou-se se Hyacinth seria igual. Para já tinha apenas um minúsculo tufo cor de pêssego.

– É uma menina? – perguntou Eloise abruptamente.

Violet sorriu e mudou de posição para mostrar a nova bebé.

– É.

– Oh, graças a Deus! – exclamou Eloise com um suspiro dramático. – Precisávamos de outra.

Ao lado dela, Francesca anuiu. Ela era a que Edmund sempre designara como a «gémea acidental» de Eloise. Partilhavam o mesmo dia de aniversário, com um ano de diferença. Aos seis anos, Francesca geralmente seguia o exemplo de Eloise. Eloise era mais alta, mais ousada. Mas, de vez em quando, Francesca surpreendia-os a todos e fazia algo que era unicamente dela.

Não desta vez, no entanto. Manteve-se ao lado de Eloise, agarrada à sua boneca de pano, concordando com tudo o que a irmã mais velha dizia.

Violet olhou para Daphne, a filha mais velha. Tinha quase onze anos, certamente idade suficiente para pegar num bebé.

– Queres vê-la? – perguntou Violet.

Daphne abanou a cabeça. Piscava os olhos rapidamente, como sempre fazia quando estava perplexa, e depois, de repente, pôs-se muito direita e disse:

– A mamã está a sorrir.

Violet voltou os olhos para Hyacinth, que tinha deixado o peito e adormecido.

– Estou – concordou, e podia senti-lo na própria voz.

Tinha-se esquecido de como era a sua voz quando sorria.

– Não sorri desde que o papá morreu – declarou Daphne.

– Não?

Violet fitou a filha. Seria possível? Não sorria há três semanas? Não lhe parecia estranho sorrir. Os lábios formaram a curva de memória, talvez com certo alívio, como se se entregassem a uma memória feliz.

– Não – confirmou Daphne.

Ela devia estar certa, percebeu Violet. Se não tinha conseguido sorrir para os filhos, decerto não o fizera quando sozinha. A dor que sentia... tinha-se agigantado diante dela, engolindo-a completamente. Era uma coisa pesada, física, tornando-a cansada, empurrando-a para baixo.

Ninguém podia sorrir nesse estado.

– Qual é o nome dela? – perguntou Francesca.

– Hyacinth. – Violet mudou de posição para que as meninas pudessem ver o rosto da bebé. – O que vos parece?

Francesca inclinou a cabeça para o lado.

– Ela não se parece com uma Hyacinth – declarou Francesca.

– Parece, sim – protestou Eloise muito depressa. – Ela é muito rosada.

Francesca encolheu os ombros, aceitando a derrota.

– Ela nunca vai conhecer o papá – disse Daphne baixinho.

– Não – concordou Violet –, não vai.

Ninguém disse nada, até que Francesca, a pequena Francesca, disse:

– Nós podemos falar-lhe dele.

Violet engoliu um soluço. Não chorava à frente dos filhos desde aquele dia. Guardara as lágrimas para quando estava sozinha, mas não conseguia pará-las agora.

– Eu acho... acho que isso é uma ideia maravilhosa, Frannie.

Francesca abriu um grande sorriso e gatinhou para a cama, contorcendo-se até encontrar o local perfeito do lado direito da mãe. Eloise seguiu-a, depois foi a vez de Daphne, e todas elas, todos as meninas Bridgerton, espreitaram o mais recente membro da família.

– Ele era muito alto – começou Francesca.

– Não era assim tão alto – corrigiu Eloise. – O Benedict é mais alto.

Francesca ignorou-a.

– Ele era alto. E sorria muito.

– Ele punha-nos sentadas nos ombros dele – disse Daphne, a voz começando a tremer – até ficarmos demasiado crescidas.

– E ele ria-se – disse Eloise. – Ele gostava de rir. Tinha o melhor riso do mundo, o nosso papá...


*Londres*
*Treze anos mais tarde*

Violet tinha decidido que o trabalho da sua vida seria ver os oito filhos felizes e encaminhados na vida, e, de forma geral, não se importava com a miríade de tarefas que isso implicava. Havia festas e convites e costureiras e modistas de chapéus, e isso só para as meninas. Os rapazes precisavam da mesma orientação, se não mais. A única diferença era que a sociedade permitia aos rapazes muito mais liberdade, o que significava que Violet não tinha necessidade de escrutinar cada detalhe das suas vidas.

É claro que tentava. Afinal ela era mãe.

Contudo, tinha a sensação de que o seu trabalho como mãe nunca seria tão exigente como estava a ser naquele exato momento, na primavera de 1815.

Sabia muito bem que, no grande esquema da vida, não tinha nada de que se queixar. Nos últimos seis meses, Napoleão tinha escapado da ilha de Elba, um enorme vulcão tinha entrado em erupção nas Índias Orientais e várias centenas de soldados britânicos tinham perdido as suas vidas na Batalha de Nova Orleães, lutando equivocadamente *após* o tratado de paz com os norte-americanos ter sido assinado. Violet, por seu lado, tinha oito filhos saudáveis, todos eles atualmente com os dois pés assentes em solo inglês.

Porém.

Havia sempre um *porém*, não havia?

Esta primavera marcava a primeira (e Violet rezava para que fosse a última) temporada social na qual apresentava duas filhas «ao mercado».

Eloise debutara em 1814, e ninguém poderia ter afirmado ter sido menos que um sucesso. Três propostas de casamento em três meses. Violet tinha ficado nas nuvens. Não que tivesse permitido que Eloise aceitasse dois deles, pois eram homens demasiado velhos. Violet não queria saber se a posição social dos cavalheiros era muito elevada; nenhuma filha sua iria unir-se a alguém que estaria morto antes de ela fazer trinta anos.

Não que isso não pudesse acontecer com um jovem marido. Doença, acidentes, abelhas assustadoramente mortais... muitas coisas podiam levar um homem no seu auge. Mas, ainda assim, um homem mais velho tinha mais probabilidade de morrer do que um jovem.

E mesmo que não fosse o caso... Que rapariga no seu perfeito juízo quereria casar com um homem que já passara dos sessenta?

Mas apenas dois dos pretendentes de Eloise foram desclassificados pela idade. O terceiro tinha vinte e nove anos, um título menor e uma fortuna perfeitamente respeitável. Não havia nada de errado com Lord Tarragon. Violet tinha a certeza de que daria um marido encantador.

Mas Eloise não era da mesma opinião.

Por isso aqui estavam agora. Eloise na sua segunda temporada e Francesca na primeira, e Violet estava *exausta*. Nem sequer podia obrigar Daphne a fazer o serviço de acompanhante ocasional. A filha mais velha tinha-se casado com o duque de Hastings dois anos antes, arranjando logo maneira de ficar grávida durante toda a temporada de 1814. E a de 1815 também.

Violet adorava ter um neto e estava felicíssima com a perspetiva de mais dois a chegar em breve (a mulher de Anthony também estava de bebé), mas, francamente, às vezes uma mulher precisava de ajuda. Esta noite, por exemplo, tinha sido um desastre completo.

Oh, muito bem, talvez *desastre* fosse um certo exagero, mas, sinceramente, quem pensara ser boa ideia organizar um baile de máscaras? Violet estava certa de que não fora ela. Muito menos concordara em ir vestida de rainha Elizabeth. Ou se o fizera, não concordara em usar coroa. Aquilo pesava pelo menos dois quilos, e ela estava apavorada que lhe voasse da cabeça sempre que a virava para um lado e para o outro, tentando manter Eloise e Francesca debaixo de olho.

Não admirava as dores no pescoço.

Mas uma mãe nunca podia ser demasiado cuidadosa, especialmente num baile de máscaras, quando os jovens cavalheiros (e a ocasional donzela) encaravam os seus trajes como uma licença para se portarem mal. Vejamos, lá estava Eloise, a segurar o seu traje de Atena enquanto conversava com Penelope Featherington. Que estava vestida de duende, coitada.

Onde estava Francesca? Deus do céu, aquela rapariga conseguia ficar invisível até num descampado. E já agora, onde estava Benedict? Ele tinha *prometido* dançar com Penelope, e tinha desaparecido completamente.

Onde se teria ele...

– Uf!

– Oh, peço perdão – disse Violet, desembaraçando-se de um senhor que parecia estar vestido de...

Dele próprio, na verdade. Com uma máscara.

Contudo, não o reconheceu. Nem a voz, nem o rosto por trás da máscara. Era de estatura média, com cabelo escuro e um porte elegante.

– Boa noite, Vossa Alteza – cumprimentou ele.

Violet pestanejou e então lembrou-se: *a coroa*. Como se poderia ter esquecido daquela monstruosidade de dois quilos que tinha na cabeça?

– Boa noite – respondeu ela.

– Está à procura de alguém?

Mais uma vez se questionou sobre a voz e, mais uma vez, não chegou a nenhuma conclusão.

– De vários alguéns, na verdade – murmurou ela. – Sem sucesso.

– Os meus pêsames – disse ele, pegando-lhe na mão e inclinando-se para lhe depositar um beijo. – Eu procuro restringir as minhas buscas a uma pessoa de cada vez.

*O senhor não tem oito filhos*, quase respondeu Violet, mas, no último momento, calou-se. Se não conhecia a identidade do cavalheiro, havia uma possibilidade de ele também não a conhecer.

E, claro, ele *podia* ter oito filhos. Ela não era a única pessoa em Londres a ter sido tão abençoada no casamento. Além disso, o cabelo dele nas têmporas era grisalho, portanto era provável que tivesse idade suficiente para ser pai de muitos.

– É aceitável que um senhor humilde convide uma rainha para dançar? – perguntou ele.

Violet quase recusou. Ela quase nunca dançava em público. Não que se opusesse ou que considerasse indecoroso. Edmund desaparecera há mais de uma década. Ela ainda chorava a sua morte, mas não estava de luto. Ele não iria querer que o fizesse. Ela usava cores vivas e mantinha uma agenda social intensa, mas, mesmo assim, raramente dançava. Simplesmente não queria.

Mas então ele sorriu, e algo naquele sorriso a fez lembrar-se do de Edmund, aquele meio sorriso eternamente juvenil e conhecedor que ele tinha. Sempre lhe fizera o coração pular e, embora o sorriso do cavalheiro não chegasse a causar-lhe essa reação, ainda assim acordou algo dentro dela. Algo audaz, e descontraído.

*Algo juvenil.*

– Seria um prazer – respondeu ela, pousando a mão na dele.


– A mãe está a *dançar*? – sussurrou Eloise para Francesca.

– Mais do que isso – devolveu Francesca –, *com quem* está ela a dançar?

Eloise esticou o pescoço, sem se preocupar em esconder o interesse.

– Não faço ideia.

– Pergunta à Penelope – sugeriu Francesca. – Ela parece saber sempre quem é quem.

Eloise virou-se novamente, desta vez esquadrinhando o lado oposto da sala.

– Onde *está* a Penelope?

– Onde está o Benedict? – perguntou Colin, aproximando-se das irmãs em passo descontraído.

– Não sei – respondeu Eloise. – Onde está a Penelope?

Ele encolheu os ombros.

– A última vez que a vi, estava a esconder-se atrás de um vaso de plantas. Seria de pensar que com aquele fato de duende a camuflagem fosse melhor.

– Colin! – repreendeu Eloise, dando-lhe uma palmada no braço. – Vai convidá-la para dançar.

– Já o fiz! – Ele piscou os olhos, incrédulo. – Aquela é a mãe a dançar?

– É por isso que estávamos à procura da Penelope – explicou Francesca.

Colin limitou-se a fitá-la, de lábios entreabertos.

– Fazia sentido quando o dissemos – disse Francesca com um aceno. – Sabes com quem ela está a dançar?

Colin abanou a cabeça.

– Detesto bailes de máscaras. De quem foi a ideia, afinal?

– Da Hyacinth – respondeu Eloise com ar sombrio.

– Da *Hyacinth*? – repetiu Colin.

Os olhos de Francesca semicerraram-se.

– Ela é como um titereiro, a mexer os cordelinhos – rosnou ela.

– Deus nos proteja a todos quando crescer – disse Colin.

Ninguém tinha de o dizer, mas os rostos mostraram o *Amém* coletivo.

– Quem *é* que está a dançar com a mãe? – perguntou Colin.

– Não sabemos – respondeu Eloise. – É por isso que estávamos à procura da Penelope. Ela parece saber sempre essas coisas.

– Ai sim?

Eloise fez-lhe uma careta.

– Reparas em alguma coisa?

– Em muita coisa, na verdade – respondeu ele afavelmente. – Só que geralmente não é naquilo que *tu* queres que eu repare.

– Nós vamos ficar aqui até a dança terminar – anunciou Eloise. – Depois vamos interrogá-la.

– Interrogar quem?

Todos olharam para cima. Anthony, o irmão mais velho, acabara de chegar.

– A mãe está a dançar – disse Francesca, não que isso, tecnicamente, respondesse à pergunta.

– Com quem? – perguntou Anthony.

– Não sabemos – disse-lhe Colin.

– E pretendem interrogá-la sobre isso?

– É esse o plano da Eloise – explicou Colin.

– Não te ouvi a contestar – replicou Eloise.

As sobrancelhas de Anthony ergueram-se.

– Eu diria que o cavalheiro é que merece o interrogatório.

– Já vos ocorreu – comentou Colin dirigindo-se a todos – que sendo uma mulher de cinquenta e dois anos, a nossa mãe é perfeitamente capaz de escolher os seus próprios parceiros de dança?

– Não – respondeu Anthony, a sílaba acentuada cortada pela intervenção de Francesca:

– Ela é a nossa *mãe.*

– Na verdade, ela só tem cinquenta e um anos – corrigiu Eloise. Ao ver o olhar azedo de Francesca, acrescentou: – Bom, é verdade.

Colin dirigiu um olhar perplexo às duas irmãs antes de se virar para Anthony.

– Viste o Benedict?

Anthony encolheu os ombros.

— Estava a dançar há pouco.

— Com alguém que *eu não conheço* – acrescentou Eloise com mais intensidade. E volume.

Os três irmãos viraram-se para ela.

— Nenhum de vós acha curioso que tanto a mãe como o Benedict estejam a dançar com estranhos misteriosos? – inquiriu ela.

— Na verdade, não – murmurou Colin. Seguiu-se uma pausa, em que todos eles continuaram a observar a mãe a deslizar em passos elegantes na pista de dança, e depois acrescentou: – Ocorre-me que esta noite pode ser a razão de ela nunca dançar.

Anthony arqueou uma sobrancelha imperiosa.

— Estamos aqui há vários minutos sem fazer outra coisa que não seja especular sobre o seu comportamento – assinalou Colin.

Silêncio, e então, Eloise disse:

— E daí?

— Ela é a nossa *mãe* – justificou Francesca.

— Não achas que ela merece privacidade? Não, não respondas – decidiu Colin. – Eu vou procurar o Benedict.

— Não achas que *ele* merece privacidade? – redarguiu Eloise.

— Não – respondeu Colin. – Mas seja como for, ele está a salvo. Se o Benedict não quer ser encontrado, não irei conseguir encontrá-lo.

Com uma saudação irónica afastou-se em direção à mesa do *buffet*, embora fosse bastante óbvio que Benedict não estava perto dos biscoitos.

— Aí vem ela – sibilou Francesca.

Ato contínuo, a dança terminou e observaram Violet dar a volta ao perímetro do salão.

— Mãe – disse Anthony com ar severo, assim que ela regressou para junto dos filhos.

— Anthony – disse ela com um sorriso –, não te vi toda a noite. Como está a Kate? Lamento que ela não se sentisse bem o suficiente para vir.

— Com quem estava a dançar? – demandou Anthony.

Violet pestanejou, incrédula.

– Perdão?

– Com quem estava a dançar? – repetiu Eloise.

– Sinceramente? – disse Violet com um leve sorriso. – Não sei.

Anthony cruzou os braços.

– Como é possível?

– É um baile de máscaras – respondeu Violet, começando a divertir-se. – Identidades secretas e tudo o mais.

– Vai dançar com ele novamente? – quis saber Eloise.

– Provavelmente não – respondeu Violet, olhando para a multidão. – Já viram o Benedict? Ele prometeu-me que dançava com a Penelope Featherington.

– Não tente mudar de assunto – cortou Eloise.

Violet virou-se para ela e desta vez os olhos tinham um brilho de reprovação.

– Que assunto?

– Só estamos a zelar pelo seu bem – justificou Anthony, depois de pigarrear várias vezes.

– Tenho a certeza que sim – murmurou Violet, e ninguém se atreveu a comentar o delicado tom de condescendência.

– É só que é tão raro a mãe dançar – explicou Francesca.

– Raramente – concordou Violet com leveza – não significa nunca.

Em seguida, Francesca expressou o que todos se perguntavam:

– Gosta dele?

– O homem com quem dancei? Nem sequer sei o nome dele.

– Mas...

– Ele tinha um sorriso muito agradável – cortou Violet – e convidou-me para dançar.

– E?

Violet encolheu os ombros.

– E mais nada. Ele falou muito sobre a sua coleção de patos de madeira. Duvido que os nossos caminhos se voltem a cruzar. – Acenou para os filhos. – Agora, se me dão licença...

Anthony, Eloise e Francesca ficaram a vê-la afastar-se. Após um longo momento de silêncio, Anthony disse:

— Pois bem.

— Pois bem — concordou Francesca.

Olharam com expectativa para Eloise, que lhes fez uma careta e, por fim, exclamou:

— Não, a conversa *não* correu nada bem.

Seguiu-se outro longo silêncio por preencher até Eloise perguntar:

— Acham que ela nunca voltará a casar?

— Não sei — respondeu Anthony.

Eloise aclarou a garganta.

— E como é que nos sentimos acerca disso?

Francesca fitou-a com óbvio desdém.

— Falas de ti própria no plural agora?

— Não. Eu honestamente quero saber como é que *nós* nos sentimos a esse respeito. Porque *eu* não sei como me sinto.

— Eu acho... — começou Anthony, mas vários segundos se passaram até ele lentamente concluir a frase: — Eu acho que nós pensamos que ela sabe tomar as próprias decisões.

Nenhum deles notou Violet de pé atrás deles, oculta atrás de um grande feto decorativo, a sorrir.


*Aubrey Hall, Kent*
*Anos depois*


Não havia muitas vantagens em envelhecer, mas *aquilo*, pensou Violet com um suspiro feliz enquanto observava vários dos netos mais jovens a brincar no relvado, tinha de ser uma delas.

Setenta e cinco. Quem diria que chegaria a tal idade? Os filhos tinham-lhe perguntado o que ela queria; era um grande marco, segundo eles, e merecia uma grande festa para comemorar.

— Só a família — fora a resposta de Violet.

Mesmo assim seria muito grande. Ela tinha oito filhos, trinta e três netos e *cinco* bisnetos. Qualquer encontro da família seria grandioso!

– Em que pensa, mãe? – perguntou Daphne, vindo sentar-se ao lado dela numa das confortáveis espreguiçadeiras almofadadas que Kate e Anthony tinham adquirido recentemente para Aubrey Hall.

– Principalmente em como estou feliz.

Daphne abriu um sorriso torto.

– A mãe diz sempre isso.

Violet encolheu um ombro.

– Porque é verdade.

– A sério?

Daphne não parecia ter ficado convencida.

– Quando estou com todos vocês.

Daphne seguiu-lhe o olhar e juntas ficaram a observar as crianças. Violet não sabia quantas se encontravam ali fora. Tinha-lhe perdido a conta quando começaram a jogar um jogo que envolvia uma bola de ténis, quatro volantes de badminton e um tronco. Devia ser divertido, porque teria jurado que vira três rapazes saltar de árvores para participar.

– Acho que estão todos – disse ela.

Daphne piscou os olhos e depois perguntou:

– No relvado? Acho que não. A Mary está lá dentro, estou certa disso. Vi-a com a Jane e...

– Não, quero dizer, acho que já tenho todos os netos. – Virou-se para Daphne e sorriu. – Parece-me que os meus filhos não me vão dar mais.

– Bem, *eu* certamente que não – disse Daphne, com uma expressão que dizia claramente *Cruzes canhoto!* – E a Lucy não *pode*. O médico fê-la prometer. E...

Ela fez uma pausa e Violet ficou simplesmente a admirar-lhe o rosto. Era tão divertido ver os filhos a pensar. Nunca ninguém nos diz, quando nos tornamos progenitores, como é divertido vê-los a fazer as coisas mais silenciosas que se possa imaginar.

Dormir e pensar. Ela era capaz de ficar eternamente a ver a sua prole fazê-lo. Mesmo agora, quando sete dos seus oito filhos já tinham passado a barreira dos quarenta.

— Tem razão — concluiu Daphne finalmente. — Acho que ficamos por aqui.

— Salvo as surpresas — acrescentou Violet, pois, na verdade, não se importaria se um dos filhos conseguisse produzir um último neto.

— Bem, sim — concordou Daphne, com um suspiro triste. — Disso percebo eu.

Violet riu-se.

— E não o trocavas por nada deste mundo.

Daphne sorriu.

— Não.

— Ele simplesmente caiu de uma árvore — disse Violet, apontando para o relvado.

— Uma árvore?

— De propósito — asseverou Violet.

— Disso não tenho a menor dúvida. Juro que o rapaz tem parte de macaco. — Daphne olhou para a extensão relvada, os olhos movendo-se rapidamente de um lado para o outro, procurando Edward, o seu filho mais novo. — Estou tão feliz por estarmos aqui. Ele precisa de irmãos, coitado. Os outros quatro quase não contam, pois são muito mais velhos.

Violet esticou o pescoço.

— Ele parece ter entrado numa altercação com o Anthony e o Ben.

— Está a ganhar?

Violet semicerrou os olhos para ver melhor.

— Parece que ele e o Anthony estão a trabalhar em conjunto... Oh, espera, aí vai a Daphne. A pequena Daphne — acrescentou ela, como se fosse necessário.

– Isso deve equilibrar as coisas – comentou Daphne, sorrindo, enquanto observava a sua homónima dar um puxão de orelhas ao seu filho.

Violet sorriu e soltou um bocejo.

– Cansada, mãe?

– Um bocadinho.

Violet odiava admitir essas coisas; os filhos estavam sempre prontos a preocupar-se com ela. Pareciam não conseguir entender que uma mulher de setenta e cinco anos pode gostar de sestas pela simples razão de ter gostado de sestas a vida toda.

Porém, Daphne não insistiu no assunto, e ficaram as duas a descansar nas espreguiçadeiras num silêncio cúmplice até que, de forma totalmente inesperada, Daphne perguntou:

– É *realmente* feliz, mãe?

– Claro. – Violet fitou-a com surpresa. – Porque me perguntas uma coisa dessas?

– Porque... bem... a mãe está *sozinha*.

Violet soltou uma risada.

– Eu não estou sozinha, Daphne.

– *Sabe* o que eu quero dizer. O pai morreu há quase quarenta anos, e a mãe nunca...

Com deleite considerável, Violet esperou que ela terminasse a frase. Quando ficou claro que Daphne não conseguiria fazê-lo, Violet teve pena dela e perguntou:

– Estás a tentar perguntar-me se alguma vez tive um amante?

– Não! – exclamou Daphne, e no entanto Violet tinha a certeza de que ela se interrogara.

– Bem, eu não tenho – respondeu Violet com toda a naturalidade. – Se queres saber.

– Aparentemente, quero – murmurou Daphne.

– Nunca quis – disse Violet.

– Nunca?

Violet encolheu os ombros.

– Não fiz nenhuma promessa, nem nada de tão formal. Suponho que, se a oportunidade tivesse surgido e o homem certo tivesse aparecido, eu podia ter...

– Casado com ele – terminou Daphne por ela.

Violet lançou-lhe um olhar de soslaio.

– És realmente uma puritana, Daphne.

Daphne ficou de boca aberta. Oh, aquilo era muito divertido.

– Pronto, está bem – continuou Violet, tendo piedade dela. – Se eu tivesse encontrado o homem certo, provavelmente ter-me-ia casado com ele, quanto mais não fosse para te poupar de expirar de choque por causa de um caso ilícito.

– Devo lembrar-lhe de que a mãe foi a pessoa que não conseguiu sequer falar-me do que acontece na noite de núpcias na noite anterior ao meu casamento?

Violet dispensou o comentário com um aceno displicente.

– Há muito que ultrapassei esse constrangimento, asseguro-te. Porque com a Hyacinth...

– Não quero saber – interrompeu Daphne com firmeza.

– Sim, compreendo que não queiras – admitiu Violet. – Nada é normal com a Hyacinth.

Daphne não disse nada, então Violet estendeu a mão e pegou na dela.

– Sim, Daphne – disse ela com toda a sinceridade –, eu sou feliz.

– Não consigo sequer imaginar se o Simon...

– Eu também não conseguia – interveio Violet. – No entanto, aconteceu. Na altura achei que iria perecer de tanta dor.

Daphne engoliu em seco.

– Mas não. Nem tu irias. A verdade é que acaba por se tornar mais fácil. E começas a pensar ser possível encontrar a felicidade com outra pessoa.

– A Francesca encontrou – murmurou Daphne.

– Sim, encontrou.

Violet fechou os olhos um momento, lembrando-se da terrível preocupação que sentira com a sua terceira filha durante aqueles anos de viuvez. Ela mantivera-se terrivelmente solitária, não exatamente evitando a família, mas também não querendo a sua ajuda. E, ao contrário de Violet, ela não tinha filhos que a ajudassem a reencontrar a sua força.

— Ela é a prova de que é possível ser feliz duas vezes — disse Violet —, com dois amores diferentes. Mas, sabes, o tipo de felicidade que ela tem com o Michael não é o mesmo que tinha com o John. Não valorizo mais um do que outro; não é o género de coisa que se possa medir. Mas é diferente.

Ela olhou para o horizonte. Era sempre mais filosófica, quando tinha os olhos postos no horizonte.

— Eu não esperava o *mesmo* tipo de felicidade que tive com o teu pai, mas também não me contentaria com menos. E nunca encontrei.

Virou-se para olhar para Daphne, estendeu a mão e pegou na mão dela.

— E o que aconteceu foi que não precisei.

— Oh, mamã — disse Daphne, com os olhos cheios de lágrimas.

— A vida nem sempre foi fácil sem o teu pai — concluiu Violet — mas tem valido *sempre* a pena.

Sempre.